나는
네이버 블로그로
억대 연봉
번다

초판 1쇄 발행 2023년 11월 22일
초판 3쇄 발행 2024년 1월 31일

지은이 MJ의후다닥레시피 · 마더꽉 · 세수하면이병헌

발행인 장상진
발행처 (주)경향비피
등록번호 제2012-000228호
등록일자 2012년 7월 2일

주소 서울시 영등포구 양평동 2가 37-1번지 동아프라임밸리 507-508호
전화 1644-5613 | **팩스** 02) 304-5613

ISBN 978-89-6952-564-2 03320

· 값은 표지에 있습니다.
· 파본은 구입하신 서점에서 바꿔드립니다.

상위 0.1% 네이버 인플루언서 3인의 블로그 실전 공략법

나는 네이버 블로그로 억대 연봉 번다

MJ의후다닥레시피 · 마더팍 · 세수하면이병헌 지음

경향BP

콘텐츠 소비자가 될 것인가? 생산자가 될 것인가?

앨빈 토플러는 『제3의 물결』에서 제1의 물결은 농업혁명, 제2의 물결은 산업혁명, 우리가 살고 있는 시대는 제3의 물결로 정보혁명이라 했습니다. 저 MJ가 뜬금없이 중학교 사회 교과서에 나올 법한 이야기를 꺼내는 이유가 뭘까요?

제1의 물결 농업혁명 시대에는 농작지를 가진 사람이 부를 축적했고, 사회를 주도했습니다. 제2의 물결 산업혁명 시대에는 공장을 가진 사람이 부를 축적했고, 사회를 주도했습니다. 이제 우리가 살고 있는 제3의 물결 정보혁명 시대에는 어떤 사람이 부를 축적하고, 사회를 주도하게 될까요?

당연히 디지털 콘텐츠를 생산할 수 있는 사람이고, 더 나아가 이 방대한 데이터를 잘 활용하는 사람이 부를 축적하고, 사회를 주도하게 될 것입니다. 인터넷의 보급과 동시에, 개인용 컴퓨터(PC) 시장이 커지면서 정보화는 가속화되었습니다. 그때까지만 해도 콘텐츠의 생산은 일반인들이 쉽게 할 수 없었죠.

그런데 우리에게 엄청난 영향을 끼칠 거대한 사건이 일어났습니다. 2007년 1월 아이폰이라는 스마트폰이 세상에 나오면서 정보화 시대의 판도가 바뀌게 된 것이죠. 이제 누구나 스마트폰만 있으면 콘텐츠를 생산할 수 있고, 수많은 모바일 SNS 플랫폼이 생겨나게 되었습니다. 인류 역사상 처음으로 생산자가 되는 문턱이 낮아지게 된 것입니다.

농사를 지을 수 있는 땅도 필요 없고, 공장도 필요 없습니다. 아이디어와 스마트폰만 있어도 생산자가 될 수 있습니다. 우리는 여기서 선택의 기로에 서 있습니다. SNS를 보면서 시간을 때우며 광고가 끝나길 기다리는 콘텐츠 소비자가 될 것인가? 아니면 생산자가 될 것인가?

한때는 선생님이 꿈이었습니다. 한 학생의 인생을 바꾸게 할 수 있는 영향력 있는 선생님 말이죠. 한 개인의 영향력은 얼마나 될까요? 나에게 영향을 받는 사람이 몇 명이나 되는지 세어 보세요. 경력단절이 된 주부라면 가족을 제외하고는 정말 손꼽히는 사람들만 있을 것입니다. 저 MJ 역시 10여 년 전만 해도 나의 영향력은 나와 같은 공간에 살고 있는 가족, 이웃, 직장 동료에 한정되었습니다. 네이버 블로그를 시작한 지 10년이 지난 지금은 어떻게 변했을까요?

"30년 넘게 요리를 했지만, 여기서 새로 배워 가요."

"새댁인데 매일 저녁 이 공간에서 레시피 보며 밥상을 차리고 있어요."

"아내가 아파서 늦은 나이에 요리를 시작했는데 매일 배워 갑니다."

"저희 친정엄마도 알고 보니 MJ님 팬이었어요."

하루에 10만 명이 넘는 사람이 제 글과 사진·레시피를 보고, 10만 명의 인플루언서 팬과 10만 명의 블로그이웃이 있고, 제 블로그의 누적조회수는 2억 회를 돌파했습니다. 그리고 요리책 2권을 출간해 제 책을 읽는 독자들도 제 글과 사진, 레시피를 보면서 영향을 받고 있습니다.

얼마나 가슴 뛰고 멋진 일인지 모릅니다. 지금 이 순간에도 제 글들은 웹상에서 저의 분신이 되어 열심히 사람들에게 영향을 끼치고 있습니다. 이제 더 나아가 블로그 강의를 통한 영향력 확장을 위해 계획하고 있습니다. 영향력은 곧 돈이고, 영향력은 콘텐츠 생산으로부터 시작하게 되지요. 여러분도 자기 영향력의 경계를 무너뜨리고 확장해 보세요. 콘텐츠 소비자가 아닌, 콘텐츠 생산자가 되어 보세요.

MJ의후다닥레시피

돈도 벌고 시간도 버는 엄마

2018년 아이가 태어나고 나서부터는 밥 먹고 잠깐 휴식하는 시간을 제외하면 하루 평균 14시간을 육아와 가사노동에 시달렸습니다. 아이의 잦은 잠투정에 최소한의 수면 시간도 채우지 못해서 삶의 질이 떨어졌던 2020년 당시 제 수익은 0원이었습니다. 임신 전에 최소 월 300만 원을 받았던 평범한 직장인의 삶이 때때로 생각나기도 했습니다.

결혼할 당시에는 임신, 출산, 육아휴직까지 알차고 여유롭게 쓰겠다는 평범한 계획이 있었는데 현실은 달랐습니다. 아이가 태어난 이후에는 제 정신으로 오롯이 깨어 있는 시간이 적어서 직장생활이 도무지 불가능했습니다.

남편이 주는 생활비 안에서 제 용돈까지 써야 했던 시절이라, 전업주부가 주로 담당하게 되는 육아와 가사노동을 돈으로 환산하면 연간 2,315만 원이라는 뉴스는 조금의 위로도 되지 않았습니다. 2020년 2월, 주로 ○○엄마라고 불리는 삶에서 벗어나고 내 노동의 가치를 인정받고자 재취업을 결심했으나 코로나로 인해 다시 한 번 무기한 가정보육을 하게 됐습니다. 첫째를 어린이집조차 보내지 못하는 현실에서 제가 디지털 노마드의 눈을 뜨게 된 것은 말 그대로 우연이었습니다.

이전까지는 동네 밥집을 돌아다니면서 외식비나 절약하는 지출 방어 용도로 사용했던 블로그에 2만 원짜리 원고료 제안이 들어오는 것을 보고 치킨값 이상의 수익화가 가능하다는 것을 깨닫게 됐습니다. 키워드라는 것조차 몰랐던 제가 세부적인 부분을 파악하게 되면서 수익이 조금씩 올라갔고, 네이버 인플루언서가 되자 수익은 수직 상승하기 시작했습니다.

처음에 블로그로 돈을 벌어 보겠다고 말하자 남편은 월 100만 원만이라도 벌면 괜찮을 것 같다면서 큰 기대를 하지 않았는데, 이제는 제가 본인보다 더 벌어서 전업남편을 하고 싶다고 농담을 던질 정도로 수익이 나고 있습니다.

방법을 알고 나니 출퇴근할 필요 없이 집에서 아이를 돌보면서 직장인만큼 수익을 낼 수 있었습니다. 네이버 블로그 인플루언서 활동을 하는 중에 둘째를 임신, 출산했고 아이가 18개월이 될 때까지도 가정보육을 하면서 현금으로만 일반적인 직장인 월급만큼의 수입을 꾸준히 벌었습니다. 프리랜서 수익을 인정받아서 나라에서 주는 출산휴가급여 150만 원도 지급받았습니다. 육아 분야에서 활동하기에 아쉬운 소리를 하지 않고도 유명하거거나 고가의 육아 용품 체험단을 제공받은 것은 현실적으로 도움이 되는 지출 방어이자 또 다른 수익화의 방법입니다.

오롯이 육아만 하던 전업주부에서 벗어나 디지털 노마드라고 부를 수 있는 블로거 프리랜서의 삶은 제게 많은 변화를 가져다주었습니다. ○○엄마라는 이름 대신에 마더꽉으로 자신 있게 저를 소개할 수 있게 됐고, 내돈내산 하려면 망설이게 되는 고가의 육아 용품도 사용할 수 있는 많은 기회가 주어졌습니다. 대부분의 육아 용품을 살 필요가 없게 되니 금전적인 면에서도 더 풍족해졌습니다. 필요한 물품이 있다면 업체에게 먼저 자신 있게 제안할 수 있는 자신감도 생겼습니다. 오프라인이었다면 집과 어린이집, 유치원, 놀이터를 오가면서 단순하게 지역 사회 내에서 쌓아 갔을 소소한 인맥이 온라인으로 확장되면서 시야도 넓어졌습니다. 블로그를 하면서 만나는 수많은 분야와 직업군의 사람들과 나누는 이야기는 추가적인 수익화 방법으로 N잡을 꿈꾸게 합니다.

무엇보다도 디지털 노마드 생활에서 만족스러운 것은 현재 삶에서 우선순위로 둬야 할 육아를 위해 시간을 낼 수 있다는 점입니다. 육아에 드는 비용을 아끼기 위해서 아이가 잠든 시간에 물티슈 최저가 핫딜을 찾느라 보내던 시간을 글쓰기라는 의미 있는 수단으로 바꿀 수 있습니다. 물품을 제공받는 것은 기본이고 원고료를 지급받을 수도 있습니다.

아이가 갑자기 아파서 휴원해야 할 때도 직장에 아쉬운 소리를 할 필요 없이 기꺼이 오늘은 집에서 돌보겠다 말할 수 있는 여유도 생깁니다. 주어진 일거리가 있다면 아이를 재우고 조금 더 시간을 내거나, 조금 더 일찍 일어나면 됩니다. 휴가 계획을 잡고 싶다면 일하는 스케줄을 내 맘대로 조정해서 미리 끝내 놓거나, 휴가지에 가서 일할 수 있도록 노트북이나 블루투스 키보드만 챙기면 됩니다.

일이 있거나 없거나 출퇴근하는 시간에 맞춰서 아이를 보내고, 일정 시간 동안 정해진 장소에 얽매여 있어야 하는 직장인과는 다른 삶입니다. 직장을 다니면서 추가적인 수익이 필요하다면 시간과 장소에 구애받지 않는 N잡으로도 훌륭한 선택입니다. 혹은 사업자라면 방문자 숫자와 상관없이 온라인에서 자기가 파는 상품을 알리거나 확장할 수 있는 훌륭한 수단이 됩니다.

꾸준히 글쓰기만 했을 뿐인데 제 블로그에 들어와서 글을 읽은 총 누적 조회수는 2,600만 이상이 되었고, 온라인에서 마더꽉이라는 이름이 알려지면서 어느새 블로그 이웃 구독자가 2만 명이 넘었습니다.

치열하다고 알려진 네이버 육아 인플루언서들 중에서도 최상위권으로 0.05% 이내의 등수를 유지하고 있습니다(2023년 8월 기준 1,557명 중 4위). 이제는 개인 수익화를 넘어서 타인에게 도움을 줄 수 있는 여유까지 갖추게 됐습니다. 2022년에는 네이버에서 인플루언서를 위해서 진행했던 교육 프로그램 인플스퀘어에서 1기부터 육아 분야의 모임장을, 2기에는 육아 분야 수익화 멘토로 노하우를 전달하기도 했습니다.

2022년 11월부터는 엄마들과 함께 성장하고자 하는 마음으로 육아 인플루언서 커뮤니티를 운영하기 시작했습니다. 처음에는 적극적으로 도움을 주기 위해서 제가 잘 아는 분야인 육아 인플루언서들만 모아서 시작했는데, 더 많은 엄마들에게 도움을 주고자 2023년부터는 분야와 상관없이 육아하면서 글쓰기를 하는 엄마들이라면 모두 함께 참여할 수 있는 공간인 엄빌리버블(네이버 카페)을 운영 중입니다.

엄빌리버블은 엄마들의 놀라운 성장이라는 뜻입니다. 블로그 글쓰는 엄마들만 모였을 뿐인데 6개월도 채 되지 않아서 500명 이상의 엄마가 모였습니다. 유튜브나 인스타그램 등 타 SNS 홍보 없이 오롯이 블로그라는 주제 하나만으로 모인 숫자입니다.

시간과 경제적인 여유가 필요한 전업 육아맘, 직장인의 N잡, 개인 수익화, 가치 실현을 위한 퍼스널 브랜딩, 사업 확장까지 블로그라는 수단으로 할 수 있는 것은 무궁무진합니다. 우선 개인의 삶이 이상적으로 나아갈 수 있는 삶의 변화의 시작은 경제적인 압박과 시간으로부터 자유로워지는 것입니다. 블로그 글쓰기를 하면서 가벼운 첫 걸음을 떼 보세요.

마더꽉

글이 밥 먹여 주는 시대

본격적인 디지털 시대에 접어들면서 사람과 사람 간의 소통 방식에 큰 변화가 일어나고 있습니다. 많은 매체에서 말하길, X세대는 비대면을 불편하게 생각하고, MZ 세대는 비대면을 선호한다고 합니다. 유년기부터 스마트폰을 사용해 온 지금의 MZ 세대는 통화보다 채팅 메신저 소통이 더 편합니다. 전화받기를 꺼려하고, 실제로 힘들어하기도 합니다. 콜포비아라는 말이 일상적으로 느껴질 정도이니 얼마나 현 세대가 음성 대화보다는 텍스트 사용에 익숙한지 체감할 수 있습니다. 이런 변화는 결국 모든 소통이 텍스트 위주로 진행되고 있다는 걸 의미합니다. 이미 현재 진행형이고, 앞으로도 그 변화는 더욱 세차게 가속화될 것으로 보입니다.

비대면 시대의 또 다른 특징은 사진과 영상의 일반화에 있습니다. 허기진 배를 움켜쥔 순간, 맛깔스러운 음식을 앞에 두고도 사진부터 찍습니다. 다양한 각도에서 보다 더 맛깔스럽게, 보다 더 먹음직스럽게 촬영하기 위해 부단히도 애씁니다. 배에서 계속 배고픔의 신호를 보내오는 그 순간에도 가장 잘 나온 베스트 컷을 신중하게 고르고 골라 다양한 SNS에 내 일상을 기록하고 공유하고, 더 많은 사람이 보면서 공감해 주기를 기다립니다.

평생 한 번 있을까 말까 한, 정말 어렵게 계획하고 계획해서 힘들게 떠난 해외 여행지에서도 그 멋지고 아름다운 경관들을 눈에 담는 것보다 사진과 영상으로 먼저 담아냅니다. 누가 시킨 것이 아닙니다. 강요하는 사람도 없습니다. 눈에 담지 못한 그때 그 순간을 나중에 후회할 것을 알면서도 모두가 자발적으로 사진과 영상 찍기에 여념이 없습니다.

그렇게 현세대는 텍스트, 사진, 영상에 익숙합니다. 그런데 재미있는 것은 이 모든 변화와 새로운 행동 변화의 종착점이 모두 '한 편의 글'로 생산되고 있다는 점입니다. 블로그, 유튜브, 인스타그램, 기타 등등. 모든 SNS에서 짧거나 길거나 모두 한 편의 글로 생산되는 과정이 매일 반복되고 있습니다.

그렇게 생산되는 한 편의 글, 한 편의 포스트, 한 편의 영상은 모두 우리의 라이프스타일에 큰 변화를 가져오고 생각을 바꾸고 있습니다. 내가 생산해 낸 짧은 포스팅 한 편이 누군가의 인생을 바꿀 수도 있으며, 내가 공유한 여행지에서의 그때 느낌, 그때 그날의 향기와 온도, 특유의 분위기를 글로 전달하는 것 자체가 아주 많은 사람의 주말 일정을 바꿀 수 있고, 생활 습관 자체를 바꿔 놓을 수 있는 시대입니다.

그렇게 우리는 모두 텍스트 기반의 콘텐츠 세상을 살고 있습니다. 당신이 어제 시청한 유튜브 영상도, 당신이 무심코 스쳐 가며 봤던 쇼츠 영상도, 지인에게 공유받아 흥미롭게 보고 '좋아요'를 누른 인스타 피드도, 살까 말까 망설이다가 보게 된 해당 제품의 블로그 포스팅 후기도 당신의 라이프스타일을, 생각을, 견해를 바꿀 수 있는 힘이 됩니다. 그 모든 콘텐츠의 시발점이자 중심이 바로 텍스트, 즉 '글'입니다.

유튜브 영상의 시작은 기획부터이고, 그 기획을 콘텐츠로 바꾸는 시발점은 한 편의 글, 즉 스크립트입니다. 블로그 포스팅도 텍스트 기반이며, 인스타 피드의 힘 역시 강렬한 사진 한 컷과 함께하는 공감을 불러일으키는 한마디 한마디가 모두 '글'에 있습니다. 아이러니하게도 점점 더 디지털화되어 가는 변화의 소용돌이 속에 살고 있지만, 그 중심이자 시작에는 다분히 아날로그적인 '글'이 자리하고 있습니다.

인스타그램도, 유튜브도, 블로그도, 페이스북도 모두 사진 혹은 영상이 메인 소스인 것처럼 보일 수 있습니다. 하지만 결국 핵심은 글쓰기입니다. 어떤 문장을 구사하는지에 따라 같은 콘텐츠도 전혀 다른 느낌을 줄 수 있습니다. 차분한 어휘와 수려한 표현력을 구사하는 블로거에게 더 깊은 신뢰를 느끼고, 일목요연하게 논리 정연한 스크립트를 작성해서 그걸 바탕으로 화려한 언변을 자랑하는 유튜버에게 우리는 더 큰 신뢰를 갖게 됩니다.

그런데 더 재미있는 건 다분히 일상적인 상황에서도 글쓰기 능력, 개개인이 가진 문장력의 중요성은 계속해서 큰 영향을 미칩니다. 플레이스테이션이 너무 갖고 싶은 남편이 아내를 설득하거나, 진로 변경을 희망하며 부모님을 설득하는 대학생, 면접관의 눈에 들기 위해 남들과는 다른 인상을 심어 주고 싶은 취준생 등 당신의 일상이 크게 변화할 수 있는 기회들은 모두 글쓰기 능력과 아주 밀접한 관련이 있습니다.

글 잘 쓰는 방법을 알아 두면 다양한 기회가 열리고, 당장 직면한 라이프스타일이 크게 바뀔 수 있습니다. 누군가를 설득해야 변화가 시작되고, 누군가의 마음을 흔들어야 돈이 벌립니다. 우리는 그런 시대를 살고 있습니다. 바야흐로 '글이 밥 먹여 주는 시대'입니다.

세수하면이병헌

차례

PART 2

육아하면서 시간과 가치를 함께 벌다

- 육아 블로그 | 마더팍

PART 3

알고리즘을 이기는 '좋은 글쓰기'

- IT테크 블로그 | 세수하면이병헌

* 본문에 수록한 캡처 이미지는 네이버에서 검색한 화면입니다.

블로그를 시작하기 전에 꼭 알아 두어야 할 용어들

블로그 지수 관련

최적

같은 포스팅을 작성해도 검색 노출 결과에서 상위 노출 확률이 매우 높은 수준의 블로그를 '최적화'라고 말합니다. 검색 엔진 최적화, 즉 SEO(Search Engine Optimization) 블로그를 의미합니다. 2015년 11월 이전까지는 비교적 쉽게 최적화 블로그를 만들어 낼 수 있었습니다. 또한 카테고리 구분 없이 거의 모든 포스팅이 높은 확률로 상위 노출됐습니다.

하지만 지금은 아무리 최적화 블로그일지라도 C-RANK / D.I.A / D.I.A+ 등의 다양한 기준이 복합적으로 작용하기 때문에 과거에 비해 상위 노출이 쉽지는 않습니다. 참고로 2015년 11월 이후로 더 이상 최적화 블로그는 생겨나지 않습니다. 지금 최적화 블로그는 모두 2015년 11월 이전에 만들어졌다고 보면 됩니다.

준최

최적화 블로그에 '준하다'라는 의미로 만들어진 개념입니다. 하지만 실제로 최적화 블로그에 준하는 수준이라고 보긴 어렵습니다. 가장 심플하게 블로그의 단계를 구분해 보면 '저품질 블로그 - 준최적화 블로그 - 최적화 블로그' 3단계로 볼 수 있습니다. 즉 준최라는 이름은 저품질도 최적화도 아닌 '일반적인 수준의 블로그'를 의미합니다. 2015년 11월 이전에 생성된 최적화 블로그의 수준까지 올라가지는 않습니다.

참고로 준최는 1에서 6, 혹은 2에서 7까지 세분화해서 구분합니다. '준최2 / 준최 5 / 준최 6' 등으로 표기하는데, 네이버의 오피셜은 아닙니다. 블로거들, 그리고 대행사와 실행사 등 관련된 사람들이 편의상 만들어 낸 이름에 불과합니다.

지수

'블로그 지수'를 줄여서 '지수'라고 표현합니다. 운영 중인 블로그에 대한 현재 '점수'를 의미합니다. '지수가 하락했다, 지수가 올라갔다.' 보통 이렇게 말합니다. 네이버 오피셜은 '블로그 지수라는 개념은 없다.'입니다. 하지만 시스템상에서 각 블로그와 포스팅을 상대평가하는 기준, 즉 블로그 지수는 분명 있습니다. 최적화 블로그와 준최적화 블로그가 같은 품질의 포스팅을 작성해도, 평가(상위 노출 랭킹)의 시작 점수부터 다른 것만 봐도 알 수 있습니다.

저품질

거의 모든 블로그 포스팅이 검색 노출되지 않는 현상을 말합니다. 블로그의 품질이 낮아졌다라는 의미로 저품질이라고 하며, 줄여서 '저품'이라고도 합니다. 공식적으로는 저품질이라는 단어를 인정하지 않습니다. 네이버 오피셜로는 '스팸필터링'이 맞습니다.

로직 관련

알고리즘

어떤 문제의 해결 또는 결과 도출을 위한 규칙입니다. 네이버에서는 각 영역별로 다양한 알고리즘이 존재합니다. 대표적으로 주제별 출처의 신뢰도와 인기도를 반영하는 C-RANK & D.I.A 모두 네이버에서 사용하는 알고리즘입니다. 알고리즘에 따라 검색어의 상위 노출 결과가 달라지니 변화에 항상 예의주시해야 합니다.

C-RANK

2015년 11월부터 도입했던 네이버의 검색 랭킹 알고리즘입니다. C-RANK의 'C'는 Creator를 의미합니다. 블로그의 신뢰성을 '블로거'에게서 찾겠다는 의미를 이름 그대로 표현했습니다. 하나의 카테고리에 얼마나 집중하는지, 하나의 카테고리에서 얼마나 오랫동안 포스팅을 작성했는지를 평가하는 블로그 전문성 지표입니다.

D.I.A

2018년 9월부터 도입했던 네이버의 또 다른 검색 랭킹 알고리즘입니다. Deep Intent Analysis의 약어이며, 사용자의 검색어와 검색 기록, 검색 결과의 클릭 수 등의 요소를 분석해서 사용자의 의도를 파악하고, 그 결과를 검색 랭킹에 반영하는 방식입니다. 쉽게 말해서 개별 포스팅의 퀄리티에 집중하는 방식입니다. C-RANK 알고리즘은 정보의 '출처(블로그)'에 집중하고, D.I.A 알고리즘은 '개별 포스팅'을 평가하는 개념입니다.

D.I.A+

2020년 10월부터 도입했던 네이버의 또 다른 검색 랭킹 알고리즘입니다. D.I.A 알고리즘을 기반으로 개발되었으며, 사용자의 '검색 의도'를 더 정교하게 파악해서 랭킹에 반영하는 방식입니다.

누락

포스팅이 검색 노출에 반영되지 않는 현상을 말합니다. 보통 작성한 포스팅의 제목을 그대로 검색창에 입력해서 검색 반영이 되었는지를 통해 누락 여부를 확인합니다. 제목의 맨 앞과 맨 뒤에 각각 따옴표를 삽입해서 좀 더 정확하게 누락 여부를 확인해 볼 수도 있습니다. '블로그 포스팅 제목, 누락 여부 확인하기' 방식으로 검색창에 입력해 보면 누락 여부를 보다 정확하게 확인할 수 있습니다.

검색 유형 관련

상노

상위노출의 줄임말입니다. 스마트블록 / 인플루언서 키워드 챌린지 / VIEW 등 다양한 영역에서 모두 '상노'라는 말로 의미를 전달합니다.

뷰(VIEW)탭

'VIEW'검색 결과를 표기하는 탭입니다. 과거 '통합검색(통검)'이 VIEW라는 이름으로 변경되었으며, 블로그 / 카페 / 포스트 / 티스토리 등 다양한 주제별 검색 결과가 통합적으로 노출되는 탭입니다. 각 게시물의 지수 + C-RANK + DIA 로직 등 다양한 기준에 따라 랭킹이 결정되는 특성이 있습니다. 블로그와 카페 게시물로 구분해서 볼 수 있고, 관련도와 최신도 순으로 정렬할 수 있습니다.

스블 1

스팸 블로그의 줄임말입니다. 네이버 블로그 정책을 위반하면서 광고성 포스팅만을 지속적으로 게시하는 블로그를 의미합니다. 언뜻 보기에는 정상적인 블로그처럼 보이지만, 대부분 위장되어 있습니다. 예를 들어, 스팸 블로그는 본문 내용과는 무관한 도박 및 성인물 사이트로의 자동 연결 링크가 삽입되어 있습니다.

스팸 블로그의 이웃 추가, 댓글 등은 내 블로그의 피해로 이어질 가능성이 있습니다. 삭제, 차단 등 지속적인 관리가 필요합니다. 참고로 실명 인증을 하지 않는다면 다수의 네이버 계정을 만들 수 있습니다. 그런 이유로 나도 모르는 사이에 내 명의로 스팸 블로그가 생성되어 활동 중일 수 있습니다. 항상 네이버 '내 정보'에서 계정 관련 사항들을 꼼꼼히 확인해 볼 필요가 있습니다.

스블 2

2021년부터 도입한 네이버 검색 유형 '스마트블록'의 줄임말입니다. 과거에는 '스블' 하면 스팸 블로그를 의미했습니다. 하지만 최근에는 스마트블록을 의미하는 경우가 대부분입니다. 스마트블록은 에어서치 검색 기술을 기반으로 결과를 도출하는 형태입니다. 각각의 블록으로 검색 결과를 제공하는 특징이 있습니다.

참고로 에어서치란 AI+Search 합성어입니다. 사용자에 따라 검색 결과가 달라지는 사용자 기반 검색 기술입니다. 그 결과를 블록 형태로 묶고, 사용자의 숨은 검색 의도까지 제시하는 형태가 스마트블록입니다.

예를 들어, '맥모닝 시간'을 검색했는데 '맥모닝 가격 / 맥모닝 메뉴' 등 사용자의 숨은 의도를 스마트블록의 형태로 노출시켜 2~3차 검색을 하지 않고도 필요한 정보에 바로 접근하도록 하는 의도가 담겼습니다. 스마트블록이 최상단에 노출되는 키워드는 별도의 글쓰기 전략이 필요합니다.

인플루언서 검색

2019년 말부터 도입된 네이버의 새로운 검색 서비스입니다. '인플루언서', 즉 영향력 있는 크리에이터를 '네이버 인플루언서'로 선정해서 독자적인 다양한 활동을 지원하는 서비스입니다. '블로그, 유튜브, 인스타그램, 네이버 포스트' 4개 플랫폼 중에 1개 이상을 가진 창작자가 지원할 수 있고, 네이버에서 '선정하는 시스템'입니다.

'여행 / 스타일(패션, 뷰티) / 푸드 / 테크(IT, 자동차) / 라이프(리빙, 육아, 생활건강) / 게임 / 동물·펫 / 스포츠(운동 레저, 프로스포츠) / 엔터테인먼트(방송 연예, 대중음악, 영화) / 컬처(공연 전시 예술 / 도서) / 경제·비즈니스

/ 어학·교육'까지 총 20개 분야의 인플루언서 중 1개를 선택해서 지원할 수 있습니다.

네이버 인플루언서로 선정되면 별도의 인플루언서 홈을 개설할 수 있으며, 내 카테고리의 키워드 챌린지에 도전할 수 있습니다. 그 밖에도 브랜드 제휴 솔루션, 프리미엄 광고, 멘토링 프로그램, 온라인 네임카드 제공, 네이버 파트너스퀘어 무료 예약, 무료 강연 및 교육 등 창작자의 크리에이티비티를 위한 다양한 혜택을 제공합니다.

키챌

키워드 챌린지의 줄임말입니다. 인플루언서로 선정된 창작자가 자신의 카테고리에서 다양한 키워드 챌린지에 도전할 수 있습니다. 키워드 챌린지는 검색 랭킹 결과가 별도의 탭으로 구분되어 있습니다. 2023년 8월 기준, 20개 카테고리의 키워드 챌린지 현황은 '여행 : 19,057 / 뷰티 : 2,927 / 패션 : 2,590 / 푸드 : 16,112 / IT : 5,941 / 자동차 : 4,518 / 리빙 : 8,962 / 육아 : 4,311 / 생활건강 : 9.165 / 게임 : 3,186 / 동물·펫 : 2,774 / 운동 레저 : 4,105 / 프로스포츠 : 1,341 / 방송 연예 : 4,231 / 대중음악 : 822 / 영화 : 5,100 / 공연 전시 예술 : 1,326 / 도서 : 2,509 / 경제·비즈니스 : 5,261 / 어학·교육 : 2,469'입니다. 네이버에서 자체적으로 키워드 챌린지 항목을 신설(추가)하는데, 창작자가 직접 '제안하기'를 통해 신규 키워드 챌린지를 추가할 수도 있습니다.

숏폼

영상, 이미지, 텍스트 등을 '1분 내외로 짧게' 제작하는 콘텐츠입니다. 네이버는 블로그 모먼트 서비스로 숏폼 콘텐츠의 활성화를 시도했지만, 성공적이지 않았습니다. 유튜브 쇼츠, 인스타그램 릴스, 틱톡처럼 네이버 또한 동영상 기반 숏폼 서비스 '클립'을 시작하기 위해 최근에는 숏폼 크리에이터를 대대적으로 모집하기도 했습니다.

스니펫(snippet)

웹사이트의 콘텐츠 일부를 발췌해서 보여 주는 형태입니다. 글의 제목, 본문 핵심 문단, 이미지 등을 포함합니다. 각 콘텐츠를 하나하나 클릭해서 살펴보지 않아도 스니펫을 통해 주요 내용을 한눈에 파악하기 쉽도록 구성합니다. 최근 네이버는 2023년 6월부터 '문단형 스니펫'을 스마트블록에 도입했습니다. 또한 6월 29일부터는 '이미지 문단형 스니펫'까지 적용하는 등 스니펫의 범주를 점차 확대하고 있습니다. 검색자에게 보다 빠르고 직관적인 정보를 전달하기 위한 노력의 일환입니다.

블로그 관련

키워드(key word)

검색자의 '질의 의도를 담은 단어'입니다. 블로그 입장에서의 키워드는 내가 작성한 포스팅을 검색자와 연결해 주는 '브리지'입니다. 같은 포스팅을 작성해도 어떤 키워드를 담았는지에 따라 검색 유입의 폭이 크게 달라질 수 있습니다. 블로그를 운영하면서 가장 중요한 사안이라고 봐도 될 정도로 중요도가 매우 높습니다.

방자

내 블로그에 찾아온 '방문자'입니다. 보통 각 블로그의 방자 수는 '최근 5일 평균 방문자 수'를 기준으로 합니다. 처음 시작하면 두 자리 수를 기록하는 것도 쉬운 일은 아니며, 하루 평균 1만의 방자를 가진 블로그는 상당히 높은 수준입니다. 블로그 통계에서 순방문자, 방문횟수, 평균 방문횟수, 재방문율 등의 지표를 통해서 일자별로 방문자들이 어떤 반응을 보였는지 파악할 수 있습니다.

어뷰징

상위노출, 방자 수 향상 등 다양한 목적을 위해 진행하는 불법, 편법적인 방법을 총칭합니다. 사전적으로는 '과도한 사용, 남용' 등을 의미합니다. 블로그에서는 크게 수동적·능동적 2가지 어뷰징의 사례가 있습니다. 검색자의 관심을 끌기 위해 의도적으로 자극적인 제목의 포스팅을 남발하는 유형은 수동적 사례입니다. 매크로 프로그램을 돌려 인위적으로 방자 수를 조작하거나, 특정 포스팅의 클릭 수를 조작하거나, 이웃 활동을 자동으로 진행하는 등의 능동적 사례도 빈번합니다. 가장 심한 것은 경쟁자의 블로그에 어뷰징 공격을 하는 사례입니다. 마치 경쟁 블로거가 능동적 형태의 어뷰징을 일삼는 것처럼 조작을 시도합니다.

다행히 네이버 알고리즘은 상당히 정교합니다. 대부분은 능동적 어뷰징 공격으로부터 블로그를 안전하게 보호해 주는데, 그래도 블로거 입장에서는 보다 적극적으로 네이버 고객센터 측에 어뷰징 공격의 피해 보호를 어필할 수 있어야 합니다.

메타 정보

메타 정보의 사전적 의미는 '정보의 정보'입니다. 특정 콘텐츠, 또는 파일에 대한 단서를 담은 정보입니다. 예를 들어, 한 권의 책이 발간될 때 그 책의 제목 / 저자 / 출판사 / 발행일 / ISBN 등의 단서들은 모두 해당 '책의 메타 정보'입니다. 보통 블로그에서는 '사진 메타 정보'를 의미합니다. 각 사진에 대한 해상도 / 카메라 브랜드 / 카메라 모델 / 노출 시간 / ISO 감도 / 초점 거리 / 촬영 시간 / 촬영 위치 등 다양한 단서는 모두 '메타 정보'입니다.

사진 파일 위에 마우스를 놓고 오른쪽 버튼을 클릭하고, '속성-자세히'를 보면 됩니다. 앞서 말한 다양한 단서를 직접 확인할 수 있습니다. 블로그 운영에 메타 정보가 중요한 이유는 검색 엔진이 유사 이미지를 판별할 때 가장 먼저 메타 정보부터 확인하기 때문입니다.

생각보다 블로그 운영에는 많은 사진이 필요합니다. 직접 찍은 사진일지라도 재사용하게 될 때가 있습니다. 그때마다 사진 편집 시 메타 정보를 삭제합니다. 메타 정보가 살아 있는 같은 이미지를 여러 번 재사용하면 유사 이미지로 필터링될 가능성이 매우 높습니다. 검색 누락의 원인이 될 수 있으며, 심각한 경우 저품질 등의 강력한 패널티를 받을 수도 있습니다.

카테고리(category)

사전적인 의미는 범주이며, 블로그에서는 '주제'라는 의미로 통용됩니다. 블로그 카테고리는 크게 2가지 유형으로 구분됩니다. 네이버에서 지정해 둔 카테고리 / 내 블로그에서 '내가 직접 만드는 카테고리' 입니다. 네이버 지정 카테고리는 '육아, 결혼 / IT, 컴퓨터 / 여행, 취미 / 패션, 뷰티 / 건강, 운동 / 독서, 서평 등' 총 32개 주제가 있습니다. '내가 직접 만드는 카테고리'는 이름을 자유롭게 정할 수 있습니다.

비댓

'비밀 댓글'의 줄임말입니다. 비밀댓글은 누구나 남길 수 있습니다. 하지만 누구나 볼 수는 없습니다. 비밀 댓글을 남긴 사람과 해당 블로그 운영자만 볼 수 있습니다.

서이

'서로이웃'의 줄임말입니다. 블로그에서의 팔로워(follower)는 '이웃'이라는 개념으로 통용됩니다. 특정 블로그를 '나 혼자 이웃'으로 등록할 수도 있고, '서로이웃으로 신청'할 수도 있습니다. 이웃 등록은 상대방의 동의 없이 가능하지만, 서로이웃은 상대방이 수락을 해야 맺어집니다.

스댓공

'스크랩, 댓글, 공감'의 줄임말입니다. 스크랩, 공감, 댓글은 모두 '활동성 지수'에 해당합니다. 해당 블로그 포스팅이 얼마만큼의 반응을 이끌어 내고 있는지를 보여 주는 지표입니다. 참고로 '공체'는 공감과 체류(체류 시간 : 포스팅에 얼마의 시간을 머물렀는지)를, '스댓체'는 스크랩과 댓글, 체류를 의미합니다.

체류 시간

블로그 방문자들이 포스팅에 '머물러 있는 시간'입니다. 각 포스팅의 개별 체류 시간 통계를 제공하지는 않습니다. 블로그 전체의 평균 체류 시간을 제공합니다. '관리 - 내 블로그 통계 - 평균 사용 시간'에서 확인할 수 있습니다. 각 카테고리별 평균 체류 시간도 제공합니다. '블로그 평균 데이터'에서 볼 수 있으며, 분기마다 확인됩니다.

파블

'파워블로그'의 줄임말입니다. 특정 분야에 대한 전문적인 지식과 정보를 제공하는 블로그로, 네이버가 자체 선정했습니다. 하지만 특정 블로그의 과도한 광고 게재, 허위 정보 유포 등 다양한 사회적인 이슈가 있었고, 결국 2016년 10월 25일 네이버는 파워블로그 제도를 공식적으로 폐지했습니다. 현재는 이달의 블로그, 인플루언서 등의 제도로 대체됐습니다.

이달의 블로그

네이버에서 매달 선정하는 주제별 추천 블로그입니다. 32개의 기본 카테고리(주제) 중에서 매월 4~6개 대상 카테고리를 선정하고 공표합니다. 블로거들은 선정된 카테고리에 알맞은 이달의 블로그를 '추천' 할 수 있습니다. 네이버에서는 추천받은 블로그들을 대상으로 해당 카테고리에서 높은 영향력을 가졌거나, 양질의 콘텐츠를 꾸준히 발행하는 블로그를 최대 20개까지 선정합니다.

수익 관련

브커

'브랜드 커넥트'의 줄임말입니다. 특정 브랜드와 연계하여 콘텐츠를 제작하고 홍보하는 활동입니다. 네이버 인플루언서에게만 제공되는 혜택입니다. 추가로, 홍보를 원하는 기업의 마케팅 담당자 또는 대행사가 블로거에게 직접 연락을 하는 형태도 브랜드 커넥트로 정의할 수 있습니다.

네이버 브랜드 커넥트는 일종의 '중개자'입니다. 계약 조건, 원고료 등의 세부사항이 모두 투명하고 보증되어 있습니다. 개별 연락으로 진행되는 브랜드 커넥트는 블로거 본인이 계약 조건, 원고료 등의 세부 사항을 직접 협상하고 체크해야 합니다. 그만큼 상대적으로 어려운 편이지만, 원고료는 통상 개별 연락 건이 더 높은 편입니다. 양질의 콘텐츠로 다양한 브랜드의 홍보를 축적하면 내외부적으로 꾸준히 의뢰가 들어올 수 있습니다.

대행사

광고대행사를 지칭합니다. 광고주가 블로거와 직접 컨택하지 않고, 대행사에 일정 수수료를 지불하고 블로그 마케팅을 진행합니다. 대행사는 각 카테고리별 다양한 블로거 리스트가 큰 재산입니다. 반대로 블로거는 다양한 대행사와의 좋은 관계 유지가 큰 재산입니다.

실행사

대행사로부터 실질적인 업무를 받아 진행하는 채널입니다. 대행사로부터 마케팅 콘셉트를 받아 구체적인 방안들을 '실행'합니다.

체험단

특정 제품이나 서비스를 직접 체험하고, 그에 대한 후기를 업로드합니다. 기업단에서 공개적으로 진행하는 품질 평가단과 유사하지만, 블로그 포스팅은 평가보다는 홍보에 초점을 둡니다. 다양한 체험단 업체를 통해 신청할 수 있으며, 메일·쪽지 등 개인적으로 의뢰를 받아서 진행하기도 합니다.

기자단

특정 제품이나 서비스 홍보 포스팅을 작성하는 형태입니다. 직접 체험을 하는 체험단과는 다릅니다. 간접 체험 경험, 단순 팩트 전달 등을 진행합니다. 기자단은 비체험형 수익화 방법 중 하나로 유용하게 활용할 수 있습니다. 다만, 대행사 혹은 실행사에서 원고와 사진을 블로거에게 전달하면서 '그대로 업로드만 해 달라.'라는 형태는 주의해야 합니다. 이미 다른 블로그에서 사용된 원고와 사진이라면 유사문서로 판단될 소지가 다분합니다. 중복 원고와 사진이 아니어도 해당 문서의 품질이 높은 경우는 거의 없습니다.

애드포스트

네이버 블로그의 광고 서비스입니다. 광고주는 네이버에게 광고 비용을 지불하고, 블로거는 포스팅 내에 삽입되는 애드포스트 광고의 수익 중 일부를 배분받습니다. 적게는 월 1~2천 원부터, 많게는 월 1천 만 원 이상의 수익이 발생하기도 합니다. 네이버 상위 인플루언서에게는 프리미엄 광고, 헤드뷰 광고 등 더 높은 수익을 제공하는 애드포스트를 지원합니다.

애꾹이

애드포스트 품앗이입니다. 수익 증가를 위해 상대방의 '애드포스트를 꾹 눌러 주는' 행위입니다. 인위적인 형태이므로, 엄연히 어뷰징에 해당합니다. 네이버에서 철저히 금하고 있습니다. 부정클릭으로 수익을 환수당하거나, 심한 경우 애드포스트 정지 사유가 되기도 합니다.

원고료

서적, 신물, 잡지, 방송 등의 원고 집필 보수입니다. 블로그에서는 체험단, 기자단 등 다양한 형태의 금전적 보수를 의미합니다.

PART 1

콘텐츠 소비자가 아닌, 콘텐츠 생산자가 되자

- 푸드 블로그 | MJ의후다닥레시피

01

사진 1장, 3줄의 글로 시작하다

안녕하세요. 푸드 블로거 김미진입니다. 저를 잘 모르는 분들을 위해 잠깐 자기 PR를 하자면, 네이버 푸드 분야 C-RANK 1위, 푸드 분야 인플루언서 2위, 이달의 블로그 3회 선정, 일일방문자 평균 15만, 토탈 조회수 2억 뷰를 돌파했습니다. 네이버 애드포스트 수익만 월 1천만 원 이상의 수익을 비롯하여 협찬광고 원고료 , 스마트스토어, 블로그 강의 수익까지 내고 있는 'MJ의후다닥레시피'를 운영하고 있습니다.

10년 전만 해도 평범한 주부였던 제가 지금은 다양한 직업을 가지게 되었는데, 요즘엔 저와 같은 사람을 N잡러라고 부르더라고요. 저는 이 책을 포함하여 3권의 책을 집필한 작가이기도 합니다. 레시피

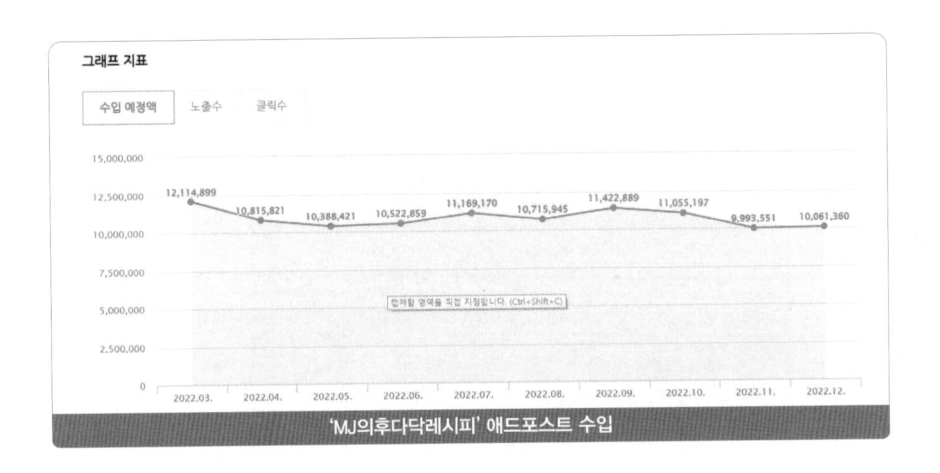

'MJ의후다닥레시피' 애드포스트 수입

와 블로그 강의를 하니 강사라고도 할 수 있겠네요. 방송에도 출연했고, 판매도 하고 있으니 판매사업자이기도 합니다. 그 밖에 광고를 원하는 업체들의 홍보를 컨설팅해 주기도 하고 직접 홍보 활동도 하고 있으니 마케터라고도 할 수 있습니다.

사범대학을 나와 강사 생활을 하다가, 결혼하고 아이를 낳으면서 저의 경력은 단절되었습니다. 이건 비단 저에게만 해당하는 게 아니라 대한민국 여성이라면 누구나 겪게 되는 어쩔 수 없는 숙명 같은 일이지요. 그렇게 경력이 단절될 뻔했던 제 인생의 터닝포인트는 바로 네이버 블로그였습니다. 그저 나만의 기록을 남겨 보겠다고 시작한 공간에서 두서없이 적은 첫 기록은 지금의 저를 만들어 준 시작이 되었습니다. 처음 글을 올린 날은 2012년 12월 13일이었는데, 되돌아보니 그날은 저에게 역사적인 날이 되었습니다. 개인적으로는

첫 포스팅

기념일로 지정할 만한 날입니다.

사실 아무것도 모르고 막연하게 시작한 블로그라 처음엔 정말 볼품없이 편하게 마음대로 적었습니다. 볼품없었지만 꾸준히 기록하기 시작했고, 그 기록들 덕분에 지금의 제가 있을 수 있었습니다. 사실 블로그를 시작했던 당시는 경제적으로 정말 어려운 시기였습니다. 어려운 상황 속에서 자신의 꿈을 위해 늦은 나이에 원하는 대학에 입학한 꿈 많은 남편과 결혼하면서 남편이 졸업하기 전까지 제가 경제적 가장 역할을 하며 남편의 꿈을 응원해 주기로 했습니다. 그런데 학업이 2년 남은 상황에서 딸아이가 태어났고, 집안의 생계를 담당해야 했던 제가 출산과 양육을 하게 되면서 경제적 수입이 0인 상황이 되었습니다. 얼마나 어려웠을지 짐작이 되시나요?

남편은 무조건 장학금을 받아야 했고, 고3 과외 2개를 하며 생활비를 벌었습니다. 저는 당시 아이를 키우면서 베이킹 제품을 판매하며, 남편과 함께 겨우겨우 생활비를 만들었습니다. 남편이 졸업하고 취업하기만을 바라던 시기였죠. 저 MJ의 성장기만으로도 책 한 권 분량이 나올 것 같아요. 눈물 없이는 들을 수 없는 이야기들이죠.

당시 제가 요리를 열심히 할 수밖에 없었던 이유는 단 하나예요. 적은 돈으로 잘 먹고, 잘 살기 위해서였습니다. 당시 아토피가 있는 딸아이에게 적은 비용으로 더 좋은 음식, 건강한 음식을 먹일 수 있는 방법이었기에 요리를 공부하기 시작했습니다. 아이를 어린이집에 보내고, 오후에는 도서관에서 공부하고, 공부한 내용을 바탕으로 나만의 아이디어를 담아 만들어 보기 시작했어요. 엄마니까 다른 선택이 없었어요. 무조건 열심히 살아야 했죠. 밀가루를 멀리 해야 하지만 빵을 좋아하는 딸을 위해 쌀베이킹을 공부했고, 하나하나 만들면서 그 내용을 블로그에 기록했어요.

나날이 실력이 늘고, 제품을 판매하며 생활비를 벌기도 했습니다. 다행히 어려운 상황에서 시작한 요리는 힘들지 않고 재미있었고, 실력이 점점 늘다 보니 제2의 꿈도 생겼습니다. 바로 요리책 작가라는 꿈입니다. 어디서 나온 자신감이었는지 모르겠지만, 저는 그 꿈이 이루어질 거라 믿었고, 꿈이 있었기에 어려운 상황에서도 블로그 공간에서의 기록을 놓지 않았습니다.

푸드 분야는 다른 주제에 비해 시작하기가 좋습니다. 오늘 식사를 준비하는 내용을 올리면 되니까요. 푸드 블로그를 해 볼 생각이 있다면 일단 시작하세요. 완벽하지 않더라도 먼저 시작하길 바랍니다. 블로그를 시작했다고 해서 처음부터 거창한 변화가 일어나진 않습니다. 아무리 열심히 적어도 내 글이 상위에 노출되지 않으니 하루 방문자가 적을 것이고, 방문자가 적은 블로그에 업체들이 홍보를 맡길 리 만무합니다. 처음에는 반찬값 정도 벌어 보자, 이왕 내 가족들 먹이는 것 기록으로 남겨 보자 하는 가벼운 마음으로 시작하면 됩니다. 첫술부터 배부를 수 없습니다. 티끌 모아 태산입니다.

요즘에는 제가 시작했을 때와 달리 블로그 운영 노하우 정보가 아주 많습니다. 하지만 블로그라고 노하우가 다 같지는 않습니다. 푸드는 푸드 분야만의 노하우가 필요합니다. 지금부터 'MJ의후다닥레시피'로 네이버 푸드 분야 블로그에서 10년 동안 몸으로 부딪치면서 깨달은 노하우를 풀어 보겠습니다.

02

1일 1포스팅_1일 1포에서 1일 多포까지 포기는 놉!

자신의 블로그를 개설하고 주제를 푸드로 잡았다면 이제 글쓰기를 해야 하는 단계입니다. 어떤 주제로 키워드를 잡고, 사진은 몇 장을 써야 하고, 글자 수는 몇 자 정도에 맞춰야 할까요?

제가 드리는 답은 '지금은 신경 쓰지 마라!'입니다. 그런 것들을 고민하는 단계는 어느 정도 수준에 올라왔을 때입니다. 즉 블로그로 수익화에 성공하게 되면 그때부터는 이것저것 따져서 포스팅해야 하는 거죠. 나중에 수익화에 성공하게 되면 내 노력과 시간에 비례해서 돈이 들어오기 때문에 힘들어도 꾸준히 할 수 있게 됩니다.

처음부터 너무 힘을 주고 하려고 하면 블로그 세계에서 가장 중요한 덕목인 '꾸준함'을 잃게 됩니다. 특히 꼼꼼한 성격의 소유자라면 이 부분이 매우 힘들게 느껴질 수 있습니다. 제가 최우선순위로 생각하는 노하우는 바로 이 '꾸준함'입니다. 어깨에 힘을 빼고, 오늘 사 먹은 햄버거도 좋고, 편의점에 신박한 신제품이 나온 것을 소개해도 좋습니다. 일단 시작하세요.

첫 포스팅을 올리셨나요? 반드시 첫 포스팅을 힘 빼고 써 본 후, 이 책의 뒷부분을 읽어 나갈 것을 추천합니다. 죽이 되든 밥이 되든 한 번 써 봐야지 궁금증이 생기게 되고, 그 궁금증을 해소하기 위해 저 MJ의 노하우가 담긴 글을 집중해서 읽어 나갈 수 있습니다.

제가 일단은 이것저것 신경 쓰지 말고 첫 포스팅을 시작하라고 했는데 그 이유를 이제 말씀드릴게요. 그것은 여러분이 몇 시간 노력을 들여서 꼼꼼하게 포스팅을 했다 하더라도 네이버 검색 결과 상위에 노출되지 않기 때문입니다. 한 번 상상해 볼까요?

일단, 처음이니까 익숙하지 않습니다. 요리하는 동시에 과정 사진을 찍으면서 동영상까지 촬영하는 데 1시간 소요, 사진 정리하고 키워드 뽑아내고 남의 글을 참조하는 데 1시간 소요, 글 쓰는 데 1시간 소요. 이렇게 3시간이나 투자해서 1일 1포스팅을 했다고 생각해 보죠. 그런데 막상 검색하면 내 글은 저~ 뒤에 있고, 하루 방문자 수는 미미합니다. 아르바이트를 해도 1시간당 최저시급이 9,620원인데, 3시간이나 투자했는데 보상받는 것은 하나도 없습니다.

이렇게 매일 힘줘서 글쓰기를 하면 1일 1포스팅이 꾸준히 가능할까요? 분명 금방 지치게 됩니다. 시작부터 카메라, 조명, 조리도구를 사지 말고, 투박하더라도 있는 것으로 시작하세요. 조명은 자연광을 활용하고, 플레이팅을 해야 한다면 저렴한 제품을 활용하세요. 스킬은 차차 늘어나고, 그에 따라서 사진 퀄리티도 자연스럽게 점점 향상되게 됩니다.

재미있는 사실을 알려 드리자면 시간이 오래 걸리는 정성스런 요리라고 조회수가 많이 나오는 게 아닙니다. 블로그 세계는 내가 쏟아부은 노력(시간)과 결과(조회수, 돈)가 비례하지 않는 곳입니다. 그렇기에 몇 가지 개념을 이해하고, 글쓰기 주제를 정하고, 상위노출 노하우를 적용해야 하는 것이죠.

하지만 지금 단계에서 계속 강조하고 싶은 메시지는 '시작부터 하라.', '꾸준함을 워밍업하기 위해서 힘을 최대한 빼고 일상의 가벼운 주제부터(포스팅 시간이 많이 소요되지 않는) 1일 1포스팅을 하라.'는 것입니다. 그러다 보면 네이버 블로그 작성 시스템(SmartEditor-One)에도 조금씩 적응하게 될 거예요. 그 적응기가 지났다면, 즉 워밍업이 됐다면 이제 다음 단계로 넘어갈 수 있습니다.

MJ의 좌우명은 '수적천석(水滴穿石)'이라는 사자성어입니다. '물방울이 바위를 뚫는다.'라는 뜻으로 물방울의 떨어짐 같은 작은 힘도 꾸준히 하면, 단단한 바위도 뚫을 수 있다는 것이지요. 처음에는 미미한 첫걸음일지 모르지만, 그것이 반복되다 보면 언젠간 바위를 뚫는 것 같은 성취를 이루어 낼 것입니다.

MJ의 핵심 개념

- 첫 포스팅을 일단 시작하라.
- 1일 1포스팅을 하되 최대한 힘을 빼고 포스팅을 하라.
- 처음에는 노력 대비 돌아오는 보상이 없다. 너무 열심히 포스팅을 해서 실망이라는 상처를 받아 '꾸준함'을 잃는 우를 범하지 마라.
- 블로그 제1의 덕목은 '꾸준함'임을 잊지 마라.

03

블로그 시작 이유 & 푸드 세부 주제 정하기 _Who am I?

 블로그 유형 나누기

네이버 블로그를 시작하는 이유, 즉 블로그로 이루려는 목적이 무엇인가요? 그저 글 쓰는 게 좋아서 자기 일상을 기록하는 블로그 본연의 목적에 충실할 수도 있겠죠? 하지만 대다수의 블로거는 수익화를 고려하고 시작할 거예요. 쉽게 말해서 돈 벌기 위해서인 거죠. 사업자 블로그도 마찬가지입니다. 블로그를 통해 자신의 사업을 홍보하기 위해서인데, 그것 역시 돈을 더 많이 벌기 위해서 하는 겁니다.

'수입', '수익'이라는 말도 있는데 굳이 '돈'이라고 직설적으로 표현하는 이유는 좀 더 솔직해지기 위해서입니다. 이왕이면 같은 시간을 들여서 하는데 더 많은 돈을 벌면 좋겠지요? 그래서 블로그 책도 사 보게 되고, 강의도 듣게 되는 거죠. 그래서 처음에는 부업형 블로그로 시작해서 잘되면 전업형 블로그로 자연스럽게 전환되는 겁니다.

목적에 따라 블로그를 분류해 보면 다음과 같습니다.

1. 일상기록 블로그 – 수입 없음
2. 부업 블로그 – 수입 적음, 체험단 위주 수입
3. 전업 블로그 – 수입 많음, 프리랜서 개념으로 수입이 일정하지 않음
4. 사업 블로그 – 블로그 외 수입 엄청 많음, 블로그는 홍보용

제 블로그는 4가지 유형 모두에 해당됩니다. 처음에는 일상 기록을 위해 나만의 레시피를 남기기 위해서 시작했고, 다음에는 블로그가 성장하자 소소한 원고료나 체험단 등 부업형 블로그가 되었고, 더 성장하게 되자 하루 온종일 블로그에 집중하는 전업형 블로그가 되었습니다. 지금은 사업 블로그로 진입 중이라는 생각이 듭니다. 블로그를 활용하여 판매업도 하고, 강의업으로도 확장하려고 하니까요. 마치 블로그의 진화 테크트리(Tech-Tree)같이 느껴지네요. 최종 끝판왕은 역시 사업이겠죠?

1번에서 4번으로 갈수록 수입은 기하급수적으로 늘어납니다. 수입은 1, 2, 3, 4, 5 이렇게 순차적으로 늘어나지 않습니다. 1, 1, 1, 1, 1, 2,

2, 2, 2, 4, 4, 4, 8, 8, 16, 32… 이런 식으로 정체되었다가 확 늘어나고, 정체되었다가 확 늘어납니다. 그래서 제가 블로그의 가장 중요한 덕목이 '꾸준함'이라고 누차 강조하는 것입니다.

물은 100℃가 되어야 끓는데 물의 온도가 90℃까지 왔지만 지쳐서 중단해 버리면 30℃에서 멈추는 거랑 다를 바가 없습니다. 10℃만 더 오르면 100℃가 되어서 끓어올라 수증기가 되어 날아갈 수 있는데 말이죠. 마치 블로그 활동에서 이제 조금만 있으면 수입이 1에서 2로 올라갈 수 있고, 2에서 4로 진입할 수 있는데 포기해 버리는 경우가 되어 버리는 것이죠.

02 글의 주제와 세부 주제 나누기

이제 글의 주제 정하기에 관해 이야기해 보겠습니다. 이미 푸드로 정했는데 무슨 주제를 이야기하는 거냐고요? 푸드라고 모두 같지 않습니다. 이것은 나만의 아이덴티티, 즉 퍼스널 브랜딩과도 이어지기 때문에 어느 정도 본인 캐릭터를 만들어 가야 합니다. 그래서 세부 주제 선정이 필요한 것입니다. 어떤 세부 주제가 있을까요?

세부 주제를 정해야 하는 이유는 지수를 쌓기 위해서입니다. 네이버 검색 지수는 각 분야별로 랭크화되어 있으며, 내가 쓴 글의 주제를 네이버 로직이 분석하여 해당 주제 분야의 지수가 높을수록 상위에 노출될 확률이 높아집니다. 푸드에서 동시에 접근할 수 있는 분야는 요리·레시피, 맛집, 상품 리뷰, 주제없음 이렇게 4가지입니다. 이 4가지 분야를 동시에 상위랭킹으로 지수를 잘 키우면 좋겠지만, 각 분야별로 골고루 많은 양의 포스팅이 누적되어야 가능한 일입니다. 예를 들어, 나의 세부 주제가 맛집에 가깝다면 맛집 주제의 글을 중심적으로 포스팅하여 해당 분야 지수 랭킹을 상위에 올려놓아야 검색에 노출될 확률이 높아집니다.

『원씽(THE ONE THING)』이라는 책이 있습니다. 여러 가지를 다 하려 하다 보면 가장 중요한 한 가지도 놓치게 되니 가장 중요한 한 가지에 집중하라는 메시지를 담은 자기계발서입니다. 이 책의 조언처럼 블로그를 시작하면 한 가지에 집중하되 자연스럽게 다른 분야의 지수도 차근차근 쌓아 가라는 겁니다. 이 개념이 잘 이해되지 않는다면 앞에서 설명한 로직, 지수, 키워드 용어들을 다시 한 번 읽어 보기 바랍니다.

다음 순위는 데이터랩툴즈 사이트에서 'MJ의후다닥레시피'의 분야별 순위를 조회해 본 것입니다(2023년 10월 9일 기준). 요리·레시피 분야 1위, 맛집 198위, 상품 리뷰 372위, 주제없음 220위입니다. 나머지 분야는 푸드 주제와 너무 동떨어져서 지수를 키울 필요가 없는 분야입니다.

저 같은 경우, 레시피에 한 끗을 주는 것을 제 블로그의 아이덴티티로 잡았기 때문에 요리·레시피 분야를 키웠습니다. 요리·레시피 분야의 지수가 좋아지면 자연스럽게 맛집과 상품 리뷰 광고 요청이

들어옵니다. 광고글을 적다 보면 맛집, 상품 리뷰 분야 지수도 올라가게 되는 것입니다.

저와 달리 맛집이나 상품 리뷰를 중심으로 블로그를 키울 수도 있습니다. 주제없음은 뭐냐고요? 저 같은 경우는 이따금씩 일상 포스팅을 하는데, 그 이유는 구독자 이웃들과 소통을 하기 위해서입니다. 주제없음 분야는 1:1로 적용되는 마땅한 키워드가 없으니, 지수 개념에서는 크게 신경 쓰지 않아도 되는 분야라고 보면 됩니다. 주제없음 분야의 일상 포스팅은 나의 블로그 이웃과 인플루언서 팬들을 관리하는 하나의 스킬로 보면 됩니다. 그래서 블로그 초기에는 일상 포스팅을 하지 않는 것이 지수에 도움이 됩니다.

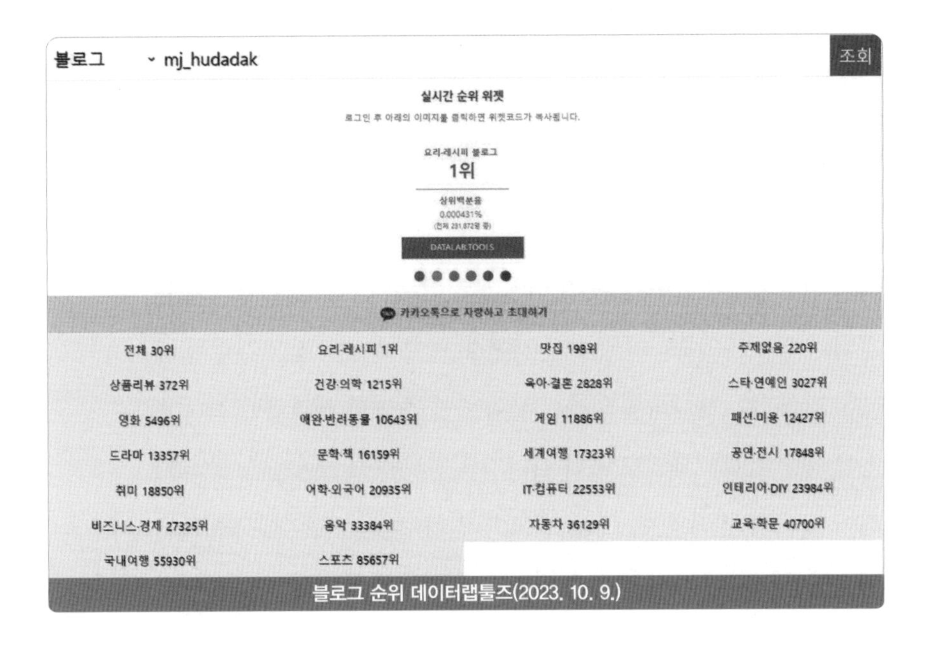

블로그 순위 데이터랩툴즈(2023. 10. 9.)

03 남과 다른 나만의 차별성 파악하기

나만의 블로그 공간에서는 나만의 캐릭터가 있어야 합니다. 저는 처음 블로그를 시작할 때 이런 것을 다 알고 의도한 건 아니었지만, 저도 모르게 나만의 캐릭터를 잡아 가고 있었습니다. 요리는 한식, 중식, 일식, 베이킹 가리지 않고 모든 분야를 했는데, 'MJ의후다닥레시피'의 아이덴티티는 대중적인 요리 레시피에 저만의 한 끗을 넣으려고 노력했다는 것입니다.

이렇게 한 끗을 넣게 된 건 푸드라는 카테고리에서 제가 살아남을 수 있는 차별성이 무엇인가에 대한 고민의 결과였어요. 컴퓨터에 대한 지식도, 사진을 잘 찍는 기술도 없었는데, 다행스러운 건 객관적으로 제 자신을 바라보고, 나만 갖고 있는 장점을 잘 파악할 수 있었다는 겁니다.

제가 블로그를 열심히 하기 시작했을 시기에는 젊은 블로거가 많이 없었습니다. 대부분 40대 이상이었죠. 30대 초반이라는 것을 강조하기 위해 젊은 느낌의 프로필 사진을 걸어, 한 번 더 내 블로그에 눈길이 가게 만들었습니다. 요리는 내공도 중요하지만, 젊은 사람들 중에는 감각적인 레시피를 원하는 사람도 있을 거라 생각했던 겁니다.

이 와중에 제 닉네임도 저의 이미지를 만드는 데 한몫했습니다. 성격이 급해서 손이 빠른 저를 보고 남편이 'MJ의후다닥레시피'라는 닉네임이 어떠냐 해서 정하게 되었는데, 언어의 중의성으로 '후다닥레시피'를 빠르게 하는 요리라고 생각하는 사람들이 생겨난 것입니다. 한마디로 잘 얻어 걸린 겁니다. 의도한 부분도 있었지만 의도하지 않았는데 잘 얻어 걸린 부분 덕분에 저만의 이미지가 만들어지기 시작했습니다.

성격이 다른 레시피를 잘 접목하고, 아이디어가 많은 편이었고, 그 덕분에 남들과 한 끗 다른 레시피들을 전할 수 있다는 것이 제 블로그의 장점이 될 수 있겠다는 생각을 했습니다. 강사 출신이라 남보다 설명을 잘하는 점도 더 부각해야겠다고 생각했고요.

저 MJ는 이렇게 제가 가진 장점을 파악하고 난 뒤 저만의 시선에서 바라보는 창의적인 한 끗을 더했습니다. 중요 과정에서 다시 한 번 디테일을 짚어 주면서 중간 이상의 맛을 무조건 낼 수 있는 레시피 포인트를 강조하는, 친절한 랜선 선생님 콘셉트를 잡기 시작했습니다. 결론적으로 제가 블로그 공간에서 살아남을 수 있는 저만의 전략은, 젊은 느낌의 톡톡 튀고 후다닥 할 수 있는 레시피이지만 중간 이상의 맛을 낼 수 있는 맛보장 레시피 콘셉트였습니다.

MJ의후다닥레시피의 꿀팁정리
수확하고 수분감이 있을 때
냉장 냉동 보관합니다
키친타월에 수분을 주고
겉면을 감싸주면 촉촉하게
보관할 수 있고
전자레인지에 조리한 후
찬물에 담갔다 드시면
탱글하게 드실 수 있어요

블로그 마무리 꿀팁 정리 예시(초당옥수수 찌는 법, 보관법)

저의 한 끗은 무엇일까요? 떠올리기 편하게 다음과 같이 정리해 봤습니다. 이 한 끗을 만들어 나가기 위해서는 아무래도 처음에는 본인이 편한 분야, 내가 잘하는 분야로 접근하는 것이 좋습니다. 그러기 위해서는 자기 자신의 장점을 파악하는 것이 우선입니다. 저처럼 레시피 자체에서 한 끗을 만들어도 좋고, 사진을 잘 찍는 사람이라면 푸드 잡지 표지에 나올 법한 사진에 한 끗을 적용해도 좋습니다. 여기서 중요한 것은 퍼스널 브랜딩을 염두에 두는 겁니다.

이제는 각 개인이 브랜드화되는 시대입니다. 아마 유튜브에서 좋아하는 구독 채널의 크리에이터들이 있을 겁니다. 그들 각자를 보면 모두 퍼스널 브랜딩에 성공했고, 그들만의 한 끗이 있습니다. 그걸 계속 고민하고 성장해야 합니다. 뒤에서 퍼스널 브랜딩이라는 주제로 한 번 더 심도 깊게 설명하겠습니다.

1. 한식, 중식, 양식, 일식, 동남아 전문
2. 베이킹, 디저트, 음료, 안주 전문
3. 육식, 채식, 다이어트식 전문
4. 방송 레시피, 트렌드 레시피, 이색 레시피 전문
5. 주부, 푸드 스타일리스트, 쉐프, 소믈리에, 요리 연구가
6. 외식업, 카페, 요리학원 운영
7. 푸드 매거진
8. 조리도구, 식재료, 밀키트, 시판음식 전문
9. 맛집

MJ의 핵심 개념

- 블로그 운영 목적은 돈을 버는 것임을 인식하자.
- 전업 블로그를 넘어 사업자가 되는 것은 수입이 기하급수적으로 증가하기 때문이다.
- 세부 주제, 세부 분야를 키워서 나만의 정체성, 퍼스널 브랜딩으로 확장하자.

04

키워드 잡기와 본격 글쓰기 _키워드를 잡아야 글쓰기를 시작할 수 있다

워밍업으로 꾸준히 1일 1포스팅을 하는 것이 낚싯대의 낚싯줄을 물에 담그는 거라면, 이제는 고기를 잡기 위해 미끼를 달아야 하는 단계입니다. 여기서 미끼는 바로 '키워드'입니다. 영어로 KEY+WORD! 글에서 핵심이 되는 단어를 말하는 겁니다. 왜 키워드를 알아야 하나요? 그건 바로 현재 우리가 사용하는 검색 시스템이 키워드 중심이기 때문입니다.

우리가 초록색 검색창에 무언가 검색하기 위해 쓰는 단어가 바로 키워드입니다. 예를 들어, 하이볼을 만들어 보고 싶다면 키워드는 '하이볼 만드는 법', '하이볼 레시피' 등이 될 수 있죠. 그런데 검색자가 「나혼

자산다」의 '박나래 얼그레이 하이볼 만드는 법'을 찾고 싶다면 어떤 키워드를 쓰게 될까요? '얼그레이하이볼 만드는 법', '박나래 얼그레이 하이볼', '나혼산 박나래 하이볼' 등으로 검색창에 타이핑하겠죠? 그럼 네이버 검색 로직이 해당 검색 키워드를 기반으로 신뢰도, 전문성, 최신성 등 다양한 지표를 점수화해서, 검색자가 가장 원하는 정보가 있는 포스팅을 최상위에 노출시켜 줍니다. 키워드에 관해서는 다음 7가지 개념을 알아야 합니다.

1. 키워드 조회수 및 대형·중형·소형 키워드(내 지수에 맞는 키워드 찾기)
2. 자동완성 키워드
3. 푸드 키워드 / 제품 키워드 / 맛집 키워드
4. 검색 노출 순서
5. 연관 키워드
6. 에어서치와 스마트블록 키워드
7. 인플루언서 키워드 챌린지

 키워드 조회수 및 대형·중형·소형 키워드

사람들이 어떤 정보를 검색할 때 각자 떠올리는 키워드가 다릅니다. 알고 싶은 정보는 같은데 검색할 때 검색 키워드를 사람마다 다르

하이볼 만들기	4,570	30,500
원모어 하이볼	4,760	1,400
소주하이볼	4,850	215,000
보드카 하이볼	5,500	19,100
하이볼 레시피	7,680	27,200
하이볼 도수	14,280	42,300
봄베이 하이볼	15,510	16,100
하이볼 안주	15,690	330,000
편의점 하이볼	27,770	68,700
짐빔 하이볼	31,620	39,600
하이볼 뜻	31,850	43,100
하이볼 잔	37,770	133,000
산토리 하이볼	38,450	81,400
하이볼 위스키 추천	47,450	60,800
하이볼 만드는법	125,260	5,490

'하이볼' 키워드 조회수

게 하는 것이죠. 하이볼로 다시 예를 들어 보겠습니다. 하이볼을 만들고 싶을 때 사람들이 주로 검색하는 키워드인 '하이볼 만드는법', '하이볼 만들기', '하이볼 레시피' 중 어떤 걸 가장 많이 사용할까요? 정답은 '하이볼 만드는법'이 압도적인 1위입니다.

1위 '하이볼 만드는법' 월간 검색량 : 125,260회
2위 '하이볼 레시피' 월간 검색량 : 7,680회
3위 '하이볼 만들기' 월간 검색량 : 4,570회

놀라운 결과이지 않나요? 각 키워드는 모두 같은 정보를 다루는데, 사용자가 검색어로 선택한 키워드는 '하이볼 만드는법'이 월등하게 많습니다. 그렇다면 우리가 하이볼 레시피를 소개하고 싶다면 어떤 키워드를 중심으로 글을 써야 할까요? 이왕이면 같은 시간과 노력을 들여서 쓰게 되는 포스팅, 검색량이 많은 키워드인 '하이볼 만드는법' 키워드 중심으로 글을 써야 합니다. 그런데 여기서 정말 중요한 점이 하나 더 있습니다.

검색량이 많은 키워드를 쓴다고 해서, 누구나 다 노출되는 것은 아니라는 겁니다. 이제 막 시작한 새싹 블로거는 신뢰도와 전문성이 쌓이지 않은 상태입니다. 따라서 무조건 검색량이 많은 키워드에 도전하면 안 되는 이유가 바로 여기에 있습니다. 그럼 어떻게 해야 할까요? 여기서 필요한 스킬은 이것입니다.

나의 위치 파악, 전략적인 노출, 서사가 있고 신뢰도가 있는 글쓰기

내 포스팅이 노출될 수 있는 적절한 키워드를 찾는 연습을 해야 합니다. 남들이 많이 선택하지 않는, 경쟁이 덜한, 관련 키워드 중 내가 한 번 도전해 볼 만한 키워드를 잡은 뒤, 맥락에 맞는 신뢰성 있고 전문성 있는 포스팅을 해서 신뢰도를 쌓아 가는 과정이 필요합니다. 이

것이 바로 지수를 쌓아 가는 과정입니다. 하이볼 관련 키워드로 다시 한 번 예를 들어 보겠습니다.

키워드	월간 조회수	대·중·소 구분
산토리 하이볼	38,450	대형 키워드
짐빔하이볼	31,650	대형 키워드
봄베이하이볼	15,510	중형 키워드
편의점 하이볼	27,700	중형 키워드
보드카 하이볼	5,500	소형 키워드
소주하이볼	4,850	소형 키워드

하이볼 관련 키워드를 검색량에 따라 대형·중형·소형 키워드로 임의로 나누어 봤습니다. 월간 조회수 1만 이하는 소형 키워드, 3만 이하는 중형 키워드, 3만 이상은 대형 키워드, 10만 이상은 초대형 키워드 이런 식으로 말이죠. 이건 상대적이기 때문에 본인의 위치에 따라 기준이 달라지니 참고만 하기 바랍니다. 이제 막 시작한 새싹 블로그는 월간 조회수 1만도 대형 키워드로 느껴질 수 있기 때문입니다.

이제 나의 위치를 파악해서 키워드 선정하는 방법을 같이 시도해 볼까요? 정말 시작한 지 얼마 되지 않았다면 '소주하이볼' 같은 소형 키워드를 잡고 도전해 보는 겁니다. '소주 하이볼 만들기', '소주 하이볼 레시피'와 같은 제목을 잡고 양질의 포스팅을 하면 됩니다.(양질의 포스팅은 신뢰성과 전문성에 기반을 둔다는 것을 잊지 마세요.)

여기서 한 가지 깨달을 수 있습니다. 그것은 바로 "내가 쓰고 싶은 글을 쓰는 게 아니라 남이 보고 싶어 하는 글을 써야 한다."입니다. 예를 들어, 내 아이디어를 담아 아무도 찾지 않는 '막걸리 하이볼' 키워드를 적는다고 가정해 보겠습니다. 조회수가 얼마나 될까요? 실제로 월간 조회수를 확인해 보니 20회네요. 한 달 동안 20회 조회가 되는 글을 쓰고 싶진 않지요? 이 키워드는 나 스스로 혼자 즐거운 포스팅으로 이웃들이 '신기하네.' 하고 보긴 하겠지만, 검색창에서 검색자들이 보고 싶어 하는 대중적인 정보는 아닌 겁니다. 그래서 키워드 조회수는 매우 중요한 1번 핵심 개념입니다.

02 자동완성 키워드

키워드 검색량(월간 검색 조회수)만 체크하고 글을 쓰면 좋겠지만, 블로그 세계가 그렇게 호락호락하지 않습니다. 글을 쓰기 전에 한 번 더 체크해야 하는 건 '자동완성 키워드'입니다. 초록색 검색창에 '하이볼'이라는 단어를 검색하면 다음과 같은 '자동완성 키워드'들이 뜹니다. 그러니까 '하이볼'이라고 타이핑하는 순간, 검색자들이 알고 싶어 하는 키워드 후보를 보여 주는 것인데, 검색자가 편하게 검색할 수 있게 만들어 둔 것이죠. 여기서 중요한 개념은 '자동완성 키워드'가 조회수가 많은 키워드가 될 확률이 매우 높다는 겁니다. '하이볼 만드는법'과 '하이볼 레시피'는 같은 의미이지만 자동완성 순서가 1번이냐 9

'하이볼' 자동완성 키워드

번이냐에 따라 12만 조회수, 4천 조회수로 약 26배의 차이가 납니다.

'하이볼' 자동완성 키워드 중에서 제일 아래에 '하이볼 캔'이라는 키워드가 있지요? 이것은 최근에 올라온 자동완성 키워드인데 하이볼 캔 프로모션으로 대중에게 소문이 나면서 생겨난 키워드입니다.

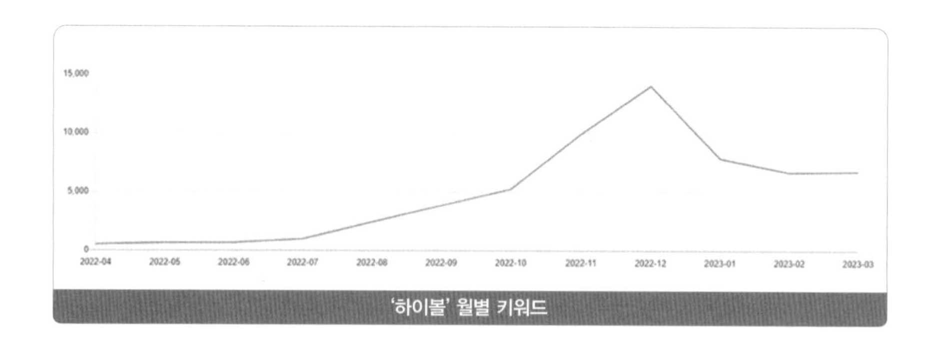

'하이볼' 월별 키워드

2022년 가을, 겨울에 편의점에서 하이볼 캔 제품들이 히트를 치면서, 과거엔 월간 검색량이 500회밖에 안 되던 키워드가 갑자기 크게 된 것입니다. 덕분에 자동완성 키워드에도 들어가게 되고, 그 덕분에 유행이 한풀 꺾였어도 7천 정도의 조회수가 유지되는 겁니다.

이런 키워드를 검색량이 많지 않은 소형 키워드라고 판단할 수 있습니다. 시작한 지 얼마 안 된 신생 푸드 블로거라면 도전해 볼 만한 자동완성 키워드입니다. 여기서 아이디어를 얻어서 어떤 글을 써야 할지 궁금할 때 자동완성 키워드를 참조해도 좋습니다.

03 푸드 키워드 / 맛집 키워드 / 제품 키워드

앞서 세부 주제 정하기 편에서 분야별로 지수가 따로 있다고 설명했습니다. 방금 예를 든 '하이볼 캔'은 푸드 키워드가 아니라 제품 키워드입니다. 내가 키우고 싶은 지수 분야가 제품이라면 적극적으로 포스팅해야 하는 주제가 될 것이고, 푸드 지수를 핵심으로 키우고 싶다면 소형 키워드라 할지라도 다른 푸드 키워드를 우선적으로 접근해야 합니다.

이쯤 되니 뭐 이리 알아야 할 게 많은가 싶고 머리가 복잡하지요? 처음부터 이 부분을 머리로 공부했다고 해도 실전에서 포스팅해 보고 노출시켜 보는 일을 반복해야 "아, 이런 거구나." 하고 감을 잡게 됩니다.

웃픈 이야기 하나 해 드릴까요? 저 MJ는 이런 키워드 구조를 블로거 생활 7년 차에 알았습니다. 꾸준하게 매일 여러 번 포스팅을 하고, 노출 여부를 확인해 보며, 몸소 체험하면서 익힌 거지요. 엄청난 시간과 노력을 들여 놓고도 '키워드' 개념이 잡히지 않아 얼마나 많은 키워드를 저세상으로 보냈을까요? 말 그대로 맨땅에 헤딩했던 거죠.

맨땅에 농사짓고 농작물을 심어서 쫄딱 망해도 보고, 어쩌다가 성공해서 새싹이 트면 살아남기 위해 육감을 발휘하여, 그 싹을 키워내기 위해 고군분투했습니다. 어떻게 해서 싹이 텄는지 되돌아보면서 하나하나 노하우로 적립하게 된 것이지요. 관련된 책을 읽고, 강의를 들었다면 시행착오를 겪지 않았을 텐데 말이지요.

여러분은 이 책을 통해 잘 차려진 밥상을 조화로운 조합으로 맛있게 잘근잘근 씹어서 자기 것으로 잘 소화시키기만 하면 됩니다. 저처럼 맨땅에 헤딩하지 마세요.

 섹션 검색 노출 순서

키워드에서 반드시 알아야 할 네 번째 개념은 검색 노출 순서입니다. 네이버 검색창 결과 블로그가 가장 먼저 나오느냐, 다른 서비스의 섹션이 먼저 나오느냐는 키워드 검색 조회수에 이어 가장 중요한 부분입니다. 이번에는 '맥도날드'라는 키워드로 예를 들어 보겠습니다.

'맥도날드'란 키워드는 월간 82만에 육박하는 엄청난 조회수의 초초대형 키워드입니다. 그런데 맥도날드라고 검색하면 블로그 탭인 뷰탭이 먼저 상위에 뜰까요? 아닙니다. 지금 바로 스마트폰을 들어서 '맥도날드'라고 검색해 보세요. 검색 결과 순서가 어떤가요? ① 맥도날드 공식홈페이지가 가장 상위에 뜨고, ② 최신 콘텐츠, ③ 플레이스, ④ 뷰탭이 뜹니다(2023년 4월 기준). 맥도날드라고 검색한 사람의 심리는 어떨까요? 아마 맥도날드 공식 홈페이지에 들어가고 싶거나 위치를 알고 싶어 할 것입니다. 네이버는 정확하게 사용자의 니즈를 파악하여 서비스 섹션 순서를 정해서 노출 순서를 결정합니다.

그러니까 블로거 입장에서는 '맥도날드' 키워드가 아무리 조회수

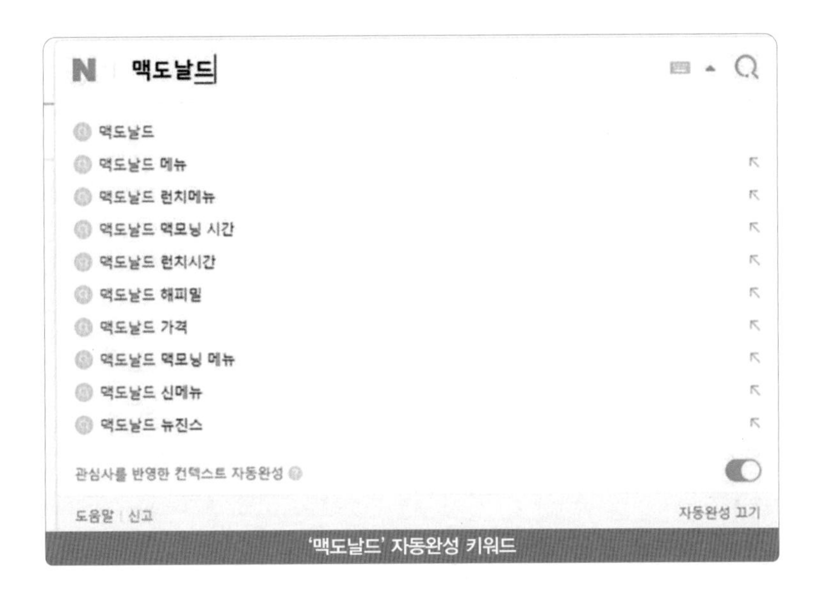

'맥도날드' 자동완성 키워드

가 많은 초초대형 키워드라 하더라도 뷰탭이 첫 줄에 뜨지 않는다면 의미가 없는 것이죠. 뷰탭 섹션이 밑에 있다면 내 글이 뷰탭의 아무리 상위에 있다 하더라도 유입량은 매우 적을 수밖에 없는 겁니다.

그렇다면 '맥도날드' 자동완성 키워드 두 번째인 월간 조회수 33만의 '맥도날드 메뉴' 검색 결과 순서는 어떨까요? ① 플레이스, ② 맥도날드 공식홈페이지, ③ 이미지, ④ 인플루언서, ⑤ 뷰탭이 뜹니다(2023년 4월 기준). 스크롤을 엄청나게 내려야 뷰탭에 도달하고, 뷰탭에서도 상위 5위 안에는 들어야 검색자의 눈길이라도 받을까 말까 하겠죠?

다음으로 자동완성 키워드 세 번째인 '맥도날드 맥모닝 시간'이라는 월간 조회수 5만 정도의 키워드는 노출 순서가 어떻게 될까요? 역시 ① 플레이스, ② 맥도날드 공식홈페이지, ③ 뷰탭이 뜹니다(2023년 4월 기준). 생각보다 적은 스크롤로 뷰탭에 도달하면서, 검색자 입장에서는 맥모닝 시간을 알기 위해 뷰탭으로 확인할 가능성이 큽니다.

이제 검색 노출 순서 개념이 잡혔나요? 아무리 검색 조회수가 많아도, 뷰탭이 스크롤을 한참 내려야 볼 수 있다면, 거의 그 키워드로 유입될 가능성은 없다고 봐야 한다는 겁니다. 글쓰기 전에 직접 검색창에 키워드를 넣어 검색 노출 섹션 순서를 꼭 확인해 보세요.

연관 키워드

먼저 연관 키워드란 개념이 잡혀야, 에어서치(AiRSearch)-스마트 블록(Smart Block) 키워드를 이해할 수 있습니다. 연관 키워드는 핵심 키워드를 검색했을 때, 검색자가 추가로 검색할 법한 관련성이 높은 키워드라고 할 수 있습니다. 자동완성 키워드는 연관 키워드의 일종으로 가장 강력한 연관 키워드인 셈이죠. 넛지 효과가 있으니까요.

하지만 자동완성 키워드 외에도 검색자가 많이 검색하는 연관 키워드들이 있습니다. 예를 들어, '맥도날드'라고 검색창에 타이핑을 하면 자동완성 키워드는 아래와 같이 뜨지만, 그 밖에도 검색량이 많은 연관 키워드가 많다는 것을 알 수 있습니다. '맥도널드'도 특이하고, '맥도날드 아이스크림'도 많이 검색되지요?

키워드	월간 검색량 (Total)
맥도날드 메뉴	324,900
맥도날드 런치메뉴	55,380
맥도날드 맥모닝 시간	52,460
맥도날드 해피밀	40,270
맥도날드 런치시간	26,540
맥도날드 맥모닝 메뉴	25,110
맥도날드 가격	23,850
맥도널드	20,180
맥도날드 신메뉴	19,680
맥도날드 아이스크림	15,890
맥도날드 배달	9,370
맥도날드 메뉴가격	8,970
맥도날드할인	6,660
맥도날드 쿠폰	6,250
맥도날드햄버거	5,810
맥도날드 메뉴판	3,900
맥도날드 가격표	3,560
맥도날드 슈비버거	3,500
맥도날드 치킨	2,820
맥도날드 빅맥 가격	1,740

'맥도날드' 연관 키워드와 조회수

에어서치와 스마트블록이란?

앞서 연관 검색어에 대해 감이 좀 잡혔다면, 이제 에어서치 - 스마트블록 키워드를 알아보겠습니다. 2021년에 도입된 네이버 검색 서비스입니다. 에어서치는 인공지능(AI)과 검색(Search)의 합성어입니다. 단순히 검색어 기반으로 모두에게 동일한 검색 결과를 보여 준 지난 검색 방식에서, 사용자가 입력한 검색어 안에 숨어 있거나 혹은 사용자도 원하는지 몰랐던 다양한 의도까지 파악해서, 그 의도를 세분화하여 스마트블록으로 분류해서 제공하는 검색 기술입니다. 에어서치 검색 기술을 기반으로 스마트블록의 형태로 화면에 보여 준다고 생각하면 됩니다. 그럼 스마트블록은 뭘까요?

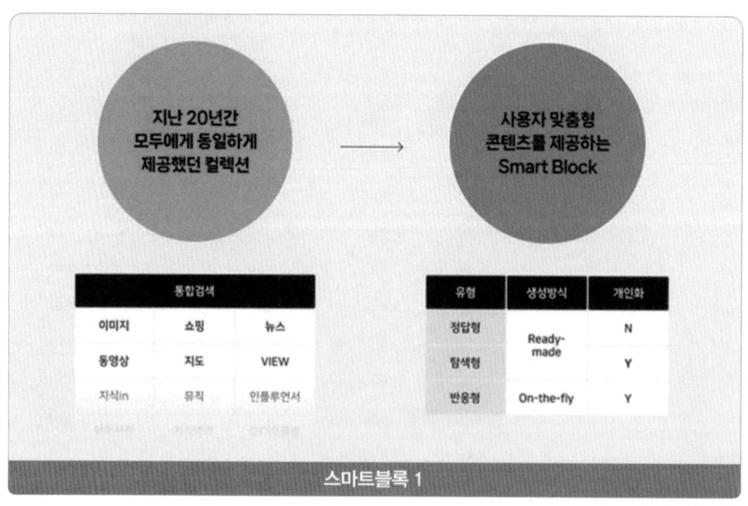

스마트블록 1

출처 : NAVER CH.TECH

스마트블록은 현재의 트렌드와 개인의 관심사가 반영된 검색 결과를 제공하는 서비스입니다. 2021년 5월 '맛집' 블록을 시작으로 '요즘 많이 찾는' 블록과 '주제별 결과' 블록이 추가되었고, '믿고 볼 수 있는 상품 후기' 블록으로 점점 서비스 분야를 확장 중입니다.

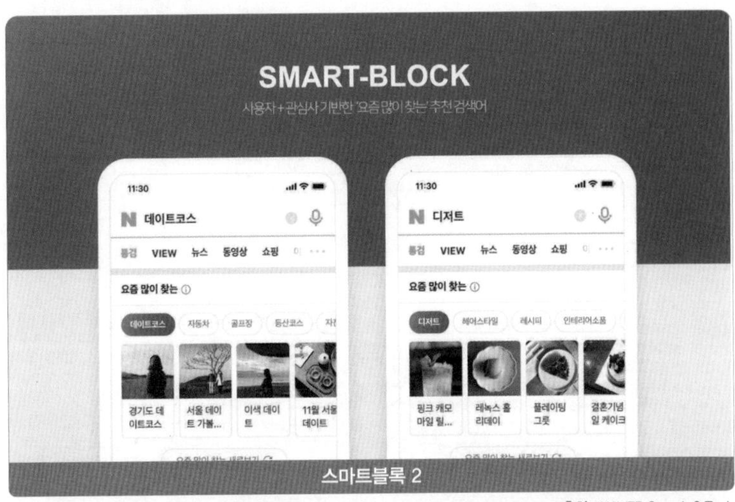

스마트블록 2

출처 : NAVER Search & Tech

스마트블록 3

출처 : NAVER Search & Tech

맥모닝 시간
종합 VIEW 이미지 지식iN 인플루언서 동영상 쇼핑 뉴스 어학사전 지도
맥모닝 시간대(새벽 4시~오전 10시 30분, 맥딜리버리는 새벽 3시 50분~오전 10시 20분)에는 맥모닝 전용 메뉴만 판매한다. 이 시간에는 맥머핀, 해시 브라운, 디럭스 브렉퍼스트 등의 메뉴만 판매하며, 매장에 10시 30분 이전에 도착해도 주문시간이 10시 30분을 초과하면 맥모닝 주문은 안 받는다. 이 시간 동안에는 햄버거 등의 메뉴는 주문할 수 없다. [1] 커피를 탄산음료로 교환하는 것은 가능하다. ...
맥도날드/메뉴 - 나무위키
연관 검색어
인기 주제 둘러보기
맥모닝 가격
맥도날드 메뉴 맥모닝 가격 시간 먹그리듬
맥도날드 맥모닝/맥모닝 메뉴/맥모닝 가격/울산 굴화DT점
코로나19 현황
신속항원검사
따뜻해진 날씨, 봄 축제도 활짝
올해는 한번 떠나볼까요?
정확한 배송일이 궁금하다면?
렌탈도 이제 네이버에서 쇼핑하세요
맥도날드맥모닝가격
스마트블록 4(검색 예시)

좀 더 이해하기 쉽게 예를 들어 설명해 드릴게요. '맥모닝 시간'을 검색해 볼까요? 통합검색 노출 순서를 보면, 뷰탭보다도 스마트블록 서비스인 '인기주제 둘러보기' 블록과 뜬금없이 '맥모닝 가격'이 나옵니다. '맥모닝 시간'이라고 검색하는 검색자의 니즈와 트렌드 등을 고려하여 띄워 준 겁니다. 이게 스마트블록 검색 서비스이고, 여기에 사용된 검색 기술이 에어서치입니다.

김난도 교수의 책 『트렌드코리아 2023』에서도 네이버의 스마트블록이 나노시장 개념의 대표적인 예로 소개되었습니다. 여기서 핵심 개념은 개인화와 취향 검색입니다. 다시 한 번 정리하자면, 에어서치는 사용자 취향을 기반으로 적합한 콘텐츠를 제공하는, 사용자가 개인 취향에 따라 관심 있어 할 만한 주제들을 전반적으로 보여 주는 검색 기술을 말합니다. 그리고 이 검색 기술을 적용해서 네이버 검색 결과 화면을 통해 스마트블록이라는 화면 공간을 만들어, 검색자 개인 취향에 맞게 각기 다른 정보를 묶어서 보여 주는 방식을 스마트블록이라고 합니다. 이 검색 방식이 적용되면서 같은 검색어를 입력해도 나와 다른 사람의 검색 결과가 달라지게 되는 겁니다.

네이버는 2021년에는 15%, 2022년까지 스마트블록 검색 비중을 30%까지 확대하겠다는 계획을 발표했습니다. 2023년에도 계속해서 분야를 확장하고 있습니다. 네이버에서 스마트블록 영역을 확장한 현황은 다음과 같습니다.

- 2021년 6월 스마트블록(구 토픽) 베타서비스 오픈 공지
- 2021년 11월 '동네소식' 적용 시작
- 2021년 10월 '취미', '인테리어', '레시피', '원예' 적용 시작
- 2021년 12월 스마트블록 검색 결과 PC에도 확대 적용 시작
- 2022년 1월 '반응형 추천 서비스' 오픈 (여행, 뷰티, 푸드, 자동차 1차 적용)

*사용자가 클릭한 콘텐츠를 기반으로 에어서치 기술을 활용하여 유사한 문서를 추천하는 서비스

- 2022년 5월 '맛집' 스마트블록 적용 시작
- 2022년 6월 '로컬' 장소 스마트블록 적용 시작
- 2022년 7월 '상품 후기' 스마트블록 적용 시작
- 2022년 11월 '패션' 스마트블록 적용 시작

그럼 이제 대세를 알았으니 이 흐름에 우리도 타야 하지 않을까요? 어떻게 스마트블록을 공략할 수 있을까요? 그건 글쓰기에 달려 있는데, 네이버 공식 홈페이지에서 대답은 다음과 같습니다.

1. 구체적이고 명확한 콘텐츠
2. 콘텐츠 장르별 최적화된 형식과 구성
3. 특정 독자를 타기팅

이 3가지의 공통점이 있죠? 눈치 채셨나요? 그러니까 애매하고 두루뭉술한 글이 아니라 구체적인 특정 검색 이용자를 타깃으로 한, 명확하고 자세한 후기를 담은 콘텐츠라는 겁니다. 사실 과거에는 포스팅 하나에 다양한 키워드를 담으려고 했습니다. 그게 더 효율적이니까요. 글 하나로 이 키워드도 잡고, 저 키워드도 잡고 1석 3조, 아니 1석 5조도 가능했습니다.

그런데 스마트블록은 이제 그런 글을 좋아하지 않습니다. 영점 조준이 된 1:1 매칭된 글을 더 좋아하는 것이죠. 그렇다고 무조건 포스팅 하나당 키워드 하나인 1:1을 고수하라는 것은 아닙니다. 키워드 특성상 2~3가지 키워드가 한 포스팅에 녹을 수밖에 없는 주제도 있기 때문이죠. 예를 들어, '아웃백스테이크'란 키워드를 중심으로 글을 쓰려고 하면, 할인 정보, 런치 시간, 메뉴 등 다양한 정보를 줄 수밖에 없잖아요? 그 밖에도 연관 키워드를 확장해서 하나의 글에 다 녹일 수도 있지만, 여기서 핵심적인 정보 2~3가지만 추려서 그것 위주로 포스팅을 해야 하는 거죠.

검색창에 '아웃백'이라는 키워드를 검색해 보겠습니다. 스마트블록이 나오는데 이 검색 결과는 사용자마다 달라질 수 있습니다. 제 스마트폰 화면에 뜬 스마트블록으로 예를 들어 보겠습니다. 처음에는 '아웃백' 관련 인기주제 둘러보기가 보이고, 화면을 넘기지 않아도 '아웃백 메뉴 추천', '아웃백스테이크하우…', '아웃백 스테이크 가격'이 보입니다. 그리고 바로 아래에 뷰탭처럼 딱 뜨는 스마트블록으로 '아웃백 메뉴 추천'에 3개 블로그 노출, 그 아래로 스크롤을 내리면 '아웃백스테이크하우스가격'에 3개의 블로그가 노출되고, 그 다음에는 인플루언서 키워드 챌린지가 보입니다. 과거에는 인플루언서 키워드 챌린지가 상단에 노출되었는데 스마트블록에 밀려서 아래로 많이 내려가 있습니다.

따라서 이 스마트블록을 잘 활용하면 엄청난 내공의 인플루언서 글보다 상위에 노출되는 기회가 생길 수도 있습니다. 과거에 기회조차 없던 시절에 비하면 엄청난 변화라고 할 수 있습니다. 그렇기 때문에 비기너 블로거는 반드시 스마트블록 키워드를 체크하고 글을 써야 합니다.

스마트블록은 C-RANK가 아니어도, 지수가 높지 않아도, 정확하고 구체적인 글 적기만 한다면 상위 노출이 가능하며, 더불어 일정 기간 동안 검색량까지 보장됩니다. 따라서 이제 막 시작하는 블로거들에게는 절호의 기회인 검색 시스템이라고 할 수 있습니다.

이제 그럼 여러분은 이 구체적인 소분류에 맞게, 로직에 맞는 글쓰기를 해야 하는 겁니다. 장르별로 최적화된 형식과 구성으로 말이죠. 근데 도대체 어떻게 써야 하는지 막연하지요? 그럴 때는 방법이 있습니다. 스마트블록에 노출된 글들을 자세히 파악해 보는 겁니다. 그대로 쓰라는 이야기가 아니라, 왜 이 글이 노출되었는지 어떤 부분이 명확하고 구체적인지, 키워드를 어떻게 잡아서 글을 진행했는지 파악하는 것이죠. 그리고 내 글의 방향성도 비슷하게 잡아 노출하는 연습을 해 보세요. 그래서 스마트블록이 상단에 노출되는 키워드를 찾아내서 공략하는 방법을 비기너 블로거 분들에게 추천드립니다.

07 인플루언서 키워드 챌린지

블로그와 관련된 네이버 검색창은 뷰탭, 스마트블록, 인플루언서 키워드 챌린지로 구성되어 있습니다. 이제 배웠으니 검색창을 보는 연습이 잘되었는지 테스트 한 번 해 볼까요? '맥모닝'을 검색해 봅시다. 푸드 인플루언서 콘텐츠 섹션에 인플루언서 3명이 나오고, 금은동 메달 표시가 나타납니다. 바로 그게 인플루언서 키워드 챌린지입니다.

앞서 섹션 위치를 확인해 보라고 했지요? 어떤 키워드는 인플루언

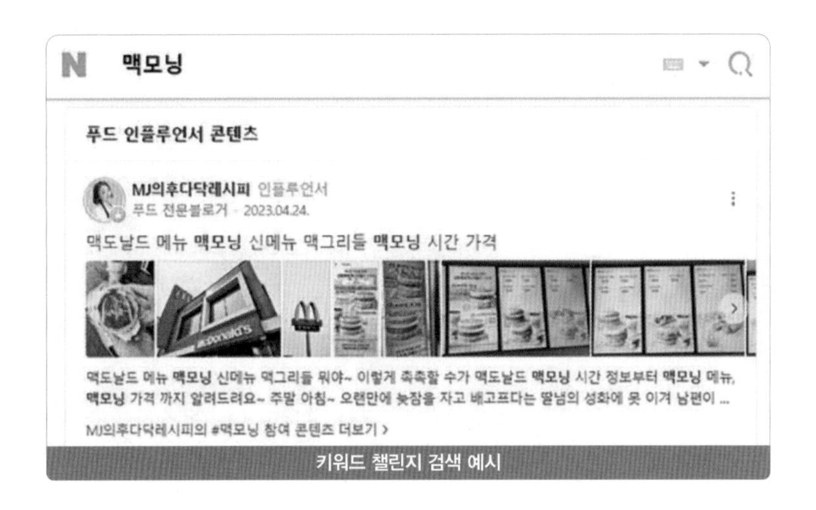

키워드 챌린지 검색 예시

서 키워드 챌린지가 상단에 있는데, 그렇지 않은 키워드도 많습니다. 네이버에서 스마트블록을 앞으로 점점 확대해 나간다고 했으니, 인플루언서 키워드 챌린지 섹션은 점점 상단에서 노출이 줄어들겠지만, 인플루언서가 되면 저 영역에서만큼은 내 글을 상단에 노출할 기회가 생기는 것이죠. 물론 스마트블록 노출도 가능하고요.

일반 블로거에 비해 인플루언서는 광고 클릭률 단가가 높고, 더 많은 수익을 받을 수 있기 때문에 어쨌든 시작했으면 인플루언서가 되어야 합니다. 이왕 글을 쓴다면 더 많은 돈을 벌어야 하는 건 당연하잖아요? 그런데 너무 급하게 생각할 필요는 없어요. 인플루언서는 언제 되느냐가 문제지, 꾸준히 블로그 공간에서 양질의 글을 쓰는 사람은 언젠가는 되게 되어 있습니다. 될 사람은 됩니다. 그러니 꾸준함을 잃지 마세요!

05

푸드 주제 본격 글쓰기 _내가 글쓴이지만, 내 마음대로 쓰면 폭망!

키워드 개념 정리가 됐다면, 이제 제대로 글쓰기 단계입니다. 푸드 레시피 분야만의 특징이 있는데, 크게 정리하면 다음과 같습니다.

1. 시의성(계절과 트렌드)에 맞는 주제 정하기
2. 핵심 주력 키워드와 세부 키워드(연관 키워드)를 포함하여 맥락에 맞춰 글쓰기
3. 글자 수보다는 충분한 내용과 서사성(인과 관계가 있는 하나의 스토리) 있게 글쓰기
4. 가독성 좋은 글쓰기

시의성(계절과 트렌드)에 맞는 주제 정하기

시기와 상황에 맞는 적절한 글을 시의성에 맞는 글이라고 합니다. 블로그는 계절마다, 월별마다 검색 조회수가 많은 키워드가 있습니다. 그리고 방송 레시피 등으로 갑자기 핫해지는 트렌드 키워드가 있습니다. 이 2가지가 만났을 때는 폭발적인 조회수가 나오기도 합니다.

글쓰기는 주제 정하기에서 시작합니다. 다시 한 번 강조하지만 블로그 포스팅은 내가 관심 있는 글을 적는 것이 아니라 다수의 사람들, 즉 대중이 관심 있어 하는 주제를 찾는 것이 중요합니다. 그래야 내 블로그를 찾는 이들이 늘어나면서 방문자 수가 상승하게 되고, 영향력이 증대되는 것과 더불어 애드포스트 수익이 늘어나게 되니까요.

그럼 시의성에 맞는 키워드는 어떤 게 있을까요? 예를 들면, 3월에는 봄동겉절이, 파김치, 4월에는 오이무침, 오이소박이, 두릅 데치기 등 매년 비슷한 시기에 검색량이 급증하는 계절성 키워드들이 있습니다. 그래서 제철과일, 제철채소, 제철해산물 등을 섭렵하고 있어야 합니다. 그리고 특별한 이벤트, 발렌타인데이, 봄·가을 소풍철, 명절, 연말, 단오, 빼빼로데이, 삼겹살데이, 블랙데이 등이 있습니다.

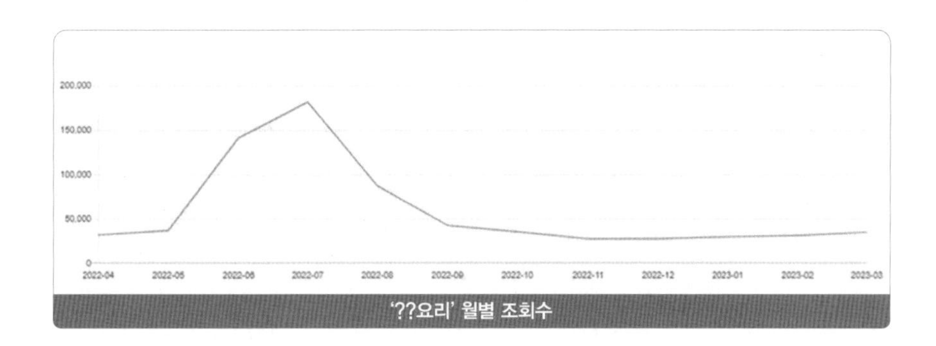

'??요리' 월별 조회수

위 그래프는 월별 어떤 키워드의 조회수입니다. 평소에는 월 5만도 안 나오다가 7월 피크 때는 15만도 훌쩍 넘어 버리죠? 이 키워드는 바로 '감자요리'입니다.

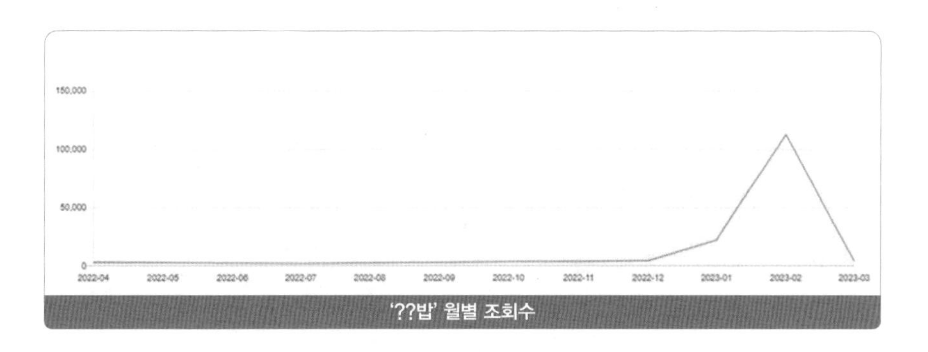

'??밥' 월별 조회수

이 키워드는 평소에 월 5천도 안 나오다가 2월에만 유독 조회수가 10만이 넘습니다. 바로 정월대보름에 먹는 '오곡밥'입니다. 이제 감이 조금 잡히시나요?

우리 집 식탁을 생각해 보세요. 제철 음식에 따라 식탁 메뉴가 달라지잖아요. 다른 집도 마찬가지라고 생각하면 쉽습니다. 요리 초보자들은 정확한 레시피 정보를 얻기 위해 검색하게 되고, 요리 내공이 깊은 사람들은 다시 한 번 그 요리의 과정을 확인하기 위해, 혹은 더 맛있는 레시피를 얻기 위해 검색창을 이용합니다. 계절마다 식탁에 오르는 제철 음식들만 잘 고려해도 시의성 있는 글을 적을 수 있고, 내 블로그의 일 방문자 수도 증가할 수 있습니다.

다음으로 트렌드성 주제를 다뤄 보겠습니다. 트렌드성 주제는 방송이든 사건이든 어떤 이슈로 인하여 갑자기 검색량이 증가하는 키워드를 말합니다. 예를 들어, '달고나 만들기'는 평소에 거의 검색량이 없는 키워드였지만, 「오징어 게임」이라는 OTT 콘텐츠가 세계적으로 히트를 치면서, 방송에서도 너도 나도 '달고나 만들기'를 보여주면서 엄청난 조회수를 만들어 냈습니다.

네이버는 2017년 1월 24일부터 실시간 검색량을 보여 주는 일명 '실검' 서비스가 있었지만 2021년 2월 25일부터 실시간 검색 서비스를 중단했습니다. 그럼 실시간 급상승 키워드를 이제 어떻게 확인할 수 있을까요? 네이버와 실시간 검색어를 알려 주는 사이트를 활용해서 글을 쓰는 방법이 있습니다.

실시간 급상승어를 확인할 수 있는 방법은 몇 가지 있는데 가장 쉬운 방법은 타 포털사이트의 실검 서비스를 활용하는 것입니다. 네이버와 달리 NATE나 ZUM은 아직도 인기 검색어를 제공하고 있습니다. 그리고 '시그널'(앱은 '시그널랩')이라는 사이트를 통해서도 확인할 수 있습니다.

실검 키워드로 푸드와 관련된 키워드를 찾기는 쉽지 않습니다. 트렌드성 푸드 키워드를 확인할 수 있는 좋은 방법 중 하나는 방송 시청입니다. 인기 있는 예능이나 정보성 프로그램에서 레시피들이 소개됩니다. 예를 들면, 「나혼자산다」, 「편스토랑」, 「알토란」 등이 있습니다. 맛과 관련하여 사람들의 심리는 궁금한 걸 못 참습니다. 요즘같이 새벽배송이 가능한 환경에서는 방송 레시피에 대한 반응이 매우 빠르게 옵니다. 그래서 인기 있는 TV 프로그램은 본방송 시청 중에 레시피 소개를 위해 새벽배송 앱을 통해 장을 보기도 합니다.

핵심 주력 키워드와 세부 키워드(연관 키워드)를 포함하여 맥락에 맞춰 글쓰기

주제 선정을 하고 나면 제목을 정해야 합니다. 앞에서 시의성에 맞게 글을 써야 한다는 점을 배웠으니까 그것에 착안해서 글을 실제로 같이 써 볼까요? 지금 이 책을 집필하고 있는 시점은 4월말이고, '마늘쫑'이 시의성에 맞는 키워드 중 하나입니다. 제 말이 맞는지 한 번 체크해 볼까요?

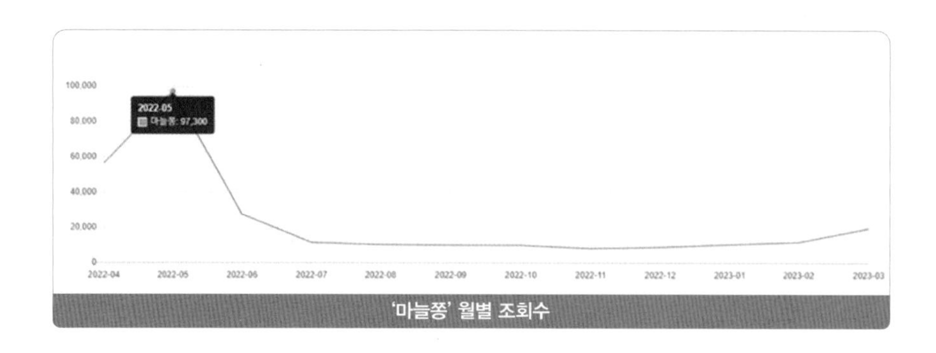

'마늘쫑' 월별 조회수

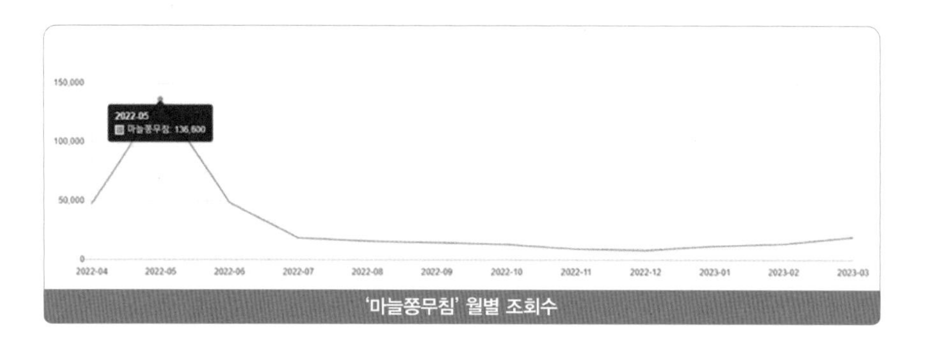

'마늘쫑무침' 월별 조회수

4월부터 조회수가 올라가기 시작해서, 5월에 피크를 찍는 걸 확인할 수 있습니다. '마늘쫑'이라는 키워드보다는 '마늘쫑무침'이 훨씬 조회수가 많습니다. 이번에는 네이버 검색창의 자동완성 키워드를 체크해 보겠습니다.

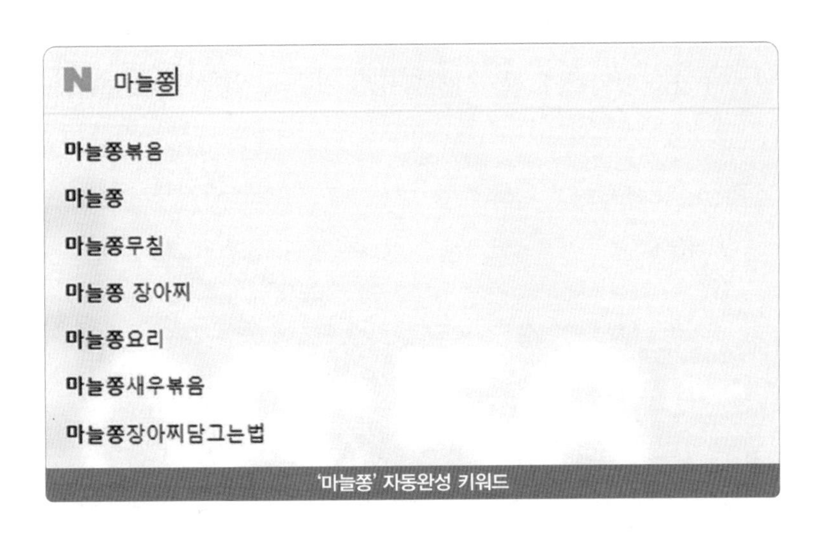

'마늘쫑' 자동완성 키워드

자동완성 키워드를 보니, '마늘쫑무침'보다는 '마늘쫑볶음'이 위에 있습니다. 이것도 조회수를 확인해 볼까요?

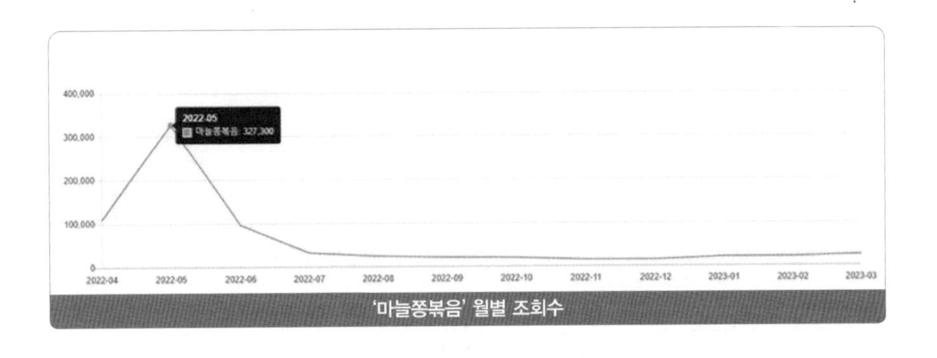

'마늘쫑볶음' 월별 조회수

역시 자동완성 키워드의 힘을 다시 한 번 느끼게 됩니다. 지금 우리가 하고 있는 과정은 바로 글쓰기의 시작인 주제를 정하고 제목을 만들어 가는 것입니다. 지금까지 과정을 간단히 정리해 보겠습니다.

'시의성에 맞는 주제로 글을 쓰자.'→ '4월이니까, 마늘쫑이란 키워드 어떨까?'→ '마늘쫑으로 자동완성 키워드를 확인해 보자.'→ '조회수를 체크해 보니, 마늘쫑볶음–마늘쫑무침–마늘쫑… 순이구나.'

다음으로는 나에게 맞는 키워드를 정해야 합니다. 더 솔직하고 적나라하게 표현하자면, 내 수준에 맞는 조회수의 키워드를 찾아야 합니다. 블로그를 오랫동안 운영해 왔고, 지수가 좋아서 조회수가 센 키워드를 공략해도 상위에 팍팍 꽂힌다면 이런 고민을 덜해도 되겠지만, 블로그를 막 시작한 비기너 블로거들에게는 지수를 쌓는 것이 우선되어야 하기에 조회수가 적은 소형 키워드부터 공략해야 합니다.

다음 단계는 연관 키워드를 체크해서 나에게 맞는 키워드를 찾아야 합니다. '마늘쫑'과 관련 있는 연관 키워드는 무엇일까요? 네이버 검색창에서 확인해 보겠습니다.

'마늘쫑' 연관 검색 | '마늘쫑볶음' 연관 검색 | '마늘쫑무침' 연관 검색

여기서 나온 연관 키워드를 일일이 조회수를 체크해 봐도 좋고, 대형 키워드들의 파생 키워드인 스마트블록도 체크해 보는 것을 권장합니다. 스마트블록이란 비기너 블로거에게 기회와도 같은 키워드들이 무엇인지 알 수 있기 때문입니다. 정리하자면 다음과 같습니다.

1. 연관 키워드 확인법 : 연관 키워드 조회수 확인 후, 나에게 맞는 크기의 키워드 선택
2. 스마트블록 확인법 : 주요 키워드 검색 결과 스마트블록 키워드를 확인한 후 나에게 맞는 크기의 키워드 선택
3. 위 1, 2번 모두 적용

	키워드	월간 조회수	쇼핑	VIEW탭 위치	스마트 블록위치	스마트블록 키워드
1	마늘쫑볶음	125,450		2	X	
2	마늘쫑무침	61,970		X	3	생마늘쫑, 마늘쫑장아찌무침
3	마늘쫑	57,180	1	X	4	마늘쫑짱아찌 레시피, 마늘쫑장이찌무침
4	마늘쫑장아찌	41,860		X	2	고추장마늘쫑장아찌, 마늘쫑장아찌 담그는법
5	풋마늘무침	24,960		2	X	
6	마늘쫑장아찌담그는법	18,190		X	1	마늘쫑장아찌, 마늘쫑장아찌 레시피
7	마늘쫑새우볶음	16,840		X	1	건새우마늘쫑볶음, 마늘쫑조림
8	마늘쫑멸치볶음	10,990		2	X	
9	건새우마늘쫑볶음	6,080		2	X	
10	마늘쫑나오는시기	5,070		2	X	
11	새우마늘쫑볶음	4,000		1	X	
12	간장마늘쫑볶음	3,810		2	X	
13	마늘쫑고추장무침	3,600		X	1	마늘쫑장아찌무침, 고추장마늘쫑장아찌
14	국산마늘쫑	2,340	1			
15	남해마늘쫑	2,070	1			
16	마늘쫑간장볶음	1,640		2	X	
17	마늘쫑장아찌무침	1,560		X	1	마늘장아찌무침, 마늘쫑고추장무침
18	마늘쫑고추장볶음	870		2	X	
19	제주마늘쫑	830	1			
20	삭힌마늘쫑무침	560		1	X	
21	중국산마늘쫑	410	1			
22	유기농마늘쫑	320	1			
23	냉동마늘쫑	280		1	X	
24	수입마늘쫑	260	1			
25	무농약마늘쫑	190	1			
26	마늘쫑볶음레시피	190		1	X	
27	마늘쫑1KG	160	1			
28	멸치마늘쫑	50		2		

'마늘쫑' 관련 종합 검색 결과 정리

앞 페이지의 표는 앞서 설명한 3번 방법으로 '마늘쫑' 키워드를 정리한 것입니다. 사실 이렇게까지 키워드를 정리하면서 주제를 뽑지는 않습니다. 키워드와 주제 잡기 개념 이해를 위해 표로 정리해 본 것입니다.

그런데 연관 키워드를 직접 입력하고 그 결과를 정리해 보니 다시 한 번 느끼는 게 많습니다. 표의 정보를 하나하나씩 살펴보겠습니다.

① 연관 키워드들의 조회수 확인

→ 내 수준에 맞는 키워드 후보들을 선택합니다.

② 검색 결과 섹션 순서 확인

→ 쇼핑이 제일 먼저 뜬다면 조회수가 많아도 블로그로 유입은 제한적이니 피하는 게 좋습니다.

→ 뷰탭이나 스마트블록이 1, 2번째 순서로 나오는 키워드를 선택합니다.

③ 스마트블록 키워드 공략 또는 일부러 피하는 공략

→ 스마트블록 키워드 자체가 경쟁이 너무 심할 수 있으니 내 수준에 맞춰 전략적으로 키워드를 공략합니다. 완전 처음 시작하는 블로거는 이 방법은 피하고, 더 작은 소형 키워드부터 차근차근 쌓아 가는 것이 좋습니다.

다른 키워드들도 제가 했던 것처럼 한 번 정리해 보면 정말 많은 도움이 됩니다. 이 키워드 세계를 이해해야 어디에 초점을 맞춰 글을 쓸지 전략을 세울 수 있습니다. 전략이란 표현이 딱 맞는 것 같습니다. 다른 블로거들은 동료인 동시에 경쟁자이기에 어떤 키워드를 어떻게 공략하느냐에 따라 나의 성장이 달라집니다. '방문자 수=돈'이라는 공식을 잊지 마세요.

그럼 이제 제목을 하나 만들어 볼까요? '마늘쫑' 관련 키워드 결과, 나의 냉장고 사정과 모든 걸 고려했을 때 1만 6천 정도의 조회수인 '마늘쫑새우볶음'으로 정했다고 하죠. 그럼 제목은 어떻게 정해야 할까요? 방문자 수를 고려하면 그냥 '마늘쫑새우볶음'을 제목으로 할 수는 없으니까요. 스마트블록에서 '건새우마늘쫑볶음'이 있음을 확인했죠? 어차피 같은 요리 범주 안에 들어갈 수 있으니 '건새우마늘쫑볶음'도 포함시킵니다. 조회수가 적은 것 중에는 '새우마늘쫑볶음'도 유사 키워드입니다. '마늘쫑새우볶음'으로 연관 검색어를 확인하니 '마늘쫑보리새우볶음'도 있네요. 새우와 마늘쫑이 조합된 레시피 관련 키워드별 조회수를 정리해 볼까요?

'마늘쫑새우볶음' 16,840회 – 스마트블록 키워드 '건새우마늘쫑볶음'
'건새우마늘쫑볶음' 6,080회 – 키워드 챌린지 1번째, 뷰탭 2번째
'새우마늘쫑볶음' 4,000회 – 뷰탭 1번째
'마늘쫑건새우볶음' 900회 – 키워드 챌린지 1번째, 뷰탭 2번째
'마늘쫑레시피' 400회 – 뷰탭 1번째
'마늘쫑보리새우볶음' 190회 – 뷰탭 1번째

키워드 챌린지가 제일 먼저 뜬 키워드는 이미 인플루언서들이 선점하고 있으니, 아무리 조회수가 많아도 그걸 나의 블로그 방문자 수로 끌어오긴 힘듭니다. 그렇기에 제가 비기너 블로거라면 '새우마늘쫑볶음'과 '마늘쫑보리새우볶음' 키워드를 공략할 것입니다. 그럼 제목을 완성해 볼까요?

제목 : 새우마늘쫑볶음 마늘쫑레시피 마늘쫑보리새우볶음

이게 제목이라고요? 맞습니다. 블로그 제목은 내가 밀고자 하는 키워드 중심으로, 쓸데없는 단어는 빼고 단백하게 구성해야 합니다. 유튜브의 경우 자극적이고 어그로를 끄는 제목과 섬네일이 중요한 것과는 상반되죠? 블로그는 텍스트 검색 기반이다 보니, 사용자의 니즈에 맞는 최적의 글을 상위에 노출시켜 주기 위해서는 신뢰성과 전

문성이 있는 텍스트에 기반을 두고 찾을 수밖에 없습니다. 제목이 이렇게 담백해야 네이버 검색 로직이 이 글은 어떤 내용을 중심으로 글이 쓰여 있는지 확실히 판단할 수 있는 거죠. 제목과 관련된 몇 가지 팁을 정리해 보겠습니다.

① 본인만의 구분을 하기 위해 [23번째] 이런 것 역시 제목으로 의미 없습니다.

② 특수문자도 의미 없습니다. (♡, ★, 등)

③ 콤마 등 부호도 의미 없습니다. (, / . ; : 등)

④ 띄어쓰기와 단어 배치 순서는 검색 결과에 영향을 줍니다.

⑤ 맞춤법에 어긋나지만 너무나 많은 사람이 쓰기에 줄임말 자체가 키워드가 된 텍스트라면 몰라도, 원칙적으로 맞춤법에 어긋나는 단어를 제목에 쓰면 안 됩니다. 예를 들어, '존맛', '대박' 같은 경우는 다양한 분야에 형용사처럼 쓰여서 영양가 없는 줄임말입니다. 하지만 '꿀팁'같이 키워드화된 신조어도 있죠. '아웃백 꿀팁', '에버랜드 꿀팁' 등으로 말이죠.

⑥ 영어 역시 단어 자체가 검색되는 핵심 키워드가 아니라면 굳이 괄호 안에 영어 스펠을 적을 필요가 없습니다. 예를 들어, 'MBTI'라는 키워드는 그 자체가 영어 단어가 더 익숙하잖아요? 이런 건 영어 자체가 키워드이기에 써도 됩니다. 하지만 '위스키'를 키워드로 쓴다고 해서 굳이 제목에 'Whisky'를 쓸 필요는 없습니다. 참고로 '위스키' 키워드는 월 10만 조회의 대형 키워드이고, 'Whisky'는 월 1,500회 정도

의 소형 키워드입니다. 만약 남들이 공략하지 않는 1,500회 조회수를 위한 전략이라면 'Whisky'를 써도 무방합니다.

이제 제목이 정해졌으니 위 제목을 중심으로 열심히 요리하고, 과정을 자세히 촬영하고, 그것을 글쓰기에 녹여 내면 됩니다. 내가 핵심으로 밀고 있는 제목의 키워드이니 본문에서 반복될 수밖에 없지만 너무 많이 사용하면 안 됩니다. 보통 한 편의 글 본문에는 핵심 키워드가 10~20개 정도면 됩니다.

이미 그 키워드로 상위권에 노출되어 있는 타 블로그의 글에서 키워드 수를 세어 보세요. 키보드의 Ctrl키와 F키를 동시에 누르면 찾기 기능이 뜹니다. 거기서 찾고 싶은 키워드를 타이핑하면 몇 개나 있는지 쉽게 셀 수 있습니다. 나중에 내 글을 다 적고 나서 핵심 키워드 반복 횟수를 체크할 때도 Ctrl+F 찾기 기능을 꼭 사용하세요.

 글자 수보다는 충분한 내용과 서사성 있게 글쓰기

내가 쓴 글이 상위에 노출되기 위해서는 전문성, 신뢰성, 관련성, 최신성 지수가 좋아야 합니다. 이번에 이야기할 부분은 관련성 지수와 관련이 있고, D.I.A 로직에 영향을 끼칩니다. 쉽게 말해서, 제목에 들어간 핵심 키워드가 얼마나 본문에 잘 녹아 있느냐를 말하는 것입니다. 글자 수보다 이것이 더 중요합니다. 쓸데없이 1,000~1,500자로 글을 채우는 것보다 서사성(인과 관계가 있는 하나의 스토리) 있게 핵심 키워드 중심으로 글을 써야 합니다. 푸드 레시피 분야는 타 주제보다는 글 쓰는 형식이 정형화되어 있어서 글쓰기가 수월합니다. 예를 들면 다음과 같습니다.

레시피 분야 글쓰기

서론	도입부 : 키워드 기반 인사말, 요리 개요 설명
본론 1	준비물, 재료 준비, 계량(숟가락, 계량스푼, g)
본론 2	조리 순서 상세 설명
결론	조리 팁 및 노하우 정리, 맺음말

조리 순서를 설명해야 하다 보니 자연스럽게 시간 순서대로 글쓰기가 됩니다. 이때 사진-설명-사진-설명-사진-설명 순으로 하는데, 설명이 너무 길어지면 중간에 사진을 하나 더 넣습니다. 항상 읽는 사람 위주로 글을 써야 합니다. 사진-설명 순으로 글을 써 내려갈 때도, 모바일 화면에서 어떻게 보이는지 생각해야 한다는 것입니다.

예를 들어, 사진을 보면서 설명을 봐야 이해가 빠르게 되는데 글이 너무 길어져서 화면에서 사진은 보이지 않은 채 설명만 읽게 되는 상태가 된다면, 스마트폰으로 보기에는 너무 불편해지는 거죠. 보는 사람 입장에서 사용자를 배려해야 합니다. 내가 소개한 레시피를 보면서 요리를 하는 모습을 상상해 보세요.

다음으로 맛집 분야 글쓰기 순서도 확인해 보겠습니다.

맛집 분야 글쓰기

서론	도입부 : 키워드 기반 인사말, 맛집 개요 설명, 위치 정보(지도 첨부)
본론 1	매장 분위기, 메뉴판 소개
본론 2	주문 팁, 할인 팁 정보, 브레이크타임, 휴무일, 운영 시간 소개
본론 3	주문 메뉴 소개(개인적인 의견과 자세한 음식 설명)
결론	할인 팁 등 중요 정보 정리, 맺음말

이렇게 큰 틀에서 어떻게 글을 서사성 있게 쓸 건지 구조화한 다음 글을 쓰게 되면 훨씬 문장의 구조가 좋아지고, 읽는 사람이 보기 편하다 보니 체류 시간이 증가하게 되고, 네이버 검색 로직은 해당 글을 좋은 포스팅으로 인식하게 됩니다.

04 가독성 좋은 글쓰기

유독 글이 잘 읽히는 책도 있지만 어떤 책은 읽기가 쉽지 않습니다. 그 차이는 바로 글의 가독성 때문입니다. 블로그의 글은 대부분의 조회수가 모바일에서 나옵니다. PC 화면 검색자보다는 스마트폰으로 검색해서 보는 유저가 훨씬 많다는 뜻입니다. 키워드별로 다르겠지만, 보통 PC 검색 조회수보다 모바일 검색 조회수가 8~10배는 많습니다. 따라서 글을 쓸 때도 모바일 사용자의 특성을 파악해서 써야 합니다. 우리는 이미 스마트폰을 잘 쓰고 있으니 어떻게 써야 내 글을 잘 볼 수 있을지 생각해 볼까요?

첫째, 가독성이 좋은 글씨체를 사용하고, 글자의 크기는 크게 합니다.

둘째, 어려운 단어보다는 쉬운 어휘를 사용합니다. 우리나라는 한자 중심의 함축된 단어를 많이 사용합니다. 공문서 등 글에 많이 사용되는 방법입니다. 예를 들면 이렇습니다. '상기에 기언급한 사항'이라는 문구보다는 '위에서 이미 언급했던 내용인데요.' 이런 식으로 쉽게 풀어서 쓰는 겁니다.

요리 용어 중에서도 전문적인 용어는 꼭 다시 풀어서 설명해 줍니다. 예를 들어, '캐러멜라이징해 줍니다.'라고 하면 요리를 처음 하는 사람들은 어떻게 하라는 건지 이해하지 못합니다. 왜 이런 조리법을 쓰는지, 이 용어는 어떤 뜻인지 쉽게 풀어 줘야 합니다.

셋째, 레시피를 전할 때도 요리를 처음 하는 초보자의 입장에서 디테일하게 알려 주는 것이 중요합니다. 요린이들은 우리가 당연히 생각하는 요리 과정이라도 생략되어 버리면 어떻게 해야 할지 몰라 쩔쩔맵니다. 불의 세기를 과정마다 어떻게 해야 하는지, 전문 계량도구가 없을 때 대체해서 사용할 수 있는 계량법이라든지, 필요한 재료가 없을 때는 어떤 재료로 대체하여 사용할 수 있는지 등을 알려 주면 좋습니다.

백종원이 요린이에게 실시간으로 요리를 가르쳐 주는 「백파더」라는 프로그램에서 요린이들의 기상천외한 질문들이 쏟아졌습니다. 그걸 보며 느끼는 바가 많았습니다. 요리를 해 본 적이 없는 제 남편에게 요리를 알려 주면서도 느꼈고요. 내 입장에서는 쉽다고 생각했던 부분을 요린이들은 힘들어한다는 것을 말이죠. 내 입장이 아닌 초보자들을 대상으로 글을 쓴다고 생각하면 레시피가 쉽게 다가올 수 있고, 가독성이 좋은 글이 될 수 있습니다. 그러면 자연스럽게 팬층이 생기게 됩니다.

봄철에 제법 찾는 '쑥버무리'라는 키워드를 통해 예를 들어 보겠습니다. '쑥버무리'는 떡 레시피이고 쌀가루와 쑥이 주 재료인 요리입니다. 이때 습식쌀가루와 건식쌀가루 2가지 종류 중 하나를 선택해야 하고, 물주기를 한 뒤 만들어야 합니다. 이 분야에 대해 배경지식이 없는 사람이라면 습식쌀가루, 건식쌀가루, 물주기라는 용어들은 낯설고 생소한 단어들이죠.

나만 안다고 해서 설명하지 않고 넘어가면 안 된다는 것입니다. 하나하나 쉽게 풀이해서 적어 주는 겁니다. 쌀을 불린 후 방앗간에서 직접 갈아 만든 쌀가루는 습식이며, 찹쌀을 불리지 않고 쌀을 그대로 갈아 마트에서 판매하는 쌀가루는 건식입니다. 이렇게 쉬운 설명이 필요한 것입니다.

과정 중에 나오는 물주기 관련해서도 "떡에 물주기를 합니다."라고만 설명하면 초보자들은 "물주기가 뭐야? 왜 하는 거지?" 하고 궁금할 수밖에 없죠. 그래서 "물주기란 쑥 겉면에 쌀가루가 촉촉하게 입혀질 수 있도록 적당한 수분을 공급하는 것을 말합니다. 쌀가루에 물을 넣고 뭉쳤을 때 일정하게 모양이 잡혀야 쑥 겉면에도 촉촉하게 잘 입혀지기 때문에 적당한 물주기 과정은 중요합니다."와 같이 이해하기 쉬운 용어를 활용해서 그 과정을 해야 하는 이유를 풀어서 설명해 주는 겁니다.

실제로 댓글에 "레시피 검색할 때 물주기가 무엇인지 궁금했는데 쉽게 풀이해 주셔서 감사합니다."라고 말해 준 구독자분이 있었습니다. 블로그라는 공간은 전문적이면서 동시에 누구나 쉽게 정보를 얻어 갈 수 있는 공간이어야 한다는 것을 잊지 마세요.

06

가치업 퍼스널 브랜딩 _퍼스널 브랜딩은 선택이 아닌 필수

 퍼스널 브랜딩이란?

'퍼스널 브랜딩'이라는 말이 많이 들리는데, 과연 어떤 개념일까요? 나는 그냥 평범한 일반인인데 나랑 관계없는 일이라고 치부하고 있지 않은가요? 퍼스널 브랜딩을 이해하기 위해서는 먼저 브랜드와 브랜딩의 개념을 알아야 합니다. 브랜드는 쉽게 떠올릴 수 있습니다. 아파트 브랜드로는 래미안, 자이, 푸르지오 등이 있죠? 이처럼 우리가 매일 접하는 의식주 제품들을 모두 떠올려 보면 대부분의 제품이 브랜드화되어 있음을 알 수 있습니다.

그럼 브랜드를 만드는 이유는 무엇일까요? 바로 사람들의 기억에 남을 수 있도록 타 상품과 구별하기 위해서 시작되었습니다. 요즘은 브랜드에 스토리와 이미지를 입히기도 합니다. 예전에는 브랜드를 만들지 않고 회사 이름 자체를 브랜드처럼 사용했습니다. 삼성아파트, 쌍용아파트, 대우아파트처럼요.

하지만 요즘엔 제조 기업이 어딘지도 모르게 브랜드만 강조해서 그 브랜드만의 이미지를 만들어 내기도 합니다. 예를 들어, '슈콤마보니'라는 신발 브랜드는 보석 박힌 예쁜 신발로 유명한데 제조 기업은 코오롱인더스트리입니다. 슈콤마보니 매장 어디를 가도, 코오롱을 강조하지 않습니다. 그 브랜드의 이미지를 그대로 살리고 싶은 거죠.

현대차의 '제네시스'는 독자적인 엠블럼을 쓰면서 현대자동차 안에서 고급차 이미지를 만들기 위해서 만든 브랜드입니다. 이렇게 브랜드를 만들어 가는 과정을 브랜딩이라고 합니다. 이런 브랜딩을 개인 1인에게도 적용하는 것이 퍼스널 브랜딩입니다.

02 퍼스널 브랜딩의 필요성

인터넷, 스마트폰 등 기술 발전이 유튜브, 인스타그램처럼 SNS, UCC 플랫폼으로 확장되고, 1인 미디어 시대가 되면서 수많은 성공한 인플루언서가 대중에게 인기를 끌면서 생겨난 개념이 퍼스널 브랜딩입니다. 블로그도 마찬가지입니다. 나 자신이 브랜드화되어야 더 크게 성장할 수 있고, 사업으로까지 확장이 가능해집니다.

대부분의 사람은 자신과는 상관없는 이야기로 느낄지 모르겠지만, 나라는 존재는 이미 브랜딩되어 있습니다. 학교에서 나의 이미지, 집에서 나의 이미지를 떠올려 보세요. 주변인에게 나는 어떤 사람인가요? 이걸 1인 미디어 플랫폼 안에서 구현하고, 지인들이 아닌 대중을 대상으로 하는 브랜딩 작업이 퍼스널 브랜딩입니다. 또 다른 나를 만들 수 있는 것입니다.

나는 하나이지만 역할이 많습니다. 엄마이기도 하고, 아내이기도 하고, 딸이기도 하고, 학생이기도 하고, 선생이기도 하고, 직장에서의 역할도 있습니다. 1인 미디어라고 꼭 브랜드가 하나일 필요는 없습니다. 내가 강아지를 좋아하면서 요리에도 관심이 있으면 펫 유튜버와 푸드 블로그 두 분야를 모두 키워서 각각 브랜드화시킬 수도 있습니다.

 퍼스널 브랜딩 시작하기

첫 단계로 나를 알아 가는 과정이 필요합니다. 막연히 나를 브랜딩한다고 생각하니 방향성이 잡히지 않죠? 다음 3가지 도구를 활용해서 '나를 찾기'부터 시작해 봅니다.

첫째, 브레인스토밍입니다. 나와 관련된 모든 것을 생각나는 대로 노트에 적어 보세요. 그냥 막 적는 과정입니다. 시시콜콜한 것도 좋습니다. 내가 좋아하는 가수를 적어도 되고, 내가 좋아하는 식당명을 적어도 됩니다. 나라는 존재에 오롯이 집중해서 말 그대로 막 적어 보세요. 나중에 해 봐야지 하지 말고 지금 해 보세요.

둘째, 마인드맵입니다. 방금 브레인스토밍 과정에서 나온 것들을 분류해서 모아 보는 겁니다. 이걸 '카테고리화한다.'라고 하는데, 대표적인 예로 '좋아하는 것', '싫어하는 것', '잘하는 것', '못하는 것', '가치', '미래 희망', '가족', '배우고 싶은 것' 등 다양한 주제로 나와 관련해서 묶는 것입니다.

셋째, 롤모델입니다. 꼭 나의 분야가 아니더라도 퍼스널 브랜딩에 성공한 인플루언서가 어떻게 해서 자신을 브랜딩했는지 롤모델을 정해서 분석해 보세요. 내가 팬의 입장에서 좋아하는 인플루언서가 있다면 그 사람은 퍼스널 브랜딩에 성공한 것입니다. 내가 좋아하게 된 이유가 무엇인지, 대중에게 사랑받는 이유가 무엇인지, 광고주는 그 인플루언서의 어떤 이미지 때문에 홍보를 의뢰하는지, 이제부터는 소비자의 입장이 아닌 생산자, 즉 크리에이터의 입장에서 관찰해 보기 바랍니다.

'MJ의후다닥레시피'의 퍼스널 브랜딩(요리, 레시피 분야)

네이버 블로그에서는 능력 있는 사람이 너무나 많기 때문에 그 사람들과 나를 비교하면 시작조차 할 수 없습니다. 현재 저는 네이버 블로그 푸드 분야에서 최상위 레벨까지 올라왔지만, 실제로 저보다 요리를 잘하고, 사진도 잘 찍는 분이 정말 많습니다. 그런데 왜 제가 최상위권에 있을까요? 그 답은 남과 다른 나만의 무기가 있었기 때문입니다.

시작은 남들과의 비교가 아니라 나 자신에서 시작해야 합니다. 거기서 나만의 차별성, 즉 한 끗을 찾는 것입니다. 요리, 레시피 분야에서 내가 제일 잘할 수 있는 부분이 무엇인지 하나하나 적어 보는 거죠. 갖고 있는 자격증과 내가 그동안 재미있어서 했던 노력들을 적고, 한식·양식·베이킹·유아식 혹은 제품 리뷰나 맛집 중 내가 제일 관심 있어 하는 분야, 내가 잘할 수 있는 분야의 순위를 매겨 봅니다.

저 MJ의 퍼스널 브랜딩 과정을 잠깐 소개해 보겠습니다. 제 경우에는 사범대 가정교육학과 출신이라 한식, 양식에 대한 기본기가 있는 상태였습니다. 선생님이 아닌 영양사가 되기 위해 입학했기에 어느 정도 요리에 관심이 있었습니다. 그러나 대학 졸업과 동시에 다른 분야 공부를 하며, 전혀 다른 분야에서 강사 생활을 했고, 결혼 전에는 요리를 해 본 적이 별로 없었습니다.

아이를 키우며 본격적으로 요리를 시작했습니다. 당시 딸아이가 빵 간식을 좋아하지만 아토피가 있어서 시판 제품들을 막 먹일 수 없었어요. 내 손으로 만든 건강 간식들을 먹였고, 그 레시피들을 블로그에 기록했습니다. 블로그에 대해 아무것도 모른 채 시작했지만, 하나하나 기록하다 보니 무슨 자신감이었는지 처음부터 요리책을 쓰겠다는 목표를 갖게 되었어요. 요리책을 쓰기 위해서는 블로그에 있는 흔한 레시피가 아닌 남과 다른 이색적인 레시피가 있어야 한다고 생각했기 때문에 이색적인 레시피들을 만들며 꾸준하게 기록했습니다.

사람들이 매일 먹는 흔한 집밥 레시피를 전하는 것이 아닌, 이색적인 레시피를 전하는 것에 집중했고 그것이 즐거웠습니다. 예를 들면 밥으로 머핀을 만들거나 와플을 만들고, 고추장소스 달걀장조림을 만들고, 유자 소스 갈비찜을 만들었죠. 목표가 요리책 작가였고, 책 출간이라는 목표가 있었기에 자연스럽게 글 쓰는 방향성이 정해졌고, 이것이 브랜딩의 시작이었습니다.

당시 저의 블로그 글쓰기는 블로그 스킬적인 측면에서는 0점인 글쓰기였을 수 있습니다. 왜냐하면 내가 쓰고 싶은 글과 대중이 보고 싶어 하는 글은 다르기 때문이죠. 하지만 멋도 모르고 시작한, 어쩌면 무식하게 밀고 나갔던 도전이 지금은 저만의 무기가 되었어요. 예를 들어, 대중이 많이 검색하는 백종원 레시피를 소개하더라도 저만의 한 끗을 넣었던 거죠. 일반적이지 않은 요리를 하면서 몸으로 익히게 된 감각 때문에 '이렇게 하면 더 맛있지 않을까?' 그 한 끗을 블로그 레시피에 녹여 냈고, 결국 남들과의 차별성이 되어 저 'MJ의후다닥레시피'의 브랜딩이 된 것입니다.

다음으로는 내가 가지고 있는 힘이 무엇인지 고민해 보세요. 평소 사람들과 대화할 때 유머러스하다거나, 혹은 차분하게 잘 챙긴다거나, 간단하고 임팩트 있는 대화를 좋아하는지 등입니다. 유머러스한 사람이라면 포스팅 속에 그런 모습을 잘 드러내면 되고, 차분하고 꼼꼼한 사람이라면 하나하나 과정과 설명을 남들보다 더 꼼꼼하게 정리하여 전달하는 거죠. 긴 설명보다 임팩트 있는 것을 좋아한다면 짧지만 인상적인 사진과 텍스트를 중심으로 전달해 보는 겁니다.

저 같은 경우에는 전직 강사로 아이들을 가르쳤기에 잘 가르치는 것은 자신 있었습니다. 블로그에서도 요리를 가르치는 거니까 '내 장점은 쉬운 설명이겠다.'는 결론이 내려졌죠. 그래서 저는 콘텐츠의 사진 질보다 자세한 설명과 실패하지 않는 팁들을 잘 적는 것에 집중했습니다. 조금은 유식한 척, 잘난 척하며 어려운 단어를 풀어 쓰는 방식이 아니라 요린이, 요알못, 요포자, 요리열등생들도 쉽게 접근할 수 있게 풀어서 설명했습니다. 그리고 글 마지막에는 이 부분만 실패하지 않으면 성공할 수 있다는 믿음을 주기 위해 다시 한 번 중요한 팁들을 정리해 주었습니다.

제 글을 읽은 분들은 대부분 "요리 초보인데 이대로만 하면 성공할 수 있겠어요.", "글을 읽다 보면 이상하게 나도 할 수 있을 것 같다는 자신감이 생깁니다."고 말했습니다. 사실 저는 사진이나 플레이팅에 자신 없었기 때문에 내가 잘하는 것에 집중하며 꾸준히 나의 블로그 공간을 채워 나갔습니다. 저는 사진보다 텍스트에 자신 있었지만, 사진에 더 자신 있는 사람이라면 좀 더 쉽게 성장할 수 있습니다. 사실 수많은 콘텐츠 중 내 것이 선택되려면 첫 번째가 사진, 두 번째가 내용이 좋아야 합니다.

평소 사진에 관심과 감각이 있는 사람이라면 사진과 플레이팅에 집중하며 기록하면 됩니다. 저는 저의 부족한 점을 채우기 위해 요리 잡지책을 꾸준히 본다거나 사진에 대해 공부한다거나 그 분야를 성장시킬 수 있는 힘을 기르기 위한 노력을 했습니다. 그러던 와중에 꿈만 같았던 첫 책 출간 제의가 들어오게 되었고, 레시피 책 특성상 책에 사용되는 모든 요리 사진을 작가가 직접 찍어야 하기에 스파르타식으로 사진 찍기와 플레이팅 감각이 늘어나는 계기가 되었습니다.

 퍼스널 브랜딩 실전

닉네임 만들기

'나를 찾기' 과정을 통해서 나를 알게 되었다면 퍼스널 브랜딩 첫발을 떼어 볼까요? 그 첫걸음은 '닉네임'입니다. 닉네임과 내 블로그 주소 URL를 설정해 보세요. 후보를 추려서 주변 지인에게도 물어보고 반응을 보세요. 내가 원하는 브랜드 이미지와 스토리가 반영된 브랜드인지 지인들을 통해 확인해 보기 바랍니다.

일본 소설가 요시모토 바나나는 필명을 '바나나'로 지은 이유에 대해, 자신은 전 세계 독자를 대상으로 소설을 쓰고 싶었고, 그러려면 작가 이름이 쉽게 인식되는 것이 좋겠기에 정했다고 합니다. 이와 비슷한 사례로는 거대 IT 기업 '애플', 음악 스트리밍 서비스 '멜론'이 있습니다. '노란통닭'처럼 색을 이용할 수도 있습니다. '버거킹', '배달의 민족'처럼 즉각적으로 알아챌 수 있는 노골적인 이름도 재미있습니다.

나중에 유명해져서 "왜 그런 닉네임을 지었나요?"라는 질문을 받았을 때 추구하는 이미지와 스토리가 있으면 좋겠죠? 상상의 나래를 펼쳐 보세요. 다만, 내 닉네임이 너무 사전적 의미가 크거나, 다른 대명사로 사용되고 있거나, 너무 많은 상호로 사용될 법한 것들은 피하세요. 닉네임 후보를 검색했을 때 다른 인플루언서나 기업 등이 검색 결과에 뜨지 않는 것이 좋습니다. 그래야 덜 유명해도 검색했을 때 최상단에 뜰 테니까요.

블로그 주소인 URL이 과거에는 네이버 아이디로 자동 생성되었지만, 지금은 블로그 URL을 별도로 생성할 수 있습니다. 내 블로그 인터넷 주소인 URL도 복잡하지 않고, 나의 닉네임과 일치감 있게 만들어 보세요. 여기서 주의할 점은 네이버 아이디로 블로그가 개설되어 있고, 상당히 오랜 시간 운영했다면 블로그 URL 바꾸는 것은 추천하지 않습니다. 나의 모든 글이 다시 로직에 반영되는 데 시간이 걸리고, 일부 누락될 수도 있고, 일 방문자가 뚝뚝 떨어졌다가 다시 복구하는 데 시간이 걸릴 수 있습니다.

그래도 바꿔야 한다면 큰마음 먹고 한두 달은 블로그가 상위에 노출이 안 되고, 블로그 랭킹도 하위로 떨어지는 걸 감내해야 합니다. 어떻게 잘 아냐고요? 제가 그랬거든요. 지금 돌이켜보면 큰 실수였는데, 장기적으로 보면 이것도 퍼스널 브랜딩의 일환이라고 생각되어서 네이버 아이디였던 주소를 바꿔 새로 생성했습니다.

추후에 나만의 아이덴티티가 형성되었을 때는 사진 워터마크로 쓸 로고를 만드는 것도 추천합니다. 직접 디자인하는 것이 힘들면 크몽 같은 프리랜서 사이트에서 부담스럽지 않은 돈으로 나만의 로고를 제작할 수도 있습니다. 만든 로고는 마크인포 같은 상표등록 출원 대행 사이트를 통해서 상표등록해 놓으면 나의 브랜딩된 닉네임에 대한 저작권을 보호받을 수 있습니다. 내가 아무리 원조라고 하더라도 법에서 권리를 보장해 주는 상표등록권자가 이의를 제기하면 나의 닉네임을 사용할 수 없게 됩니다. 오랜 기간 브랜딩한 나의 닉네임이 한순간에 날아가지 않도록 챙겨 놓기 바랍니다.

팬들과 소통하라

결국 브랜딩에 성공하려면 나를 찾는 팬층이 있어야 합니다. 그러기 위해서는 팬들이 좋아하는 것들이 있어야 하며 팬들과 소통해야 합니다. 가장 쉬운 소통 방법은 친근한 느낌의 글쓰기입니다. 옆에서 이야기하듯, 옆집 언니인 것처럼 적는 것이죠. 딱딱한 문어체보단 훨씬 가깝게 느껴지리라 생각됩니다.

두 번째로 쉬운 소통 방법은 댓글입니다. 댓글이 지수에 미치는 영향은 사실 미미합니다. 하지만 이 댓글을 통해서 팬층이 생기기에 저는 댓글을 적극 활용합니다. 포스팅할 때 댓글을 활성화할 수도 있고, 끌 수도 있습니다. 댓글을 활성화하면 장점도 있지만 단점도 있습니다. 마음을 상하게 하는 댓글이 달리기도 하고, 내 블로그에 홍보하는 글을 남기기 위해 업체들이 활용하기도 합니다. 너무 바쁠 때는 댓글에 답글 다는 것도 힘듭니다.

그렇지만 저는 이웃들과 소통하기 위해서, 내 요리에 대한 피드백을 받기 위해서 댓글을 활용합니다. 어쩌다가 오타로 잘못된 계량 정보를 적었을 때 실패담을 적어 주셔서 감사하게도 그 피드백을 받아 오타를 수정하거나 레시피 자체를 개선하는 사례도 있었습니다. 이것 또한 제가 성장하는 방법이라고 생각합니다. 댓글의 단점을 이겨낸다면 좋은 퍼스널 브랜딩 도구가 될 것입니다.

블로그 외 다른 채널을 만들어라

구독자가 몇 명이냐가 인플루언서의 가치를 대변하는 시대가 되었습니다. 우리의 달란트를 블로그에서만 썩히기엔 아깝지 않나요? 지금의 대세는 유튜브이지만 이것이 언제 어떻게 바뀔지 모르는 일이죠. 그래서 인플루언서들은 다양한 채널을 운영하며, 세상의 변화를 주시해야 합니다. 저는 네이버 블로그를 주력으로 하고 인스타그램, 유튜브, 네이버TV, 네이버 엑스퍼트는 서브로 활용하고 있습니다.

환경이 허락한다면 인스타그램과 유튜브에 좀 더 적극적으로 활동하고도 싶지만, 지금은 네이버 블로그만으로도 너무 바쁜 나날을 보내고 있습니다. 결론은 나라는 브랜드를 다양한 채널을 통해 홍보해야 한다는 것입니다. 서브 채널은 메인 채널로 이끄는 마중물 역할을 하는 겁니다. 그렇게 한다면 선순환하게 되어 전체 채널이 성장하게 되고, 세상의 변화에 맞춰 플랫폼을 제때 옮겨 탈 수 있는 것이죠.

나만의 가치관을 만들어라

제 블로그 공간에서는 저만의 가치관이 녹아 있습니다.

- 요리를 쉽게 알려 주자.
- 돈을 쫓지만 돈의 노예는 되지 말자.
- 가식을 부리지 말고 솔직해지자.
- 행복해지자. 행복전파자가 되자.
- 못할 것도 없지. 나의 한계를 정하지 않는다.
- 우선순위는 건강-가족-일 순임을 잊지 말자.

이런 가치관이 뿌리내려야지, 제 자신도 어떤 풍파가 와도 이겨 낼 수 있으며, 그것이 제 채널들에 노출되면서 저를 지켜봐 주는 팬층도 같이 힘을 내는 것 같습니다. 현재 운영하는 푸드 블로그의 목적은 레시피를 대중에게 쉽게 전해 주는 일이지만, 그것으로 돈을 벌게 되고 더 많은 사람과 연결될수록 선한 영향력을 끼치고 싶습니다.

오늘도 제가 소개한 레시피로 가족이나 사랑하는 사람에게 맛있는 밥상을 준다고 생각하면 가슴이 뭉클하면서 뿌듯하답니다. 제가 이

일을 하면서 행복하지 않으면 보는 팬들도 행복해지지 않으리라 생각하고, 그 에너지를 글에 녹이려고 노력합니다. 지금 이 책을 쓰는 이유도 저 같은 평범한 사람도 이렇게 성장할 수 있고, 더 영향력 있는 사람이 될 수 있다는 희망을 남기고 싶기 때문이에요.

저 MJ도 돈을 좋아합니다. 결혼하고 학생남편 뒷바라지할 때는 정말 돈 몇 푼이 없어서 힘든 적이 많았습니다. 그럼에도 불구하고 돈을 아무리 많이 줘도, 업체가 작성한 글을 그대로 포스팅하지는 않았습니다. 제 구독자들은 제가 쓴 글과 아닌 글을 분명히 구분할 거예요. 저는 글에 제 사생활도 은근히 녹여 내기에 구독자들이 저에 대해서 잘 알기 때문이죠. 그분들께 실망시키고 싶지 않았고, 제 양심이 허락하지 않았습니다.

셰프처럼 요리를 기가 막히게 잘하지도, 요리사진 작가처럼 사진을 잘 찍지 못하면서도 이렇게 살아남을 수 있는 이유는 나만의 가치관을 만들고, 그것을 팬들과 소통했기 때문이지 않을까요? 기업마다 핵심가치와 비전을 가지고 있듯이 우리도 1인 기업이니 그것이 필요합니다. 망망대해의 인생에서 방향성 없이 배를 항해한다면, 언젠간 암초에 부딪혀 좌초되어 버릴지도 모릅니다. 방향성과 목표와 가치를 가지고 나아가다 보면 언젠가는 우리 인생의 목표를 이룰 거라 믿습니다.

07

스킬업 사진 촬영 _우리는 사진 작가가 아니다. 목숨 걸진 말자!

포스팅을 하기 위해서는 사진과 글의 비율이 중요합니다. 특히 푸드 레시피 분야에서는 사진이 중요합니다. 참고용 사진이 아닌, 글만큼 중요한 정보가 사진에 담기기 때문입니다. 다른 분야에 비해서 본인이 촬영한 사진을 사용하다 보니, 사진 부분이 정말 중요하다고 할 수 있습니다. 하나하나 중요한 점을 체크해 보겠습니다.

중복 이미지 금지

중복 이미지는 사진 저작권과 관련 있고, 또한 유사문서로 판단하기도 하기 때문에 절대로 사용하면 안 됩니다. A라는 사진을 사용한다면 절대로 똑같이 쓰면 안 됩니다. 저작권이 있는 사진은 저작권자가 이미지 사용료를 요구하기도 합니다. 그렇기 때문에 본인이 찍은 사진이 가장 안전합니다.

푸드 레시피 분야는 대부분 블로거 본인이 찍은 사진을 사용하기 때문에 이 부분을 간과할 수 있습니다. 그런데 아무리 본인 사진이라도 같은 사진을 중복해서 사용하면 네이버 로직은 그것을 유사문서로 판단하여 지수를 낮게 평가하고, 따라서 열심히 쓴 나의 글이 상위에 노출되지 않는 결과로 나타나게 됩니다. 어쩔 수 없이 내가 촬영한 A라는 사진이 있으면, 가공해서 a로 바꿔서 사용해야 합니다.

사진 가공하는 법

- 메타값 지우기 : 이미지 편집 프로그램을 통해서 사진 기본 정보를 삭제할 수 있습니다.
- 가공하기 : 필터를 입히는 것보다 가장 확실한 방법은 크롭(자르기)입니다.

저 MJ는 '포토스케이프'라는 이미지 편집 프로그램을 활용합니다.

사용법이 편하고, 한 번에 일괄 편집하는 기능이 쉽게 잘되어 있습니다.

무료 이미지 사용법

부득이하게 참고 이미지를 촬영하지 못하고, 가져와야 할 경우가 있습니다. 그런데 구글링을 통해서 검색된 이미지들은 다른 블로거들도 사용했을 가능성이 높고, 저작권 문제도 있습니다. 다음은 무료 이미지를 활용할 수 있는 사이트입니다.

- 푸드스피드 : 요리 블로거, 건강 블로거가 사용하기 좋다.
- BURST : 사진 퀄리티가 좋다.
- 픽사베이 : 무료 동영상, 정보성 포스팅을 할 때 활용하기 좋다.
- 네이버 블로그 에디터 글감 기능 : 네이버가 만든 기능이다.

위 무료 이미지 사이트를 활용하는 방법은 저작권에서 안전한 것일 뿐 유사문서에서 자유로워질 수는 없습니다. 그렇기 때문에 이미지 가공하는 법을 활용해서 중복 이미지를 피하도록 하세요.

과정 사진 & 완성 사진

과정 사진

과정 사진 예시

요리하는 과정에 찍는 사진을 말합니다. 재료 준비, 재료 손질, 조리 과정이 모두 이에 해당합니다. 이 경우, 흰 배경이 제일 무난합니다. 저는 흰색 테이블에 흰색 커튼과 역광을 막아 줄 조명을 사용합니다. 과정 사진은 정말 빠르게 순발력 있게 찍어야 하기 때문에(타이밍을 놓치면 순식간에 요리가 망칠 수 있어요.) 과정 사진은 스마트폰을 사용하는 것을 추천합니다. 동영상까지 촬영하려면 2대의 스마트폰을 활용하는 것을 추천합니다. 과정 사진에서 중요한 것은 심미성보다는 정보 전달에 의미가 있다는 것을 잊지 말고, 힘을 빼고 내가 전하고자 하는 정보에 포커스를 두고 사진을 찍으면 됩니다.

완성 사진

완성 사진 예시

요리가 끝나고 찍는 사진을 말합니다. 보통 이 완성 사진이 섬네일 대표 사진이 되기 때문에 심혈을 기울여서 찍어야 합니다. 요리가 끝나고 바로 찍어야 요리의 생기가 살아 있기 때문에 이것 역시 빠르게 진행해야 합니다. 빠르게 진행하기 위해서는 요리를 시작하기 전에 완성 사진 구도와 콘셉트를 확정 지어야 합니다. 어떤 그릇을 쓸지, 소품은 무엇을 쓸지, 배경은 무엇을 쓸지 미리 정하는 것이죠. 제가 인플루언서 대상으로 강의할 때 "음식도 생명이다."라는 말을 했는데 이 말이 인상적이었다고 하는 분이 있더라고요. 아무리 맛있는 음식도 시간이 지나 버리면 생기가 없어지고 맛없어 보입니다. 그렇기에 빠른 시간에 완성 사진을 찍어야 합니다.

중요한 팁

일관된 사진 콘셉트, 구도, 배경은 피하라

동일한 콘셉트를 유지하기 위해, 동일한 배경과 구도를 유지하면 깔끔한 느낌은 있지만, 다채롭게 보이지 않아서 추천하지 않습니다. 배경이 다양하지 않으면 유사 이미지로 걸릴 수 있기 때문에 그릇과 배경의 다양성을 확보해야 합니다.

예를 들어, 잔치국수를 하얀 면기에 담아 흰 배경에서 깔끔하게 완성 사진을 찍었습니다. 그런데 쌀국수 찍을 때도 동일한 배경과 동일한 면기를 사용하고, 고명까지 비슷하고 촬영 구도까지 같다면 유사 이미지로 처리될 수 있습니다. 실제로 유명 관광지에서는 비슷한 구도의 사진이 많아서, 구글 이미지 검색을 통해서 검색한 다음에 저작권 침해 경고 메일이 온 사례도 있다고 합니다. 실제로 본인이 찍은 사진인데도 말이죠.

보험 이미지를 만들어라

과정 사진, 완성 사진 모두 보험 들 듯이 다양한 구도로 여러 장의 사진을 찍어 놓아야 합니다. 예를 들어, 김치찌개를 촬영했습니다. 김치찌개를 한 번 찍으면 다시는 포스팅을 하지 않게 되나요? 아닙니다. 네이버 로직에는 최신성 지수가 있기 때문에 오래된 글은 자동으로 상위에 있다가 내려가게 됩니다. 이 점은 구글과 상당히 다른 점입니다. 그렇기에 내 김치찌개 글이 내려가면 다시 찍어서 최신성 지수를 확보한 김치찌개 포스팅으로 대체해야 합니다.

다양한 구도로 사진을 찍어 두면 요리하느라 정신없는 와중에 놓친 부분이 있어도 이전에 찍었던 사용하지 않은 사진을 활용할 수 있습니다. 여기서 강조하고 싶은 점은 내가 찍은 사진이라도 사용하지 않았던 사진이어야 합니다. 그래서 매번 포스팅하는 사진을 정리할 때 사용한 이미지와 사용하지 않은 이미지를 구분해야 합니다.

사진 찍을 때 생성된 원본 사진 이름을 바꿔서 사용한 이미지와 구분 짓는 습관을 들이면 좋습니다. 이때는 큰 화면을 보면서 이름 바꾸기를 해야 하기에 알씨란 프로그램을 추천합니다. 큰 화면으로 사진을 보면서 F2키를 누르면 바로 이미지 파일 이름이 바뀝니다. 이게 은근히 편한 기능인데, 사진 뷰어나 편집 프로그램에는 없습니다.

포스팅용 동영상을 넣어라

동영상을 포스팅에 삽입하는 것은 선택이지만, 30초 이상의 동영상은 지수에 도움이 되기에 넣는 것을 추천합니다. 하지만 요리하랴, 과정 사진 촬영하랴 정신없습니다. 그래서 동영상은 과정 사진을 찍으면서 몇 초씩만 찍어 둡니다. 편집도 그냥 기교 넣지 않고, 요리 과정만 쭉 이어서 붙이면 요리하는 전 과정이 브리핑되기 때문에 보는 사람 입장에서도 편합니다.

30초를 못 채웠을 때는 위에서 말한 무료 이미지 사이트에서 동영상을 다운받아 붙일 수도 있고, 동영상을 편집할 때 사진을 넣어서 시간을 채울 수 있기 때문에 동영상에 너무 힘을 쓰지 않았으면 합니다. 기본기가 잡히고 좀 여유로워진 후 타 플랫폼을 위한 영상, 즉 유튜브, 릴스, 쇼츠, 네이버TV 등에 올릴 용도로 찍는 영상은 영상 편집에 신경 써야겠죠. 초보운전자가 처음부터 차의 모든 것을 신경 쓰지 못하는 것처럼 동영상도 초기에는 너무 무리하지 말고, UCC플랫폼에 욕심이 있다면 충분히 익숙해지고 나서부터 영상 퀄리티에 신경 쓰면 됩니다.

 사진 촬영 도구(카메라, 조명, 플레이팅)

푸드 레시피 분야는 사진 촬영 속도가 생명입니다. 그래서 일정한 환경을 만들어 놓고 빠르게 촬영할 수 있게 세팅되어 있으면 좋습니다. 하지만 집을 처음부터 스튜디오처럼 세팅하기는 쉽지 않습니다. 특히 초창기에는 돈을 많이 들이지 않고 하는 방법을 추천합니다.

카메라

- 입문~중급 : 스마트폰
- 중급 이상 : 스마트폰, 미러리스 카메라

이렇게 적었지만, 저 MJ는 지금 스마트폰 2개를 활용하고 있습니다. 2년 전에는 갤럭시만 사용하다가 지금은 사진은 아이폰, 동영상은 갤럭시를 사용하고 있습니다.

첫 책을 출간할 때는 출판사의 요구로 미러리스 카메라를 거금을 들여 구매하고, 조명도 돈을 들여 세팅했는데 여간 불편한 게 아니었습니다. 조리갯값, 셔터스피드, ISO, 화이트밸런스 등 여러 값을 세팅하고, 푸드 사진에 맞는 렌즈를 써야 했습니다. 돈도 많이 들었지만, 사용이 너무 불편했고, 푸드 사진의 생명인 스피드가 익숙지 않아서 불편했습니다. 지금은 화면 터치가 되어서 포커스 맞추기가 편하다고 하는데, 그 당시만 해도 렌즈를 조절해서 포커스를 맞춰야 해서 요리하기도 복잡한데 사진까지 신경 써야 하니 머리가 터져 버릴 것 같았습니다.

제가 약간 기계치라는 점도 있겠지만 저에게는 장점보다는 단점이 많았습니다. 파일 관리도 불편했습니다. 스마트폰은 찍는 즉시 클라우드로 업로드되니까 컴퓨터와 스마트폰을 연결할 필요가 없기도 하고요. 지금은 스마트폰의 성능이 워낙 좋아서 전혀 불편함 없이 쓰고 있습니다.

다만, 카메라만의 감성이 조금 탐나서 최신형 미러리스 카메라를 구매해서 테스트 중에 있습니다. 조금 놀라운 사실을 알려 드릴까요? 저의 두 번째 책 『집밥이 재테크다』에 들어간 사진은 모두 스마트폰으로 촬영했습니다. 요즘 스마트폰은 RAW파일로도 촬영이 가능하고, 각 값들을 카메라처럼 조절할 수 있으니 처음에는 무조건 스마트폰 카메라를 사용하길 바랍니다.

조금 욕심을 낸다면 카메라 성능이 더 좋은 스마트폰을 추천합니다. 아이폰이라면 MAX라인, 갤럭시라면 ULTRA라인이겠죠. 이것도 조금 욕심을 부린 거고, 초보자들은 무조건 지금 가지고 있는 스마트폰을 사용하길 바랍니다. 렌즈 전용 클리너만 사서 스마트폰 카메라 렌즈 부분만 잘 관리하면 문제없습니다.

조명

- 입문~중급 : 자연광 + 보조 간접조명 1개
- 중급 이상 : 자연광 + 보조 간접조명 2개

제가 사진 전문가는 아니기에 저의 눈높이에서 말씀드리는 겁니다. 사진이 제일 잘 나오는 조명은 자연광입니다. 하지만 빛의 위치에 따라서 역광이 되기 때문에 피사체 앞에 그림자가 생기는 현상을 없애기 위해서 보조 간접조명이 필요합니다. 이때 조명은 스포트라이트처럼 피사체(음식)를 직접적으로 쏘는 게 아니라 천장 또는 반사판 또는 소프트 박스를 활용합니다.

직접 조명을 피사체에 향하는 것은 의도한 바가 분명한 경우가 아니라면 촌스럽게 보이기 때문에 강한 조명을 부드럽게 해 주는 장치가 필요합니다. 가장 저렴한 방법은 천장을 향하여 조명을 쏘는 것입니다. 대부분의 아파트 천장은 심리적으로 넓은 느낌을 주기 위해서 흰색으로 되어 있습니다. 그래서 천장의 벽지를 반사판으로 쓰는 개념입니다. 반사판은 포커스를 주고 싶은 곳에 빛의 양을 충분히 공급해 주는 방법으로 연예인들이 화보 사진을 찍을 때 얼굴 쪽에 반사판을 두고 찍는 걸 상상하면 됩니다.

소프트 박스는 피사체를 향해 조명을 직접 쏘는데, 하나의 막을 통과하면서 빛을 확산시켜 주어 부드러운 빛이 만들어집니다. 가장 직관적인 방법은 소프트 박스입니다. 저는 이것저것 해 보다가 디퓨저라고 하는 넓은 확산판을 별도로 구매해서 행거에 걸어서 필요한 곳에 옮겨서 쓰고 있습니다.

입문자는 무조건 돈이 들지 않는 방법으로 시작해야 합니다. 하지만 제대로 된 조명 하나는 있어야 하기 때문에 60W 이상의 LED 조명을 추천합니다. 저렴한 저와트 제품은 사용하다 보면 결국 별로여서 60W 이상 제품을 사게 됩니다. 그럴 바엔 처음부터 제대로 구비하는 게 오히려 경제적인 것 같습니다.

플레이팅

예뻐 보이는 떡이 맛있어 보이는 법입니다. 그래서 완성 사진을 찍을 때는 과정 사진 장소와 다른 별도의 장소가 있으면 좋습니다. 식물들이 있으면 좋고, 자연광이 있으면 더욱 좋습니다. 요리 재료와 어울리는 장식품과 플레이팅 전용 포크와 나이프도 필요하고, 나무도마도 필요합니다. 이런 것들을 처음부터 전부 구매할 필요는 없습니다. 기본은 집에 있는 소품을 최대한 활용하고, 필요할 경우 다이소 같은 곳에서 파는 저렴한 제품으로도 훌륭한 효과를 낼 수 있습니다.

중요한 것은 주인공인 요리이지, 플레이팅 도구가 아닙니다. 요리를 더욱 돋보이게 해 주는 조연 역할인 것이죠.

플레이팅 구도와 소품 위치 선정은 센스입니다. 처음부터 타고나지 않았다면 요리 잡지책이나 요리책, 구글링을 통해서 원하는 플레이팅이 있다면 모방해 봅니다. 모방은 창조의 어머니이니까요. 이리저리 해 보다 보면 플레이팅 센스가 생깁니다. 첫술에 배부를 순 없습니다. 처음에는 조금 부족해 보여도 콘텐츠를 계속 꾸준히 생산하면서 노하우를 체득해 가는 겁니다.

처음에는 정말 막 올려도 됩니다. 지수를 쌓는 과정이고, 연습 과정입니다. 지금은 포스팅해도 상위에 노출이 안 되니 부담 없이 하세요. 나중에 내 글이 상위에 노출되기 시작할 때는 나도 모르게 성장한 모습을 볼 수 있을 겁니다. 1만 시간의 법칙이 작용한 것이지요. 음식도 생명이라고 말했지요? 처음에는 멋보다 맛있는 순간을 놓치지 않고 담백하게 담아내는 데 집중하세요.

08

수익업 브랜드 커넥트 _우리는 N잡러! 다양한 수입원으로 확장하라!

네이버 블로그를 운영하는 이유가 개인 취미와 개인 기록용이 아니라면, 수익화를 염두에 두고 시작했을 거라고 생각합니다. 저 MJ는 사실 개인 기록으로 시작하다가, 블로그가 성장하면서 자연스럽게 수익화가 된 경우입니다. 수익화는 블로그를 꾸준히 할 수 있는 가장 큰 동기부여입니다. 포스팅을 꾸준히 할 수 있는 원동력이 되지요. 그렇기에 블로그로 수익을 실현하는 방법을 소개하겠습니다.

01 애드포스트

네이버에서 창작자에게 직접 지급하는 방식입니다. 일단 블로그를 개설한 지 90일 이상이 되어야 합니다. 작성글 50개 이상, 일 방문자가 평균 100명 이상 되면 애드포스트 승인이 된다고 하는데 네이버 공식 의견은 아닙니다. 애드포스트 고객센터에서는 "공통적으로 운영 기간, 방문자 수(UV), 페이지뷰(PV) 수, 게시글 수 등이 광고 매체로서 품질을 최소한으로 보장할 수 있어야 합니다."라고 공지되어 있습니다.

만약에 신청한 달에 보류됐다면 방문자 수, 페이지뷰 수, 게시글 수를 올려서 다음 달에 다시 신청하라고 되어 있습니다. 저는 글 20~30개 작성 후 일 방문자가 평균 100을 넘으면 신청해 보고, 보류 통보가 오면 포스팅을 더한 뒤 다음 달에 다시 신청하는 방식을 추천합니다.

네이버 인플루언서로 선정되어 프리미엄광고가 붙기 전에는 블로그 애드포스트만으로는 수입이 미미해서 소소한 용돈 수준입니다. 애드포스트가 주 수입원이 되기까지는 시간이 다소 많이 걸립니다. 저 MJ는 현재 애드포스트가 주 수입원으로 애드포스트에서만 월 1천만 원 이상을 벌고 있습니다. 이 수입 구조 때문에 다양한 수입 구조로 확장하는 데 방해를 받는 느낌이어서 주 수입원의 구조를 바꾸고자 구상 중입니다.

02 체험단 / 기자단

여기서는 푸드 분야에 관한 부분만 간단히 설명하겠습니다. 푸드 분야에서는 주방 용품과 관련된 도구나 전자 제품이 많기 때문에 레시피 소개 과정에서 녹이기가 좋습니다. 소개한 체험단 사이트를 통해 푸드 레시피 분야에서 키워드와 함께 녹일 수 있는 제품으로 선택해 보세요.

체험단은 블로그 초기에는 주 수입이 되는 부분입니다. 이왕 평소에 소비하는 제품을 받으면 생활비를 절약하게 되고, 포스팅도 하게 되니 지수도 쌓고 1석 2조입니다. 일 방문자 수가 늘어나게 되면 원고료를 주기도 합니다. 그러니 처음엔 체험단 부분을 적극 공략해야 합니다.

그런데 모든 포스팅을 체험단으로 도배해 버리면 2가지 문제가 생깁니다. 지수 자체도 문제가 될 수 있고, 구독자들이 싫어할 수 있습니다. 지수가 문제가 생기는 이유는 업체에서 요청한 사항을 포스팅하다 보면 중복 이미지, 유사문서 등의 함정에 빠질 수 있기 때문입니다. 그리고 공정위 문구를 꼭 적어야 하기 때문에 창작자 고유의 문서로 인식이 안 됩니다. 최소 1:4의 법칙은 지키길 권장합니다. 광고 포스팅이 1개라면 자신이 창작한 포스팅이 4개는 되어야 한다는 것입니다.

기자단의 경우에는 원고와 사진까지 제공되는 경우가 많습니다. 내가 글을 쓰지 않아도 되니 정말 짧은 시간을 투자하여 돈 벌기에는 좋습니다. 이 역시 중복 이미지와 유사문서의 함정이 있고, 구독자와의 신뢰 관계를 생각하여 지양하는 것이 장기적으로는 좋다고 생각합니다.

마지막으로 강조하고 싶은 메시지는 '인스타그램과 블로그를 같이 키워라.'라는 것입니다. 특히 체험단 분야는 인스타그램 업로드 조건이 매우 많습니다. 하지만 인스타그램 플랫폼 특성상 체험단 작성 조건이 훨씬 쉽기 때문에 반드시 블로그와 인스타그램을 동시에 키우는 것을 추천합니다. 저는 그러지 못해서 후회하는 중입니다. 꼭 같이 키워야 합니다.

브랜드 커넥트

네이버 인플루언서로 선정되면 네이버에서 직접 브랜드와 연결시켜 주는 브랜드 커넥트 서비스를 이용할 수 있습니다. 저는 네이버에서 중개해 주는 브랜드 커넥트의 단가가 낮아서 이용하지 않고 있으나, 초기 인플루언서들은 적극 활용하길 권장합니다. 제가 소개하고 싶은 브랜드 커넥트는 업체나 홍보사에서 직접 창작자에게 연락하는 경우입니다. 연락 오는 방법은 주로 개인 메일이나 네이버 쪽지, 인스타그램 DM입니다.

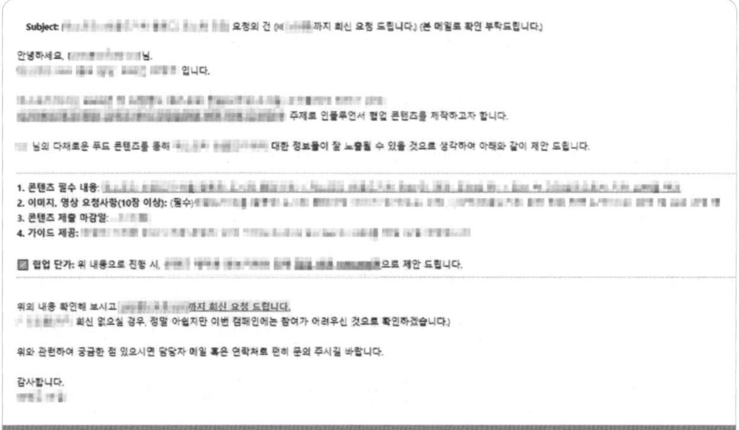

Subject: 요청의 건 (까지 회신 요청 드립니다.) (본 메일로 확인 부탁드립니다.)

안녕하세요, 님.

입니다.

주제로 인플루언서 협업 콘텐츠를 제작하고자 합니다.

님의 다채로운 푸드 콘텐츠를 통해 대한 정보들이 잘 노출될 수 있을 것으로 생각하여 아래와 같이 제안 드립니다.

1. 콘텐츠 필수 내용:
2. 이미지, 영상 요청사항(10장 이상): (필수)
3. 콘텐츠 제출 마감일:
4. 가이드 제공:

협업 단가: 위 내용으로 진행 시, 으로 제안 드립니다.

위의 내용 확인해 보시고 까지 회신 요청 드립니다.

회신 없으실 경우, 정말 아쉽지만 이번 캠페인에는 참여가 어려우신 것으로 확인하겠습니다.)

위와 관련하여 궁금한 점 있으시면 담당자 메일 혹은 연락처로 편히 문의 주시길 바랍니다.

감사합니다.

브랜드 커넥트 제안 메일 예시

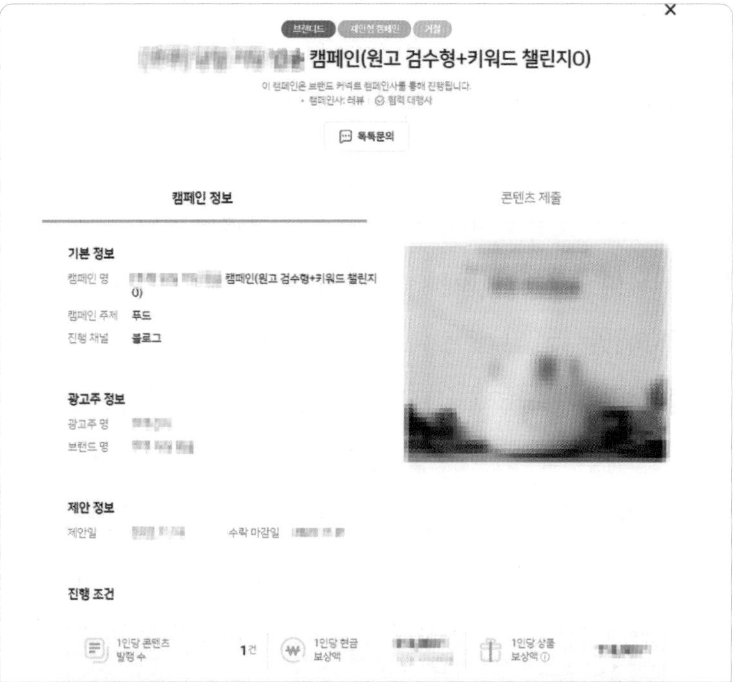

브랜디드 제안형 캠페인 거절

캠페인(원고 검수형+키워드 챌린지O)

이 캠페인은 브랜드 커넥트 캠페인사를 통해 진행됩니다.

· 캠페인사: 레뷰 | 협력 대행사

톡톡문의

캠페인 정보 콘텐츠 제출

기본 정보

캠페인 명 캠페인(원고 검수형+키워드 챌린지O)

캠페인 주제 푸드

진행 채널 블로그

광고주 정보

광고주 명

브랜드 명

제안 정보

제안일 수락 마감일

진행 조건

1인당 콘텐츠 발행 수 1건 | 1인당 현금 보상액 | 1인당 상품 보상액

푸드 인플루언서 센터 브랜드 커넥트 제안 예시

이런 연락을 받았다면 일단 축하드립니다. 블로그를 아주 잘 키워 온 겁니다. 그렇다고 기쁜 마음에 모든 제안을 다 받으면 안 됩니다. 다음 사항을 먼저 체크하세요.

제안이 블로그 주제와 일치하는가?

푸드 블로그는 홍보 대상 제품이 요리와 연결된다면 매우 좋습니다. 도마 같은 요리 도구도 좋고요. 조미료 같은 요리 재료도 좋고, 육류나 생선 같은 주재료도 좋습니다. 레시피를 소개하는 과정에서 자연스럽게 홍보 대상 제품을 녹여 낼 수 있으니까요.

제안 메일을 받으면 어떻게 해야 할까요?

상세한 조건을 확인하고, 홍보 목적을 분명하게 파악하기 위해서 담당자와 연락해야 합니다. 메일로 제안이 왔다면 메일로 답장하고, 쪽지로 왔다면 쪽지로 답장합니다. 상세한 조건이라 함은 다음과 같습니다.

- 홍보대상 제품명
- 홍보 횟수 및 기타 포스팅 요구 사항(사진 수, 동영상 유무, 링크 노출 유무, 인스타그램, 상위 노출 등)
- 원고료 및 제품 제공 여부(고가 기기의 경우 반납할 수도 있습니다.)
- 포스팅 기한

이런 것들을 확인하고 나면 계약서를 요구하면 됩니다. 이 경우 근로계약서가 아닌 프리랜서 용역계약서 양식에 맞춰 계약서를 작성합니다. 프리랜서는 특정 업무를 업체로부터 위탁받았기 때문에 근로기준법에 적용되지 않습니다. 그래서 용역계약서를 체결하는 것입니다.

이때 중요하게 확인할 사항은 계약서 작성 전에 담당자와 합의한 내용들이 계약서에 그대로 작성되었는지 여부입니다. 업무를 맡긴 위탁자(사업주)와 업무를 받은 수탁자(프리랜서) 간의 계약서로 다음 사항들을 꼼꼼히 확인해야 합니다.

- 업무의 종류 및 범위 : 블로그 포스팅 외 추가 요청 사항 확인
- 업무 수행 기간 : 포스팅 기한 확인
- 대금 및 대금 지급 방법, 대금 지급 날짜 확인 : 보통 계약서 작성 시 통장사본을 제출
- 손해배상 항목, 업무 지연에 따른 보상 항목 : 용역계약서 작성 후 계약을 지키지 못할 경우 배상 항목에 대해 확인
- 계약해지 사항 확인
- 창작물의 저작권 확인 : 창작물의 저작권 또는 이용권까지 요청할 경우 사진 1장 또는 동영상 ○○초당 추가 비용 청구는 가능하나 보통 대금에 포함
- 업무 검수 및 수정 요청 : 블로그 포스팅 전 담당자 검수 및 검수 요청 횟수 확인

인플루언서 마케팅 계약서

제 1 조 (계약의 목적)

[illegible] 은 다음과 같이 용역제공 계약 (이하 "본 계약") 을 체결하고, 이를 성실히 수행하는데 필요한 제반 조건을 정함에 있다.

제 2 조 (계약의 조건)

"인플루언서"는 [illegible] 합의된 업무내용을 바탕으로 본 계약과 관련한 각종 대행업무 (이하 "본건 업무")를 수행하며 구체적인 계약의 조건은 별첨 1에 따른다.

제 3 조 (계약기간)

본 계약의 유효기간은 [illegible](이하"계약기간")로 한다.

제 4 조 (프레인과 인플루언서의 권리와 의무)

① "인플루언서"는 본 계약을 수행함에 있어 제3자의 초상권, 저작권 및 지식재산권을 침해하지 않도록 보장해야 하며, 본 계약에 따라 제작한 모든 제작물에 대한 소유권, 지식재산권 (2차적 저작물 작성권 등 저작권을 포함함) 등 일체의 권리는 [illegible]에게 귀속된다.

② "인플루언서"는 [illegible]이 사용을 허락한 상호, 상표, 디자인, 로고 등 [illegible]의 지식재산권 일체를 본 계약에 따른 업무의 수행을 위해서만 사용하며, 본 계약과 관련하여 취득한 [illegible]의 정보를 [illegible]의 사전 서면동의 없이 제3자에게 누설하거나 본 계약의 이행 이외의 목적으로 사용하여서는 아니되고, [illegible] 의 요청이 있을 시 "인플루언서"는 이를 무상으로 반환해야 한다.

③ "인플루언서"는 본건 업무를 수행함에 있어 사회적 물의 (마약, 약물복용, 사기, 폭행, 학교폭력등)를 일으키는 등의 사유로 [illegible] 및 [illegible] 의 고객사에게 피해를 주지 않도록 하며 명예훼손이나 비밀누설에 관계되는 어떠한 언행도 하여서는 아니된다

④ "인플루언서"는 제 2조에서 정한 콘텐츠 게재 시, 표시·광고의 공정화에 관한 법률에 따라 공정거래위원회의 추천·보증 등에 관한 표시·광고 심사지침에 대한 내용 및 위반되는 사항이 없고, 저작권법, 상표법 등 법령을 준수하여야 한다.

⑤ 본 콘텐츠에 대하여 [illegible] 및 "인플루언서"의 합리적인 통제권한 밖에 있는 제3자에 의한 유포 등으로 인해 온라인 등의 매체에서 유통될 경우 [illegible] 및 "인플루언서"은 이와 관련한 일체의 사항에 대하여 어떠한 책임도 부담하지 아니한다.

제 5 조 (손해배상)

본 계약에 따라 계약기간 중 일방의 계약불이행, 업무상 과실 또는 고의로 인하여 상대방에게 발생하는 모든 손해에 대해 상대방을 면책하고 귀책당사자의 노력과 비용으로 발생한 모든 손해를 배상하여야 한다.

브랜드 커넥트 계약서 예시

다른 채널을 통한 수입원 확장

다른 채널이라 함은 타 플랫폼을 의미합니다. 대표적으로 네이버TV, 네이버 엑스퍼트, 네이버 스마트스토어, 유튜브, 인스타그램 등이 있습니다. 저 같은 경우에는 네이버TV, 네이버엑스퍼트, 네이버 스마트스토어, 유튜브, 인스타그램에서 조금씩 수익화시키는 단계입니다. 주 수입원인 네이버 블로그 운영이 벅차다 보니 타 채널을 확장하는 데 어려움이 있는 상태입니다. 만약 네이버 플랫폼이 문제가 된다면 저의 수입은 갑자기 0에 가까워지게 되는 리스크를 가지고 있는 것이죠.

그래서 다른 채널로 수입원을 확장하기 위해 준비 중입니다. 지금 이 책을 쓰는 목적 중 하나이기도 합니다. 블로그 강의 시장으로 확장하면서 유튜브 채널도 키워 보고자 합니다. 더 바빠지겠죠? 하지만 결국 1세대가 지나가면 2세대가 오고, 2세대가 지나가면 3세대가 오듯이, 저도 언젠간 그 자리를 넘겨줘야 합니다. 저는 그다음 단계로 나아가야 하는 것이죠. 그러기 위해서라도 다른 채널을 동시에 운영해서 수입원을 확장해야 합니다.

여기서 조심해야 할 것은 지금 내가 주력하는 블로그에서 추가로 노력이 덜 드는 방법으로 타 채널을 키워야 한다는 것입니다. 예를 들어, 인스타그램은 블로그와 같이 키우기 매우 좋습니다. 왜냐하면 블로그용으로 촬영한 사진을 인스타그램에 그대로 감성 한 방울만 넣어서 올리면 되기 때문입니다. 만약 블로그 업로드용으로 영상을 촬영한다면, 그것을 네이버TV와 유튜브에 활용해 볼 수도 있습니다. 수적천석이라고 물방울이 바위를 뚫는 법입니다. 매일매일 꾸준히 채널을 키우다 보면 나도 모르게 퍼스널 브랜딩에 성공하게 되고, 여기저기 채널에서 수입이 창출하게 될 것입니다.

제가 지금 조금 후회하는 것은 타 채널을 맛만 봤을 뿐 바쁘다는 핑계로 잘 키워 내지 못했다는 것입니다. 지금부터 시작하는 여러분들은 적은 노력으로 같이 키워 나가길 바랍니다. 저도 타 채널에서 수익화를 실현해서 추후에는 블로그 다음 단계에서 수익을 한 단계 더 올리게 된 노하우를 소개할 수 있도록 성장하겠습니다.

PART 2

육아하면서 시간과 가치를 함께 벌다

- 육아 블로그 | 마더꽉

01

블로그 수익화를 할 수 있는 다양한 방법

블로그로 돈을 벌었다는 이야기는 많은데, 막상 내가 시작할 땐 어떻게 수익을 낸다는 것인지 막막한 경우가 많습니다. 목표 설정이 없다면 1일1포가 좋다는데, 방문자를 올리는 게 좋다는데 같은 이야기에 이리저리 이끌려 가기가 쉽습니다. 블로그 수익화도 개인 맞춤이 필요합니다. 어떤 수익 테크트리로 가고 싶은지, 나에게 맞는 종류는 어떤 것인지 안다면 더 빠르게 수익화를 이뤄 낼 수 있습니다.

지출 방어 목적이 주가 되는 체험단

개인 수익화의 첫걸음 중 가장 쉬운 방법입니다. 생활밀착형으로 배송·방문 체험단을 통해서 지출 방어를 목적으로 가볍게 운영할 수 있습니다. 육아 분야라면 아이를 키우면서 소모품으로 사용하게 되는 기저귀나 물티슈, 시기에 맞는 장난감이나 책 등의 경우 구매비용이 줄어들면서 실생활에 많은 보탬이 되기 때문에 적극적으로 추천합니다. 다둥이라면 더더욱 좋겠지요.

단순 제품 제공이라면 높은 방문자 수나 고난이도의 키워드 작성, 로직을 요구하지 않는 경우가 대부분입니다. 체험단을 직접 신청하는 경우 한 곳에서 다수의 체험단을 신청할수록 당첨 확률이 높아집니다. 다소 고가의 물품이나 일부 원고료를 지급하는 경우 진행 인원을 선정하는 과정에서 방문자 수, 기존에 썼던 글의 퀄리티 등을 보는 경우가 많습니다. 운영하는 블로그의 퀄리티가 올라갈수록 좋은 체험단에 선정될 확률이 높아집니다. 단순히 방문자나 예쁜 사진을 뜻하는 게 아니라 모델이 필요한 경우 육아라면 개월 수나 연령대, 뷰티라면 얼굴 노출 여부 등에 따라서 달라지기도 합니다.

02 글을 쓰면서 받을 수 있는 광고(원고)료

단순 상품 제공을 넘어서 상품(서비스) + 원고료를 지급받거나 제품을 체험한 뒤 회수하고 체험기를 작성, 게시해 주는 광고 방식으로 서비스에 대한 소개를 하면서 받는 광고료 등이 있습니다. 비용을 조금 더 지불하면서 브랜드 노출과 구매 전환 효과를 기대하는 경우가 대부분이므로 키워드 검색 노출이나 영향력 있는 블로거에게 직접 개인 섭외를 하는 경우가 많습니다. 어중간한 금액보다 확실한 효과를 원하는 곳은 글 1건당 최소 10만 원 이상의 원고료를 제시하는 경우가 대부분입니다. 네이버에서 개인 블로거로 낼 수 있는 수익 방법 중에서 가장 효율이 높습니다.

글을 게재하는 것만으로 돈을 주기도 하고 판매에 자신 있다면 공동구매(공구)를 함께 진행하면서 일정 수수료(%)를 받기도 합니다. 공동구매의 경우 블로그 단독 운영보다는 인스타그램 등 타 SNS 채널과 병행하는 게 효율이 좋습니다.

TIP 네이버에서 주는 공식적인 수익, 애드포스트

애드포스트는 일반적인 경우 클릭을 기반으로 하고 있습니다. 하지만 인플루언서의 경우 프리미엄 광고 조건을 만족하면 조회수에 따라서 안정적으로 수익을 얻을 수 있다는 장점이 있습니다.

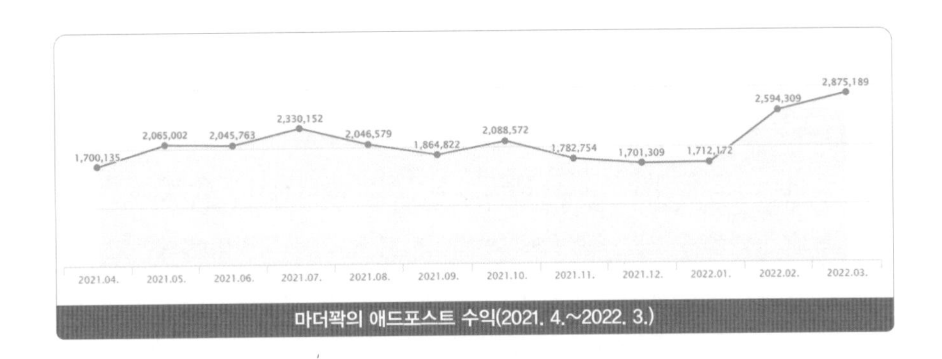

마더꽉의 애드포스트 수익(2021. 4.~2022. 3.)

03 CPC, CPA, CPM, CPS 등의 현금성(포인트, 적립) 수익

제휴 마케팅이라고 불리는 것들이 대다수로 각종 링크를 통한 클릭, 구매나 앱 다운로드, 가입 등의 활동, 추천인 제도 등이 포함됩니다. 광고 영역을 클릭할 때 일정 단가가 발생하는 구조인 CPC(Cost per Click)의 대표적인 예시가 네이버 애드포스트입니다. 구매를 통해서 발생하는 수익을 나눠 갖는 CPS(Cost per Sale) 중 유명한 것은 쿠팡 파트너스입니다.

현금성 외 포인트나 적립금으로 이용할 수 있는 것들은 더 많습니다. 저 같은 경우는 이유식 추천인 글을 통해 수백만 원 이상의 적립금을 지급받아서 아이가 성장하는 과정에서 이유식과 간식을 구매할 때 든든하게 사용했습니다. 최상단 노출이 되지 않은 글이라서 적립금이 적게 쌓인 편이었는데도 꽤 쏠쏠하게 이용할 수 있었습니다.

아이를 키울 때는 책 육아를 꾸준히 하기 때문에 우리집도서관이라는 도서 대여 방법과 앱 추천인 소개를 하면서 받은 적립금으로 책을 대여하기도 합니다. 이러한 제도는 신생이고 알려지지 않은 것일수록 내가 얻을 수 있는 부가수익이 커집니다. 일례로 네이버에서 네이버 플러스 멤버십을 도입했을 때 추천코드를 통해 가입하면 1인당 5,000원씩, 최대 500만 원까지 네이버페이를 적립해 주는 친구 추천 이벤트를 진행한 적이 있었습니다. 처음에는 글 1개당 내게 적립되는 금액이 쏠쏠했으나 점점 글을 쓰는 경쟁자가 많아지고 신규 가입자 속도가 줄어들면서 네이버페이가 쌓이는 속도가 점점 지연되는 걸 확인할 수 있었습니다. 좋은 정보를 알았다면 발 빠르게 선점해서 글을 먼저 쓰는 자가 임자입니다.

TIP 블로그에 쓰는 대부분의 글이 상업적인 광고, 추천인으로만 채워진다면 스팸성 블로그로 인식되면서 일명 저품질 블로그가 될 확률이 높아지니 주의가 필요합니다.

04 내 상품(재능, 물품)을 판매

블로그는 내가 가지고 있는 재능이나 물품 등의 상품을 판매했을 때 가장 큰 수익을 낼 수 있습니다. 기존에 다양한 지식이나 자료 등을 가지고 있으면서 가르치거나 재능을 판매하는 프리랜서나 실제로 물품을 판매하는 개인·법인 사업자는 블로그 자체에서 판매를 하거나(블로그 마켓) 네이버 검색을 통해서 본인의 블로그로 유입, 이후 전용 홈페이지로 안내해서 구매 전환을 시키는 방법을 사용합니다. 이 경우에는 많은 방문자나 트래픽을 필요로 하지 않습니다. 내가 필요한 키워드를 공략해서 효율적인 운영을 한다면 전략적인 구매 전환을 이뤄 낼 수 있습니다. 개인 체험단과 원고료를 지급받는 형태에서 최종적으로는 본인의 물건을 판매하는 것으로 나아가는 경우도 다수 있습니다.

블로그를 운영하다 보면 자연스럽게 내가 행동하거나 가지고 있는 재능을 알리면서 오프라인에서 책을 출판하거나 칼럼 작성, 강의를 제안받게 되는 경우가 생깁니다. 실제로 육아 분야에서는 이유식에 대한 콘텐츠를 꾸준히 기록하면서 이유식 책 출판과 관련된 제안을 받는 경우가 종종 있습니다. 블로그를 하면서 본업이나 전공을 살린 콘텐츠를 꾸준히 연재하면서 이직에 성공하거나 부업을 제안받기도 합니다.

저 또한 블로그를 운영하면서 육아 용품 런칭 업체에서 새로운 제품을 런칭하기 전에 현재 아이를 양육 중인 육아 인플루언서의 시선으로 보는 제품에 대한 평가와 함께 본인들의 업체 블로그 운영에 대한 조언을 요청하는 비공개 강의를 제안받은 적이 있습니다.

그 밖에도 온라인 인맥이 생기고 확장하며 모임을 만들어서 스터디나 소규모 강의를 진행하면서 온라인 강의를 만들고 N잡러의 길을 걷기도 합니다. 경력을 보유하고 있으나 육아를 시작하면서 불가피하게 직장을 그만둔 전업맘이 블로그에 꾸준히 쌓았던 콘텐츠를 포트폴리오 삼아서 재취업의 기회로 삼았던 사례도 있습니다.

블로그는 온라인 건물이라는 별명이 있을 정도로 운영 방식에 따라서 수익화할 수 있는 방법이나 금액의 편차가 큽니다. 시작은 개인으로 했지만 사업을 하게 되는 계기가 되기도 하고, 내가 가지고 있는 재능을 펼치는 또 다른 경로가 되기도 합니다.

평범한 직장인이나 전업주부의 삶을 유지하면서 일상을 지금보다 조금 더 풍요롭게 만들어 주는 소소한 수익을 내는 정도로 만족할 수도 있고, 조금 더 욕심을 낸다면 적극적으로 큰 수익(사업화, 전업 블로거, 크리에이터)이나 나를 드러내는 수단(퍼스널 브랜딩)까지 무궁무진하게 활용할 수 있습니다.

원고료 2만 원을 통해 수익화에 눈을 떴던 저 마더꽉은 글 쓰는 엄마라는 타이틀을 가지고 새로운 일을 하고 있습니다. 함께 나아가면서 성장하자는 가치를 갖고 매슬로의 욕구 5단계의 마지막인 자아실현을 위해 나아가는 중입니다. 무엇을 해야 할지 모르는 엄마들에게 길을 제시해 주고, 재능과 경력이 있지만 아이를 키우면서 멈췄던 열정을 다시 한 번 불어넣으면서 함께 더 멀리 나아가고 있습니다. 꾸준한 글쓰기로 나만의 수익화를 이뤄 내면서 생긴 일입니다. 아이를 키우면서도 충분히 할 수 있는 일입니다.

여러분은 어떤 방식으로 수익화를 이뤄 내고 싶은가요? 어떤 방법이든 좋습니다. 하지만 자신의 원칙을 가지고 블로그를 운영하면서 나를 드러내는 글을 쓰는 꾸준함, 즉 글을 쓰는 행동력은 필수입니다.

02

블로그 글쓰기 첫걸음, 주제 선정하기

나는 왜 육아 인플루언서가 됐을까?

처음부터 '마더꽉 = 육아 인플루언서'는 아니었습니다. 직장을 퇴사하고 임신하면서 접어 두었던 블로그를 시작했고, 소위 말하는 동네 맛집 체험단을 하고 다니는 일명 잡블(잡스러운 블로거)에 가까웠습니다. 체험단을 전전하다가 어느 날 네이버에서 인플루언서라는 새로운 제도를 시작한다는 것을 알고 몇 차례 도전했다가 낙방한 전적도 있습니다. 아이를 키우면서 자연스럽게 삶에서 육아의 비중과 관심도가 높아 선택한 분야였는데 매번 탈락 메일을 받다 보니 그 동안의 방식을 바꿔야 될 필요성을 느꼈습니다.

"지원하신 주제와 운영 중이신 채널을 성실히 검토하였으나 콘텐츠와 주제의 연관성, 채널의 활동성에서 다소 판단이 어려운 부분이 있어 인플루언서 검색에 함께하지 못한 점 양해 부탁드립니다."

콘텐츠의 주제와 연관성, 채널의 활동성 판단이 어려운 부분에 대해서 곱씹다가 본격적으로 육아에 대한 이야기로 꽉 채웠고, 선정된 이후에는 주어진 키워드 챌린지에 적극적으로 참여하면서 비로소 육아 분야 전문가에 가까워졌습니다. 그리고 아이를 키우고 있지만 육아에 매몰된 주제보다는 엄마로서의 삶에 대해서도 이야기하면서 비로소 '육아하면서 글 쓰면서 동시에 성장하는 엄마'에 대한 정체성을 갖게 됐습니다. 하나의 주제에 집중한다는 것은 아무것도 아닌 나를 해당 분야의 전문가로 만드는 길이기도 합니다.

블로그를 통해 브랜딩이나 수익화를 생각한다면 첫 번째로 해야 할 일은 주제를 정하는 것입니다. 꾸준한 구독자를 만드는 것과 함께 네이버 검색에서 전문성을 인정받는 C-RANK를 쌓는 데 필수 요소이기 때문입니다. 주제가 명확하다면 내가 어떤 소재로 글을 써야 할지 방향을 잡기 쉬워지기 때문에 효율성도 올라갑니다.

먼저 네이버에서 분류하고 있는 주제를 알아보겠습니다. 네이버 주제는 총 32개입니다.

엔터테인먼트·예술	생활·노하우·쇼핑	취미·여가·여행	지식·동향
문학·책	일상·생각	게임	IT·컴퓨터
영화	육아·결혼	스포츠	사회·정치
미술·디자인	반려동물	사진	건강·의학
공연·전시	좋은글·이미지	자동차	비즈니스·경제
음악	패션·미용	취미	어학·외국어
드라마	인테리어·DIY	국내여행	교육·학문
스타·연예인	요리·레시피	세계여행	
만화·애니	상품리뷰	맛집	
방송	원예·재배		

네이버 블로그 주제 카테고리

PC 화면에서는 블로그 관리 항목에 들어가면 '기본설정 - 블로그 정보 - 내 블로그 주제'에서 확인할 수 있습니다.(모바일 버전은 오른쪽 상단 줄 3개 화면을 누르면 나오는 정보 → 하단의 환경설정 - 내 블로그 주제)

여행	스타일(패션, 뷰티)	푸드
테크(IT, 자동차)	라이프(리빙, 육아, 생활건강)	게임
동물·펫	스포츠(운동 레저, 프로스포츠)	엔터테인먼트(방송 연예, 대중음악, 영화)
컬처(공연 전시 예술, 도서)	경제·비즈니스	어학·교육

네이버 인플루언서까지 목표로 한다면 32가지 주제에서 세부적인 콘텐츠로 동시에 공략하는 게 필요합니다.

분야를 선택할 때는 몇 가지 고려해야 할 점이 있습니다.

- 지속가능성 : 내가 꾸준히 해당 분야에서 콘텐츠를 생산, 공부하면서 발전해 나아갈 수 있는 곳인가?
- 수익성(브랜딩 가능성) : 콘텐츠를 생산하면서 내게 직접적인 이득을 줄 수 있는 분야인가?
- 흥미도 : 관심도와 집중도를 높이기 위해 내가 평소에 좋아하는 주제와 일치하는가?
- 현실성 : 동물을 좋아해서 동물·펫 분야를 가고 싶다면 내가 직접 반려동물을 키우고 있는가?

예시로 도서(문학, 책)의 경우는 수익화 가능성이 낮은 편입니다. 내가 책 읽는 것을 좋아한다고 해서 문학 책(도서) 분야를 꾸준히 나아갈 수 있다고 해도 매번 책 한 권을 받아서 며칠 동안 읽고, 리뷰를 꾸준히 하는 것은 쉽지 않습니다. 단순히 취미로는 할 수 있지만 수익을 노린다면 추천하지 않는 분야 중 하나입니다.

반대로 IT 분야는 각종 가전 기기들을 받거나 대여·회수를 통해서 원고료 수익화 가능성이 높은데, 평소에 기계에 관심이 많거나 가전의 장단점을 꼼꼼하게 나만의 시선으로 살펴볼 수 있는 센스가 있으면 유리합니다. 돈이 된다고 해서 선택했는데, 낑낑대면서 물건 하나의 사용법이나 글을 쓰는 데 몇 시간씩 걸린다면 효율이 떨어져서 현실가능성이 떨어집니다. 무엇보다도 글을 쓰면서 나도 함께 성장할 수 있는 이득이 있는 주제를 선택하는 게 가장 좋습니다.

인플루언서 공략

네이버 인플루언서의 경우 네이버 내에서도 전문가 콘텐츠로 추천하는 영역입니다. 단순 리뷰보다는 검색 소비자들에게 전문적인 정보를 주는 글을 채워 나가는 게 도움이 됩니다. 홈페이지형 블로그 등으로 전문성이 돋보이는 첫 이미지 화면을 만드는 것도 고려해 보세요.

콘텐츠 종류에 따른 네이버 서비스 분류

출처 : 네이버 다이어리

03

나를 소개하는 온라인 이름, 닉네임 짓기

주제에 이어서 중요한 것은 닉네임을 짓는 것입니다. 내 글을 읽는 사람, 혹은 협업을 위한 업체에게 주어지는 이미지(인상)는 이름을 통해서 결정되기 때문입니다. 지금은 마더꽉이라는 육아 주제를 명확하게 드러내는 닉네임을 가졌지만 제가 블로그를 시작했을 때는 '반짝반짝 빛나는'이라는 다소 유치한 이름이었습니다. 저를 조금 더 드러내기 위해 '곽'이라는 성씨를 추가해서 '반짝반짝 꽉비니'로 바꿔보기도 했지만, 글자가 긴 것에 비해서 특색이 부족해 사람들의 머릿속에 각인시키기 쉽지 않았습니다. 네이버 인플루언서가 된 이후에는 팬들에게 제 닉네임을 쉽게 알리고자 글자 수를 줄이는 시도를 하면서 '곽엄마'라는 이름으로 바꿨는데, 굉장히 촌스럽다는 평가를 받았습니다. 최종적으로 곽엄마와 뜻은 같으면서 약간의 변화를 주는 '마더꽉'이라는 닉네임을 갖게 되면서 여러 가지 장점이 생겼습니다.

- 짧아서 기억에 명확하게 남는다.
- '마더'라는 단어에서 육아 분야라는 것을 확실하게 드러낸다(주제의 명확성).
- '꽉'이라는 것은 중의적인 표현을 담고 있어서 호기심을 자아낸다. '곽'이라는 성에서 따오면서 'ㄱ'에서 'ㄲ' 변화를 주었을 뿐인데 강한 이미지를 갖게 됐다. 때로는 '꽉' 잡고 가면 된다는 농담을 주고받을 정도로 든든하면서 유머러스함을 갖추게 됐다.

닉네임은 나를 드러내는 수단입니다. 언급하는 것만으로도 누군가의 기억에 남는다는 것은 나를 다시 한 번 찾게 되는 계기가 되며, 결국에 나아가야 할 퍼스널 브랜딩의 초석이 됩니다. 온라인에서 나를 부르는 닉네임은 곧 내 정체성이 됩니다. 당장 떠오르는 게 없다면 몇 가지 질문을 통해서 정해 볼 수 있습니다.

타인에게 쉽게 인식이 가능한가?

짧으면서 발음이 쉽다면 금상첨화입니다. '반짝반짝 빛나는'이라는 제 첫 닉네임은 길면서도 흔한 소설 이름 같아서 금방 묻히고 기억에 남지 않았습니다. 지금의 마더꽉을 알고 있는 오래된 이웃들 중에는 예전부터 우리는 이웃이었다고 말하면서 과거의 닉네임을 이야기하면 아예 기억하지 못하는 분도 많습니다.

긍정적인 뜻을 담고 있는가?

처음 카페 이름을 지을 때 글 쓰는 엄마들이라는 뜻을 강조하기 위해 '맘스 + 라이팅 = 맘스라이팅'이라는 단어를 제시했는데, 가스라이팅이 연상되어 부정적으로 들린다는 의견이 많아서 무산됐습니다. 타인에게 부정적으로 들릴 수 있는 것은 아닌지 생각해 보세요.

내 분야나 관심사, 정체성을 잘 드러내는가?

마더꽉이라는 이름은 누가 봐도 엄마라는 게 여실히 드러납니다. 누군가를 가르친다면 닉네임 마지막에 '–쌤'이라고 붙이는 것만으로도 교육과 관련됐다는 신뢰감을 높일 수 있습니다. 지역을 공략하고 싶다면 지역명을 붙이면 도움이 됩니다. 내 블로그 주제와 맞는 키워드를 담으면서 검색했을 때 아무도 사용하지 않는 독특한 단어를 조합하는 것도 창의적으로 나를 드러내는 방법이 됩니다.

내가 추구하는 가치를 담을 수 있는 키워드나 의도가 담겨 있는가?

간혹 검색을 하다 보면 나도 모르게 클릭을 하게 되는 블로그 이름이나 닉네임들이 있습니다. 최신 정보가 필요한 키워드를 검색했을 때 블로그 이름이 '1시간 전'이라고 표기돼 있어 금방 쓴 글이라고 생각해서 클릭했는데 알고 보니 발행한 지 꽤 지난 글이었습니다. 주로 최신 정보를 다룬다는 걸 알려서 클릭을 유도하고 싶은 의도가 담겨 있는 재미있는 이름입니다.

한글과 영어(외국어)를 조합하는 방법도 있다.

마더꽉이라는 닉네임은 '마더+꽉'이라는 저만의 조합 방법입니다. 엄마를 영어 발음 '마더'로 하면서 흔하지만 육아 분야의 명확한 정체성을 가졌고, '꽉'이라는 한 글자 발음이 만나서 간결하면서도 기억에 남는 닉네임이 생겼습니다.

몇 가지 생각나는 것들이 있다면 바로 검색을 해 보세요. 내가 생각하는 키워드가 한글이나 영어로 흔하다면 발음이 멋진 외국어를 찾아볼 수도 있습니다. 누구도 사용하지 않았다면 "유레카!"를 외치세요. 당신의 이름을 알리는 첫 걸음이 될 것입니다.

04

블로그의 시작과 끝, 결국은 글쓰기

 글감 찾기 : 무엇을, 어떻게?

글감

글의 내용이 되는 재료(유의어 : 글거리, 소개)

– 네이버 어학사전

주제는 정했지만 어떻게 글감을 찾아야 하는지, 어떤 글을 써야 하는지 고민을 하는 경우가 많습니다. 꾸준한 글쓰기에 어려움을 겪는 이유이기도 합니다. 그럴 때는 멀리 가지 말고 평소 자신의 일상 패턴을 돌아보면서 내가 꾸준히 보여 줄 수 있는 페르소나를 정해 두세요.

평소에 여행하는 걸 좋아해서 여행 분야를 선택했다면 국내 여행 vs 해외 여행처럼 지역을 선택할 수 있습니다. 아이가 있다면 아이와 함께 가기 좋은 여행지를, 좋아하는 지역이 있어서 꾸준히 가는 곳이 있다면 해당 지역의 핫스팟이나 숨은 명소들을 뽑내 보세요. 별것 아니라고 생각해서 추가했던 한두 줄의 팁(주차장 정보, 해당 장소에서 사진 남기는 방법)은 나만의 고유 팁이 되기도 합니다. 아이랑 함께 다니는 여행이라면 부모의 입장에서 볼 수 있는 각종 편의시설들에 주목해 보세요.

IT 분야를 노린다면 늘 사용하는 카카오톡 오픈채팅방 사용법에 대한 내용을 쓸 수도 있습니다. IT 분야의 새로운 소식을 전하거나, 제품 리뷰를 좋아한다면 사용법이나 장단점, 여러 제품에 대한 비교 리뷰를 할 수도 있습니다. 광범위한 것보다는 주방가전이나 컴퓨터 기기, 혹은 프로그램 툴에 대한 정보를 정리해서 나눌 수도 있습니다. 단순 제품에 대해 나열을 하는 리뷰보다는 내가 알고 있는 지식을 더한 글쓰기를 통해서 공유하고 나누다 보면 구독자(방문자)가 자연스럽게 증가하는 것을 볼 수 있습니다.

경제·비즈니스의 경우 꼭 전문적인 주식 투자법에 대해서 써야만 하는 게 아닙니다. 아이가 없는 부부가 내 집 마련을 위한 실천 과정, 아이가 있는 4인 가족 식비 절약 팁, 1주일에 N만 원으로 살아가는 과정과 노하우 등 생활 속 재테크를 공유하면서 재테크 전문가로서 브랜딩과 수익화 과정을 밟아 나갈 수 있습니다.

육아 분야라면 단순히 유모차 리뷰를 하는 것은 인기가 없고 많은 체험단에 밀려서 금세 죽은 글이 되기 마련입니다. 나만의 유모차 시트를 깨끗하게 관리하는 방법이나 셀프 세탁법, 쉬운 폴딩 동영상 등을 넣어서 경험담을 함께 공유한다면 해당 글은 정보를 주는 나만의 글이 됩니다. 신생아나 영유아처럼 특정 연령대나 몸무게만 사용할 수 있는 제품의 경우에는 착용하는 아기의 몸무게나 키를 함께 넣어 준다면 검색 소비자들에게 더 만족스러운 글이 됩니다. 중요한 것은 내 글을 읽는 검색자에게 도움이 되는 내용이 담겨 있어야 한다는 것입니다.

블로그 글쓰기를 할 때 전문성은 전공자만 가지는 게 아닙니다. 전문지식은 백과사전이나 전문가의 영역이 따로 있습니다. 블로그 검색을 통해 사람들이 얻고자 하는 정보는 경험 정보입니다. 해당 분야에 관심을 가지고 새로운 것은 공부도 하면서 자신의 경험을 덧붙여 콘텐츠를 생산하다 보면 어느새 해당 분야에서 전문가로 성장한 나를 발견할 수 있습니다. 분야의 전문가가 되면 수익화할 수 있는 방법도 저절로 늘어나기 마련입니다.

요약 정리

– 지속성 가능한 분야를 정했다면 내 일상에서 소재를 찾습니다.

– 광범위한 것보다는 주제 세분화(구체화)를 시키는 게 도움이 됩니다.

– 단순한 스펙이나 정보 나열보다는 상황에 따른 경험담이나 구체적인 팁, 상황을 넣는다면 나만의 시선이 돋보이는 글이 됩니다.

 나를 검색해 줘 : 키워드 공략

키워드(key word)

1. 데이터를 검색할 때에, 특정한 내용이 들어 있는 정보를 찾기 위하여 사용하는 단어나 기호
2. 문서에서 원하는 내용을 검색할 때 그 내용을 대표하는 핵심 단어

– 네이버 어학사전

몇 시간 동안 정성 들여 글을 썼는데 아무도 읽지 않는 글이 된다면? 누구도 읽지 않는 글은 내 기록장에 저장만 될 뿐 수익화나 브랜딩을 위한 효과로서는 빵점입니다. 내가 원하는 글감(소재)를 찾았다면 해당 글을 네이버 검색에 원활하게 노출시키기 위해서는 키워드를 잘 선정하는 것이 중요합니다. 모두가 같은 주제를 가지고 글을 쓰더라도 어떤 키워드를 사용하느냐에 따라서 노출도는 확연하게 달라집니다.

아이와 함께 광진구에 있는 서울대공원에 놀러갔다 온 후기를 쓴다면 제목을 어떻게 지을 것인가요?

1. 2023년 4월 30일 광진구에 있는 서울대공원에 아이랑 다녀온 후기, 비가 왔어요!

2. 서울 광진구 아이와 가볼 만한 곳 서울대공원 할인, 주차, 맛집 TIP

1번처럼 일기에 가까운 제목이라면 거의 클릭을 하는 사람들이 없을 것입니다. 2번의 제목을 활용한다면 '서울 아이와 가볼 만한 곳', '서울 광진구 아이와 가볼 만한 곳', '광진구 아이와 가볼 만한 곳', '서울대공원 할인', '서울대공원 주차', '서울대공원 맛집'을 찾는 모두를 만족하게 하는 검색 키워드가 됩니다. 읽기 힘든 긴 문장형보다는 내가 줄 수 있는 다양한 정보를 담은 키워드를 조합해서 깔끔한 제목을 만드세요.

어떤 키워드들을 조합해야 할지 모르겠다면 네이버 자동검색어를 활용해 보세요.

서울대공원까지만 검색하면 동물원, 캠핑장, 맛집, 리프트, 장미원,

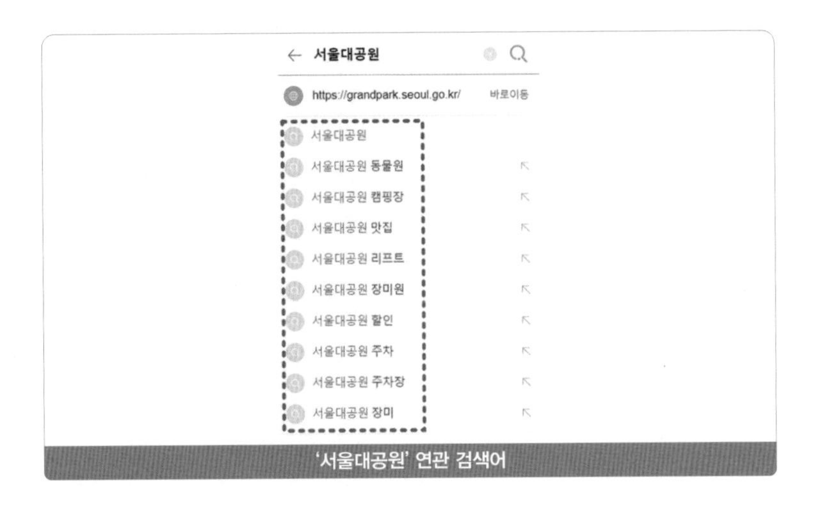

'서울대공원' 연관 검색어

할인, 주차, 주차장, 장미 등 서울대공원을 이용하고 싶은 검색자들이 관심 있어 할 만한 세부 키워드를 확인할 수 있습니다. 내가 본문에서 넣을 수 있는 것들을 선별하거나 새로운 아이디어를 얻는 팁이 되기도 합니다.

글감과 함께 키워드를 확인하고 싶다면 역으로 '나라면 어떻게 검색했을까?'를 생각해 보는 것도 하나의 방법입니다. 아이의 수영복에 대한 리뷰를 하고 싶다고 했을 때 '수영복 후기'라는 제목을 쓴다면 한 달에 20만 번 검색되는 '수영복'이라는 커다란 키워드에 노출되더라도 누군가 클릭할 가능성이 낮습니다. 단순히 수영복만 검색하는 소비자의 연령층이나 구매 필요성이 내가 쓴 글과 일치하지 않을 가능성이 높기 때문입니다.

'5살 여아 수영복 후기'라는 키워드를 활용하면 어떨까요? 5살 여아 수영복은 검색량으로는 낮은 듯 보입니다. 하지만 5살 수영복, 여아 수영복 등 다양한 검색 결과에 노출되면서 실제로 해당 키워드와 일치하는 5살 여아 수영복의 리뷰를 찾는 부모가 검색해서 글을 발견했을 때 클릭할 확률이 높아집니다. 여기서 본문에 구체적인 키와 몸무게까지 적어 준다면 사이즈를 선택하는 데 도움을 주니 이웃(팬, 구독자)을 얻을 수도 있습니다.

단순히 검색량(조회수)이 많은 키워드보다는 구체적인 단어를 엮어서 다양하면서도 확실하게 검색 노출과 클릭을 잡을 수 있는 길을 만들어야 합니다.

03 한 끗 차이로 달라지는 제목 짓기 팁

예시 제목 : 육아인플루언서 마더꽉 아기옷정리 아이옷기부 실천 비움과 집정리

주요 키워드 : 육아인플루언서 / 마더꽉 / 아기옷정리 / 아이옷정리 / 아이옷기부 / 아기옷기부

검색량이 적고 경쟁률이 높지 않아서 쉽게 진입할 수 있을 거라고 생각했던 글이었습니다. 네이버 자동완성 검색어로 확인했을 때 띄어쓰기는 각각 이렇습니다.

1. 아기옷정리
2. 아이옷정리
3. 아이옷 기부
4. 아기옷 기부
5. 육아 인플루언서

시간이 지나서 키워드를 살펴보니 다른 키워드는 1~2위였는데, '아이옷 기부'는 유독 낮은 순위인 29위로 확인됐습니다. '아이옷기부'라고 붙여 쓴 것은 1위로 확인되는 상황이었지만, 기왕이면 2가지 키워드 전부 상위에 노출시키면서 널리 알리고 싶었습니다.(육아 인플루언서는 6위로 확인되는 상황이었습니다.)

'아이옷기부'로 검색했을 때 나오는 띄어쓰기는 '아이옷 기부'입니다.

'아이옷기부' 검색

제목에 자동완성 검색어와 띄어쓰기가 달랐던 단 2가지 키워드만 변경했습니다.

1. 아이옷기부 → 아이옷∨기부
2. 육아인플루언서 → 육아∨인플루언서

변경 전 제목 : 육아인플루언서 마더꽉 아기옷정리 아이옷기부 실천 비움과 집정리

수정한 제목 : 육아 인플루언서 마더꽉 아기옷정리 아이옷 기부 실천 비움과 집정리

변경한 이후 아이옷 기부는 29위에서 27단계가 상승해서 2위로, 육

아 인플루언서는 6위에서 2위가 되었습니다.

자동완성 검색어뿐만 아니라 붙여쓰기도 상위를 그대로 유지했는데, 그 비법은 본문 상에는 '아이옷기부, 아이옷 기부', '육아인플루언서 / 육아 인플루언서'로 띄어쓰기와 붙여쓰기를 모두 골고루 넣은 덕분이었습니다. 키워드마다 차이가 있어서 모든 글마다 100% 통하지는 않지만, 대부분의 경우에는 유효하니 제목과 본문에 골고루 활용해 보세요.

04 구독자를 만드는 차별화 완성 : 경험 한 스푼

사례 : 나만의 경험 한 스푼 더하기

어떤 분야든 대중적인 브랜드가 하나씩 있습니다. 육아 분야에서는 아이를 키우는 집이라면 체온계가 필수인데 가장 유명한 브랜드가 브라운입니다. 저 역시 아이를 키우며 사용하고 있습니다. 어느 날 사용하려고 봤더니 전원이 꺼져 있어서 건전지를 갈아 끼웠습니다. 그런데 계속해서 off 상태였습니다. 고장이 난 줄 알고 AS센터에 어렵게 전화 연결을 했습니다. 그때 상담원이 기가 막힌 말을 했습니다.

"건전지 두 개를 다 같은 방향으로 끼우셨나요?"

끼우는 홈의 모양이 같다 보니 건전지를 같은 방향으로 끼우는 사람이 많은 모양이었습니다. 제품을 다시 한 번 자세히 보니 건전지를 끼우는 방향 표시가 음각돼 있었습니다.

저는 체온계를 새로 사야 할까, 보상판매를 받을 수 있을까 고민하며 상담까지 받았던 그 내용을 블로그에 남겼습니다. 2020년 8월에 쓴 글은 지금까지도 꾸준히 검색되고 있습니다. 누적조회수는 13만 이상으로 기간에 비해 큰 트래픽은 아니지만, 오랫동안 검색되는 롱키워드로 조회수 대비 높은 공감수(약 330개)와 100여 개 이상의 감사 댓글을 받았습니다.

2년 넘게 검색이 되고 있다는 것은 지속적으로 해당 글이 노출 검색에서 유지된다는 것입니다. 더불어 검색 소비자들의 반응이 좋았으며 네이버에서도 긍정적으로 평가한다는 의미이기도 합니다. 오랫동안 사랑받는 글의 제목과 내용 구성을 분석해 보았습니다.

제목 : 브라운체온계 고장났을 때 AS센터(보상판매, 수리, 정품확인)

내용 : 브라운 회사의 AS센터, 보상판매, 실제 고장 수리가 아닌 건전지 방향만 바꿔도 됐던 경험담, 2020년 당시 논란이 됐던 해당 체온계 정품확인 방법

키워드 : 브라운 체온계 / 브라운 체온계 고장났을 때 / 브라운 체온계 고장 / 브라운 체온계 AS센터 / 브라운 체온계 보상판매 / 브라운 체온계 수리 / 브라운체온계 정품확인

글을 쓴 목적은 브라운 체온계를 사용하던 중에 고장이 났을 때 AS

님 사랑해요.. 첫 출근날 아침에 떨어뜨려서 아 오늘은 체온계값 벌러 출근하는구나 했는데..ㅠㅠ
고맙습니다♥-♥
2020.10.12. 07:42 | 신고

답글

님 사랑해요.. 첫 출근날 아침에 떨어뜨려서 아 오늘은 체온계값 벌러 출근하는구나 했는데..ㅠㅠ
고맙습니다♥-♥
2020.10.12. 07:42 | 신고

되요되요되요~~폿팅 감사합니다^^저도 건전지를 잘못끼운거였어요
2020.10.23. 09:14 | 신고

헐.. +방향이길래 같은방향으로 끼웠는데 그런반전이!
방금 떨어뜨려서 고장났나 싶어 새배터리 교체해도 안되다가 AS찾고있었는데 좋은정보 감사합니다ㅠㅠ정상작동되네오ㅠㅠ
2020.12.9. 08:34 | 신고

답글

똑같은 증상이라 체온ㄱ ㅔ 엄청 두드려 보고 부실뻔요 ㅋㅋ 글보고 건전지 다르게 꼈더니 되네요 ! 감사해요 ㅠ
2021.6.12. 23:46 | 신고

와..! 너무 도움 되어서 댓글 남겨요
너무나 당연하게 같은 방향으로 건전지를 끼워놓고 고장이라고 생각했어요ㅋㅋㅋ 감사합니다!!!!
2022.6.28. 12:55 | 신고

와 저 댓글 잘 안다는데 너무 고마워서 달아요 ㅋㅋㅋ
저도 배터리.같은 방향으로 해놓고 고장났다고 쓰했네요 ㅋㅋㅋㅋ 정말 체온계 새로 살뻔 ㅋㅋ 감사해요
2022.8.3. 09:23 | 신고

도움받아감사해요
2023.5.4. 09:55 | 신고

2020년도부터
2023년까지 이어진 댓글

나만의 사례를 공유한 뒤 받았던 댓글 반응

센터나 보상판매, 수리 여부를 확인하려는 사람들을 위해 실제 고장이 아니라 저처럼 건전지 방향을 잘못 끼운 경험담을 알리기 위한 것이었습니다. 그 밖에 고장 의심으로 인한 검색은 아니지만, 브라운 체온계를 사용하면서 정품확인을 할 정도로 열정적인 사람들이 관심 있어 할 만한 예비 정보를 전달하기 위한 것도 있었습니다.

타깃이 정해지면 콘텐츠를 만들 때 해당 사람들이 원하는 내용과 경험 정보를 충실히 담는 게 필요합니다.

① 브라운 체온계가 고장 났을 때 취할 수 있는 것들(검색 소비자들이 원하는 키워드)
② 해당 회사는 고장수리보다는 AS센터를 통해 보상판매를 하는 곳이었음(고장을 검색했지만 보상판매가 가능하다는 내용)
③ 해당 보상판매 정책이 있지만 고장이 아니라 건전지 방향을 바꿔 끼우는 것만으로도 해결이 될 수 있음(나만의 경험담과 팁)
④ 브라운 체온계 사용자들에게는 식약처 공식 자료를 공유하며 정품을 확인하는 방법을 알려 주고, 정품을 확인하러 온 사람들에게는 고장수리/AS센터 등의 정보를 동시에 줄 수 있음

대중적 브랜드인 브라운 체온계 제품에 대한 단순 리뷰가 아니라 사용자들에게 도움이 되는 정보와 함께 제 경험담을 담은 팁은 다른 블로거들이 적지 않은 내용이었습니다. 공통적으로 얻을

수 있는 정보(AS/보상판매 기간, 접수 방법)와 함께 남들에게 없는 내 경험담을 소스처럼 추가하면 나만의 시선이 들어가는 글이 됩니다. 문제가 발생했고, 해결했지만 사소하다고 그냥 지나치는 것들을 발굴해서 적어 보세요. 누군가가 쓰지 않은 종류라면 검색 소비자들에게 도움이 되면서 긍정적인 반응을 받고, 네이버 검색에서 오랫동안 살아남거나 노출되는 글이 될 것입니다.

05 스페셜도 좋지만, 스테디는 필수

한꺼번에 빵 뜨는 특별한 이슈 키워드는 단기간 조회수를 높이는 데 도움이 될 수 있습니다. 하지만 관심이 식고 시기가 지나면서 금방 꺼지는 물거품이 될 가능성이 높습니다. 인기 있는 키워드도 좋지만 스테디한 키워드를 넣어서 오랫동안 살아남았던 글이 있습니다.

제목 : 이디야 메뉴 가격표 살펴보기 feat. 아이스 아메리카노 엑스트라 사이즈

단순히 현재 네이버 로직으로만 놓고 보면 아쉬움이 느껴지는 제목이지만, 2020년 7월 작성 이후 누적 조회수 75만 6천 이상을 기록했습니다. 글을 쓴 이후로 메뉴판의 내용과 금액이 변경되는 동안에도 검색 순위를 오르락내리락 하면서 1페이지 통합검색 영

역에서 나갔다가도 다시 1위로 돌아오는 일들이 벌어졌습니다. '이디야 메뉴 가격표 살펴보기 feat. 아이스 아메리카노 엑스트라 사이즈'라는 제목에서 확인할 수 있는 검색 키워드는 대략 다음과 같습니다.

이디야 메뉴 / 이디야 가격표 / 이디야 아이스 아메리카노 / 이디야 아메리카노 / 이디야 / 아메리카노 엑스트라 / 이디야 아메리카노 사이즈 등

여기서 이디야 메뉴라는 키워드는 하루에 3~4천 이상 유입이 될 정도로 큰 조회수를 자랑했습니다. 유입이 적지만 꾸준히 들어오는 키워드는 '이디야 아메리카노 엑스트라'인데 이는 다른 글들과는 다른 행보를 보이는 나만의 키워드 선정 방법입니다. 카페 메뉴의 경우 신제품에 대한 글을 써서 반짝 인기를 얻는 경우가 많습니다. 그런데 스테디 키워드인 아메리카노 엑스트라 사이즈를 궁금해하는 사람들도 꾸준히 있습니다. 덕분에 이디야 메뉴라는 커다란 키워드가 내려갔다가도 다시 제 글을 찾는 사람들 덕에 순위가 다시 올라오기를 반복했습니다.

더불어 해당 글에는 메뉴판을 찍은 2개의 동영상이 있었는데, 각각 재생수 3,581과 9,996으로 글이 위주가 되는 블로그에서는 보기 힘든 수치를 기록했습니다. 동영상을 넣어야 한다고 해서 아무거나 넣는 것이 아닌, 사람들이 관심 가질 만한 영상을 넣으면 체류 시간을 길게 해서 글의 점수를 높이는 데 도움이 됩니다.

'반짝'이 아닌 오래 가는 글을 위해서는 사람들이 꾸준히 관심 가질 만한 요소가 무엇인지 확인하도록 하세요.

TIP 대형 체인점의 경우 대부분 촬영을 허가하는 편이지만, 업체에 따라서는 이미지 저작권 등 때문에 촬영을 꺼려하는 곳도 있습니다. 장소 사진을 찍고 싶다면 반드시 업주의 동의를 구해야 합니다.

06 집중도를 높이고 술술 읽게 만드는 가독성

제목 키워드 = 본문 주제의 일치

글의 시작부터 끝까지 내가 쓰고자 하는 주제, 제목에 사용한 키워드 내용에 충실해야 합니다. 검색 소비자들은 눈에 보이는 제목을 보고 클릭합니다. 해당 주제에 맞지 않으면 글을 읽는 구독자가 이탈할 확률이 높아집니다. 나만의 스토리텔링이라고 생각했던 부분이 너무 길진 않은지 점검해 보세요.

문장은 짧고 명확하게

정보 전달을 위해 글을 쓰다 보면 나도 모르게 문장이 길어지는 경우가 있습니다. 많은 정보와 의도를 담으려 할수록 그렇습니다. 한 번에 읽어야 하는 내용이 길어지면 독자들은 문장의 의도를 파악하기 힘들어집니다. 호흡이 길어질수록 독자들과 내 글의 사이도 멀어집니다.

예시 : 나는 오늘 아침 6시부터 일찍 일어나서 배가 고프다고 짹짹거리는 아이들을 위해서 계란 3개에 당근과 파를 썰어 넣은 계란찜을 만들어서 간단하게 밥을 차려줬는데 아이들이 잘 먹어줘서 기분이 좋았다.

위 문장은 아이들과 함께한 아침 일상에 대한 이야기입니다. 쉬운 일상 주제인데 쉼표 하나 없이 ~고, ~데 등의 연결어미를 사용하면서 문장이 길어지게 되고 전체적으로 어수선한 느낌이 듭니다. 문장을 나눠 보겠습니다.

예시 : 아이들이 아침 6시부터 일어났다. 눈을 뜨자마자 배가 고프다고 짹짹거린다. 나는 배고픈 아이들을 위해 당근과 파를 썰어 넣은 계란찜을 만들었다. 잘 먹어줘서 기분이 좋았다.

불필요한 접속사나 연결어미를 줄이면서 문장을 간결하게 하는 것만으로도 쉽게 읽힙니다. 주제를 정확하게 전달하고 싶다면 한 문장에 한 가지의 내용을 담을 수 있도록 정리해 보세요.

어려운 단어는 피하라

소수의 사람이 사용하는 전문 용어를 사용하는 것이 '전문적인 글'이라고 생각하는 경우가 있습니다. 읽는 사람을 붙잡아 두는 글은 오히려 친숙한 단어를 사용해서 쉽게 풀어 주는 글입니다. 블로그 글을 읽는 사람은 검색 키워드나 제목에 맞는 내용을 이해하고 싶은 것이지, 어려운 단어를 찾는 것이 아닙니다. 전문 용어를 확인하고 싶은 사람은 어학사전이나 백과사전 등을 통해서 확인할 것입니다. 가능하면 어려운 단어는 줄이고 친숙한 단어를 사용하세요. 불가피하게 전문 용어를 사용해야 하는 경우라면 친절하게 단어에 대한 풀이를 덧붙여 독자들이 쉽게 이해할 수 있게 해야 합니다.

주제가 바뀔 때마다 단락 구분은 필수

책을 읽는 것과 블로그를 눈으로 보는 것은 다릅니다. 휴대폰이나 컴퓨터 화면에서 문장들이 줄줄이 연결돼 있으면 피로감을 느끼기 쉽습니다. 메인 키워드를 설명하는 소주제가 달라질 때마다 단락이나 문단을 나눌 수 있는 몇 가지 방법이 있습니다. 기본적인 엔터나 네이버 에디터에서 제공하는 따옴표, 버티컬 라인, 말풍선, 라인&따옴표, 포스트잇, 프레임 형식의 인용구를 적절하게 사용하면 구분이 쉽습니다. 대화체라면 따옴표를 통해서 친근하게 구분하고, 소주제마다 버티컬 라인을 통해서 눈으로 명확하게 나누면 글을 읽는 독자도, 쓰는 사람도 주제에 집중할 수 있습니다.

과다한 키워드, 표현의 반복 사용은 다양한 어휘로

어떤 주제에 대해서 이야기를 하다 보면 자기도 모르게 주어를 계속 드러내거나 내용을 강조하기 위해 같은 키워드를 수십 번씩 사용하기도 하고 반복적인 표현을 쓰게 됩니다. 음식에 대한 맛을 표현할 때 맛있다는 말만 20번 넘게 하면 글이 식상해지기 마련입니다. 제품이 아무리 좋다고 해도 좋다는 말만 수십 번을 하면 독자도 지겹고, 많은 키워드 사용으로 인해 홍보글로 분류될 수도 있습니다. 같은 표현이라도 다양한 어휘를 사용해야 합니다. 어렵다면 국어사전이나 어휘사전을 통해서 유의어나 동일어를 확인해서 바꾸어 쓰세요.

마지막으로 소리 내서 읽어 보기

단순하게 눈으로 봤을 때 판단이 어렵다면 소리 내서 읽어 보면 객관적으로 내 글이 잘 읽히는지 알 수 있습니다. 키보드로 쓸 때는 몰랐던 어색한 문장의 연결이나 흐름도 잡아내기 쉽습니다. 문장마다 바로 읽으며 확인하는 방식은 글 쓰는 데 시간이 상당히 많이 소요되므로 권하지 않습니다. 글을 완성한 뒤나 한 문단 이상 쓰고 난 뒤 살펴보면 시간도 절약되고 전체적인 흐름이 자연스러운지 파악하기 좋습니다.

07 블로그 글쓰기 Q&A

Q. 서론에 결론을 보여 주는 것은 독자들의 이탈율을 높인다?

시작부터 결론을 이야기하면 결과를 얻었기 때문에 글에서 이탈한다는 것인데 이는 글쓰기에 대한 흔한 오해입니다. 단순히 뜻을 알려 주는 검색 키워드라면 해당되겠지만, 설명이 필요한 주제의 키워드라면 다릅니다. 본문에서 무엇을 말하고자 하는지 주제가 명확해지면서 블로그 독자를 붙잡아 놓는 데 도움이 됩니다.

Q. 글자 수가 많아도(적어도) 괜찮을까요?

글자 수가 너무 많은 것은 내가 나타내고자 하는 주제에서 벗어나는 경우가 대다수입니다. 아이와 함께 키즈풀빌라에 놀러갔는데 내 아이가 그중에서 가장 귀여웠다는 말은 한 줄이면 충분합니다. 키즈풀빌라에 대한 글을 쓸 때 중요한 것은 시설을 이용하면서 느낀 경험과 시설에 대한 설명입니다. 아이와 함께 간 것은 장소에 '키즈'가 붙었다는 것과 사진이면 충분합니다. 메인 주제에서 벗어난 점은 없는지 살펴보세요.

반대로 글자 수가 적어서 고민이라면 너무 사실만 표현했거나 단순 리뷰만 한 것은 아닌지 살펴볼 필요가 있습니다. 블로그는 경험 정보도 중요합니다. 물티슈에 대한 리뷰라면 제품 상세페이지에서도 볼 수 있는 스펙에 대해서만 나열한 것은 아닌지 되돌아볼 필요가 있습니다. 물티슈를 검색해서 블로그를 찾아보는 사용자라면 두껍다고 말하는 물티슈가 실제로 얼마나 두꺼운지를 식탁에 흘린 아이의 이유식 닦는 모습으로 보여 주는 것도 하나의 방법입니다. 단순한 스펙이나 정보 나열은 블로그에서 원하는 것이 아닙니다.

무엇을 쓰든지간에 키워드에 걸맞은 기본적인 정보를 담고, 거기에 내 경험담이나 소견을 덧붙이면 내 스타일이 담긴 '나만의 글'이 됩니다.

Q. 글자 수는 1,500자 이상 써야 할까요? 사진은 20장 이상이 좋다던데요?

글자 수가 꼭 1,500자 이상일 필요는 없습니다. 키워드 주제에 따라서 1,000자로 충분한 경우도 있고, 2,000자는 돼야 충분히 설명이 가능한 것도 있습니다. 분야별로 평균이 다르기도 합니다. 글쓰기를 할 때 많은 사진과 함께 설명이 필요한 여행 분야는 평균적으로 글자 3,000자, 사진 50장 이상인 것도 수두룩합니다. 얼룩 묻은 것을 지우는 단순 생활 팁 같은 경우라면 글자 1,000자 내외, 필요한 사진만 10장 이하로 활용해도 충분합니다. 글자 수나 사진 수는 글을 풍부하게 만들어 주는 구성 요소일 뿐입니다. 내 글을 읽는 블로그 독자들을 붙잡아서 이탈 없이 끝까지 정독하게 만드는 본질은 글쓰기 그 자체입니다.

Q. 네이버는 링크를 싫어한다?

네이버 검색 공식 블로그에서 말하는 '나쁜 문서로 간주될 수 있는 링크의 종류'가 몇 가지 있습니다.

- 낚시성 : 클릭했을 때 의도와 다른 페이지로 이동하거나 예상하지 못한 특정 동작을 발생시키는 링크
- 불법 콘텐츠 : 성인 콘텐츠나 도박 사이트 등으로 연결되는 링크, 영상물이나 음원 등 저작권을 위반하는 콘텐츠에 연결되는 링크
- 대량의 링크 : 한 포스트 혹은 한 블로그에 포함된 경우
- 반복 사용된 동일한 링크 : 동일한 링크를 많은 포스트에 반복 사용하는 경우
- 나쁜 문서로 연결되는 링크 : 네이버에서 사전 형태로 별도로 등록해서 관리하는 URL

링크를 거는 게 무조건 나쁜 것은 아닙니다. 낚시성이나 불법, 저작권 위반, 모든 포스팅마다 넣는 반복적인 링크, 그 밖에 네이버에서 사전 같은 형태로 관리하는 URL 등은 스팸필터에 의해서 걸러집니다. 단기간에 지속적인 스팸성으로 네이버 내부에서 광고성으로 인식되는 링크들이 해당됩니다. 대표적으로 쿠팡 파트너스 링크를 들 수 있습니다. 예전에는 수익을 얻기 위해서 낚시성으로 쿠팡 파트너스 글들이 네이버 카페나 지식인, 타인의 블로그에 동의 없이 등록되면서 단기간에 많은 링크가 생성됐는데, 어느 순간부터 블로그에 쿠팡 파트너스 링크를 넣었을 때 누락이 되는 경우가 많아졌습니다.

네이버에서 말하는 링크 넣는 TIP

- 링크를 복사하는 경우 메모장 등에 먼저 옮겨 놓고 사용하세요. 다른 문서에 있는 링크를 복사해서 사용하는 경우, 자신도 모르는 URL이나 스크립트가 숨어 있을 수 있습니다. 메모장에 붙여 놓았다가 다시 복사해서 사용하면 이를 방지할 수 있습니다.
- 변질될 가능성이 있는 링크는 피하고, 신뢰할 수 있는 문서로 연결되는 링크를 사용하세요. 포스팅을 할 때는 정상적인 링크였지만 내가 의도하지 않았더라도 이후에는 다른 페이지로 변질이 되는 경우가 있습니다. 신뢰 있는 사이트로 연결되는 링크를 사용하는 게 좋습니다.
- 반복해서 넣어야 하는 링크라면 링크보다는 위젯 등 본문 외 요소로 넣는 것을 추천합니다.
- 홈페이지와 블로그를 동시에 운영한다면 공식 블로그로 링크를 연결하세요.

05

시간을 벌어 주는 블로그 팁 8가지

아이를 키우면서 추가적인 수익을 내고 싶다면 우선순위를 확실하게 정하는 게 필요합니다. 아이의 양육을 함께 감당해 줄 주변인이 있다면 개인 시간을 조금 더 낼 수 있습니다. 대신에 그 시간은 내가 하고자 하는 일에 집중하고 아이와 함께하는 시간은 오롯이 자녀에게 집중하세요.

아이를 온전히 내가 봐야 한다면 어영부영 아이를 옆에 혼자 놀게 두고 휴대폰이나 컴퓨터 앞에서 서성이지 말고 다른 방법을 찾아보세요. 아이가 성장하는 그 시간은 돌아오지 않으니까요.

이는 시간을 쪼개서 부수익을 내고자 퇴근 후 시간을 쪼개는 직장인에게도 해당됩니다. 틈이 날 때 부담 없이 효율적으로 블로그 글쓰기를 할 수 있는 방법을 알아보세요.

 예쁜 사진과 카메라에 대한 집착 내려놓기

카메라가 아닌 휴대폰으로도 시작할 수 있으니 사진에 대한 부담은 내려놓으세요. 블로그는 글과 사진, 영상을 모두 담아 콘텐츠를 만들 수 있는 SNS입니다. 좋은 카메라로 찍고 컴퓨터로 보정까지 해서 사진을 올리면 최상이겠지만, 일상 속에서 매번 카메라를 들고 다니면서 활용하기는 쉽지 않습니다. 아이를 모델로 한 육아 기록이나 육아 용품 리뷰를 하기로 마음먹었다면 평소 아이의 일상 속에서 자연스러운 모습을 담아 두면 시간을 절약할 수 있습니다. 작정하고 사진을 찍다 보면 흔히 아이와 실랑이를 하게 되는데 평소에 사진을 찍으면 그런 일도 없습니다.

타 분야도 마찬가지입니다. 생활 속에서 글감과 키워드를 찾아서 찍으세요. 사진을 찍은 직후 휴대폰 내 앨범 만들기나 클라우드, 연동을 통해서 사진을 분류해 두면 사진 관리도 효율적으로 할 수 있습니다. 요즘엔 라이트룸이나 VSCO, VITA, 푸디처럼 휴대폰에서 보정이 가능한 앱도 많으니 카메라만 고집하지 말고 쉽게 시작하는 게 우선입니다.

설마, 이걸 안 써 봤어? : 블로그 앱, 템플릿

블로그 앱

글쓰기는 PC에서만 가능한 게 아닙니다. 데스크톱이나 노트북이 없어도 네이버 블로그 앱을 이용한다면 집에서 쉬면서도, 출퇴근길에도 글쓰기가 가능합니다. 휴대폰 카메라 사진을 이용한다면 블로그 앱을 통해서 저장부터 발행까지 전부 할 수 있습니다. 일상생활을 하다가 갑자기 쓰고자 하는 글감, 키워드가 생각났다면 앱에 '임시저장' 기능을 이용해서 메모장처럼 활용할 수도 있습니다. 손가락으로 많은 글자를 타이핑하는 게 부담스럽다면 블루투스 키보드를 이용하는 방법도 있습니다.

휴대폰으로 검색하는 양이 많은 요즘, 처음부터 휴대폰 화면으로 편집부터 발행까지 한다면 유리한 점이 있습니다. 글쓰기는 사람들을 붙잡아 놓는 문장력과 함께 가독성도 중요한데, 모바일 환경을 미리 살펴볼 수 있는 계기가 됩니다. PC에서는 생각 없이 줄줄 쓰던 것도 모바일에서는 읽는 사람에 맞춰서 너무 길진 않은지 문단 길이를 보며 호흡을 조절하기가 편합니다.

PC로 글을 쓰더라도 발행 전에 모바일 버전으로 살펴보면 도움이 됩니다.

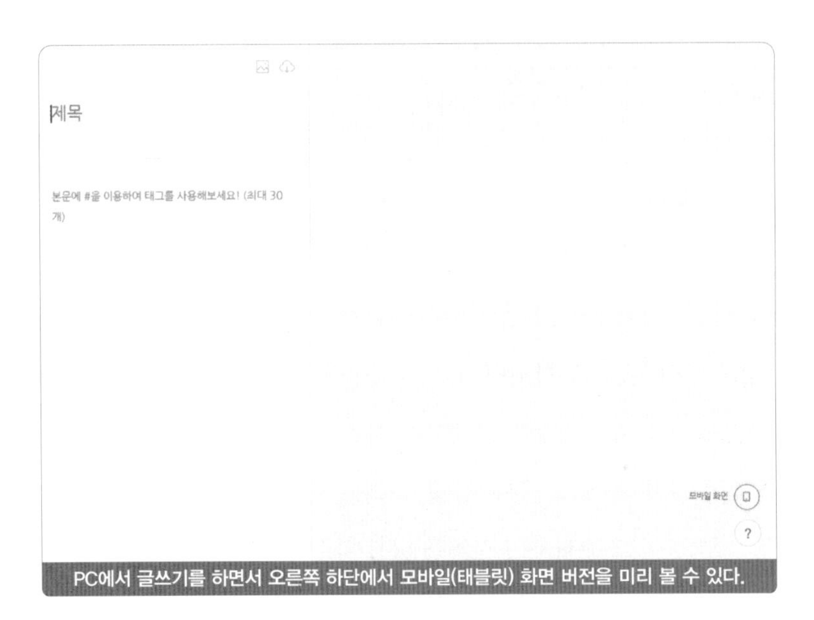

PC에서 글쓰기를 하면서 오른쪽 하단에서 모바일(태블릿) 화면 버전을 미리 볼 수 있다.

템플릿

글을 쓰다 보면 사진은 언제 어디에 넣어야 할지, 글자는 어떻게 강조해야 내가 하고자 하는 말이 잘 전달될까 고민하게 됩니다. 그럴 때는 네이버에서 제공하는 템플릿을 살펴봅니다. 추천 템플릿 19개와 부분형 11개를 제공하고 있는데, 협찬과 리뷰, 여행, 지식 정보, 심지어 육아일기 형식까지 제공합니다. 자주 사용하거나 편집을 완료한 것은 '내 템플릿'에 저장해 놓고 반복해서 사용하면 비슷한 형식의 글을 쓸 때 글 구성에 들이는 시간을 절약할 수 있습니다.

네이버에서 제공하는 블로그 템플릿

03 '완벽'보다는 '완성'

실수 없이 잘해야 한다며 차일피일 미루는 게으른 완벽주의에서 벗어나야 합니다. 쓰고자 하는 내용을 보완하기 위해서 지속적으로 미루다 보면 글 하나에 몇 시간이 아닌 며칠을 들이거나 놓아 버리는 경우가 생깁니다. 시간을 들이고도 완성하지 못하는 최악의 사태를 방지하기 위해서는 모든 것을 다 담아내야 한다는 욕심을 버려야 합니다. 블로그 글쓰기는 문학적인 글쓰기가 아닙니다. 완성도 높은 글을 위해서 연습하는 과정이라 생각하며 부담을 내려놓으세요.

04 글자 수보다 중요한 것

블로그계에서 2,000~3,000자 이상을 써야 한다는 예전부터 이어진 '카더라'가 아직도 얘기되고 있습니다. 이는 갈수록 짧은 것을 선호하는 검색자들의 트렌드에도 맞지 않는 이야기입니다. '키워드는 10~15개, 이미지는 15장 이상, 동영상을 꼭 넣어야 한다.' 등의 말은 잊으세요. 너무 적은 글자 수는 충분한 정보를 담지 못하고, 많은 글자 수는 불필요한 정보가 들어가서 주제 집중도가 떨어질 수 있지만, 2,000자 이상을 지키지 못했다고 해서 글에 문제가 생기는 경우는 없습니다. 글자 수보다는 내가 쓰고자 하는 내용에 집중하는 것이 중요합니다.

05 글쓰기를 쉽게 하려면

○○분야가 수익화하기 좋다고 해서 시작하면 오히려 해당 분야에 대한 지식과 경험이 없어서 시간만 들이다 포기하는 경우가 종종 있습니다. 내가 몰랐던 분야여도 흥미가 있어서 배워 나가는 과정이라

고 생각하면 괜찮지만, 단순히 수익화가 가능하다고 해서 무작정 덤빈다면 집중도가 떨어지면서 효율을 낼 수 없게 됩니다.

06 MBTI 'P'지만 'J'처럼 실천하기

오늘 무엇을 써야 할까? 어떤 브랜드 협업이 있었더라? 머리로만 기억하는 것은 한계가 있습니다. 무엇을 할까 우왕좌왕하다가 여유분의 시간을 날리는 일이 생깁니다. 달력이나 엑셀, 노션 등을 활용해서 해야 할 일이나 하고자 하는 일을 기록하는 습관을 들이는 것이 좋습니다. 브랜드 협업 시에도 마찬가지입니다. 정해진 일정과 컨펌, 원고료 건이라면 이후에 입금일자까지 기록해 두면 수익 관리도 효율적으로 할 수 있습니다. 꼼꼼하게 다이어리를 쓰거나 멋들어진 양식도 좋지만 어렵다면 '날짜, 키워드(해야 할 일), 완료 여부, 제공 내역, 정산일' 순서대로만 기록해도 도움이 됩니다.

07 삶의 변화를 만드는 새글엄

제가 블로그 수익화를 시작한 것은 코로나로 인해 아이를 가정보육하면서였습니다. 낮에는 아이를 돌보고 육퇴 이후 졸린 눈을 비비면서 글을 쓰곤 했습니다. 그런데 어느 날부터인가 몸이 망가지기 시작해서 일찍 자고 이른 새벽에 일어나는 습관을 들이기 시작했습니다. 같은 6시간을 자도 늦게 자고 늦게 일어나는 것과 일찍 자고 새벽에 일어나는 것은 컨디션 면에서 차이가 컸습니다. 괜스레 누군가와 잡담을 떨 일도 없는 오롯이 내 시간인 새벽은 일상 소음의 방해조차 없는 고요한 시간입니다.

날마다 실천하지 못하더라도 몸이 허락하는 만큼 하다 보면 어느새 습관이 잡힙니다. 2023년부터 함께 블로그 글쓰기를 하는 엄마들과 자율적인 챌린지 새글엄(새벽에 글쓰는 엄마)을 진행하고 있는데, 실천하고 일상에서 변화를 느꼈다고 하는 분들이 늘어나고 있습니다.

TIP 정성이 담긴 콘텐츠, 원 소스 멀티유스를 활용하자

원 소스 멀티유스(one soruce multi-use)는 하나의 콘텐츠를 다양한 매체에 활용하는 것입니다. 블로그 글쓰기를 베이스로 카드뉴스나 잘 찍은 사진이 있다면 내가 운영하는 인스타그램 등의 SNS 계정에 업로드하면서 추가적인 채널을 운영할 수 있습니다.
브랜드 협업 시에도 다채널 운영 시 많은 홍보 효과를 누릴 수 있어서 블로그 외 채널에 추가적으로 업로드해 주고, 원고료나 제공 내역을 상향시키는 경우도 종종 있습니다. 세로 형태의 동영상을 짧게 만들었다면 유튜브 숏츠나 인스타그램 릴스, 블로그 모먼트 숏폼까지 한꺼번에 올리는 것도 가능합니다.

01 육아라면 블로그 수익의 꽃은 체험단

분야마다 조금씩 다르겠지만 육아 블로그를 한다면 실제 수입과 지출 방어를 위해서 유익한 게 바로 체험단입니다. 아이를 키우다 보면 왜 이렇게 살 물건들은 끝이 없는지, 꼭 필요한 것들만 산다고 해도 지출을 줄이기가 쉽지 않습니다. 게다가 꼭 필요한 유모차나 카시트 등 아이의 안전과 관련된 것은 좋은 것으로 고른다면 몇 개만 사도 수백만 원이 넘습니다. 아이가 좋아할 것 같은 장난감과 필요해 보이는 교구, 좋아 보이는 책은 너무나도 많습니다.

저는 블로그를 시작하기 전에 주변 엄마들 중에서 물티슈 한 박스를 받기 위해서 맘카페에 수백 개의 댓글을 달다가 포기했다는 사연을 들은 적이 있습니다. 육아 용품 핫딜을 위해 잠을 줄이면서 사이트를 뒤져 가면서 구매해야 하는 시간을 생각해 보면 아낀 돈이 최저시급만도 못할 정도입니다. 잠이 부족해서 아이에게 짜증을 내는 여유 없는 내 모습이 과연 내가 바라던 이상적인 엄마의 모습일까요?

저는 최근 둘째를 낳고 2년 동안 100만 원 이상 고가의 유모차 3대를 체험단으로 제공받았습니다. 더 받을 수 있었으나 제가 원한 만큼만 진행한 결과입니다. 3가지 제품의 장점이 각각 달랐기에 제가 직접 아이를 태우고 다니며 비교하면서 원하는 것을 고를 수 있는 선택의 자유, 직접적인 지출이 들어가지 않아서 발생하는 여유를 가졌습니다. 비단 유모차뿐만 아니라 많은 육아 용품과 제품들도 마찬가지입니다. 올해 이사를 하면서 새로 필요했던 서랍장과 침대, 식탁, 매트리스, 인덕션 등의 고가 가전·가구들도 제공받을 수 있었습니다. 저는 인정받는 블로그 글쓰기를 통해서 꼭 필요한 수익(물품, 원고료)을 얻고 시간과 경제적으로 한층 더 여유롭고 당당한 엄마가 되었습니다.

워킹맘, 워킹대디를 위한 TIP

– 회사를 다니면서 부수익으로 블로그를 운영하고 싶다면 사내규정 내 겸직 조항을 반드시 확인해야 합니다. 최근 N잡이 유행하면서 어느 정도의 제한 외

에는 SNS 운영을 허용하는 분위기이지만, 여전히 물건조차 받지 못하게 하는 곳들이 있습니다.

– 육아휴직 중이라면 염두에 두어야 할 현실적인 수익 상한선

육아휴직 중이라면 고용보험법 시행규칙 제116조(육아휴직등 급여의 신청)에 의해서 취업을 한 경우에는 그 취업한 기간에 대해서는 육아휴직 급여를 지급하지 않는다는 조항에 주목해야 합니다. 해당 조건은 1주 동안의 소정근로시간이 15시간 이상이거나, 자영업을 통한 소득 또는 근로를 제공하여 그 대가로 받은 금품이 제95조 제1항 제1호 단서에 따른 월 상한액(150만 원) 이상인 경우라고 명시돼 있습니다. 임대소득 등과 함께 기타 수익을 포함한 금액으로 애드포스트나 협찬으로 인한 금액이 초과돼서 부당환수를 당하지 않도록 주의해야 합니다.

02 기초 편 : 협업을 고려할 때 시작하는 방법 & 업체와 일거리 고르는 법

본격적인 개인 블로그 수익화의 첫걸음이나 체험단 일명 협찬을 받기로 시작했다면 알아 둬야 할 점이 몇 가지 있습니다.

체험단(브랜드 협업)은 어떻게 시작하면 될까?

체험단 사이트로 신청하기

잘 만들어진 체험단 사이트를 통해 신청할 수 있습니다. 경쟁자가 얼마나 되는지, 제품가나 기본 가이드에 대한 설명이 명시돼 있으므로 초보자가 접근하기 가장 좋습니다. 신청 시 주의사항 등을 통해서 2차 활용 동의나 기간 등을 꼼꼼하게 살펴보고 내가 할 수 있는 것들을 신청하면서 글쓰기 실력을 쌓아 갈 수 있습니다. 단, 너무 많은 사람을 한꺼번에 뽑는 경우 다른 블로거들과 유사한 내용을 단기간 내에 발행하게 되므로 추천하지 않습니다. 체험단에 따라서 키워드나 가이드를 과하게 요구하는 경우가 있으므로 좋은 조건을 구분하는 눈을 기르는 게 필요합니다. 공개모집인 만큼 알짜 체험단이 적은 게 단점입니다.

직접 의뢰 들어온 제안 확인하기

쪽지나 블로그 댓글, 메일 등을 통해서 나에게 직접 온 제안을 확인해서 진행하는 방법도 있습니다. 쪽지로 오는 경우는 대량 발송을 하는 경우가 대다수입니다. 원고료가 포함된 대부분의 좋은 조건은 메일 등을 통해서 1:1 섭외로 옵니다. 내 블로그를 직접 보고 섭외하는 게 대다수이기 때문입니다. 이 경우 제품이 마음에 들지만 진행 조건이나 일정이 마음에 차지 않는다면 원하는 조건을 제시해 보세요. 받아주는 경우가 종종 있습니다.

업체에 직접 제안하기

업체에 역제안을 하는 방법도 있습니다. 밑져야 본전입니다. 마음에 드는 곳이 있다면 내가 해당 업체의 광고를 진행함으로써 얻게 되는 상호간의 이익에 대해 이야기해 봅니다. 홈페이지에서 마케팅 팀이나 공식 메일 주소를 통해서 제안서를 넣어 보세요. 사진을 찍는 것과 글솜씨에 자신 있다면 마음껏 뽐내 보세요. 내(아이)가 사용하기에 알맞은 모델이라고 생각했다면 실사용 리뷰를 강조한 콘텐츠를 만들 수 있다고 어필해 보세요. 다자녀라면 여러 명의 모델을 내세울 수 있다는 것도 하나의 장점입니다.

지속적으로 블로그 글쓰기를 하다 보면 쪽지나 메일로 자연스럽게 다양한 업체에서 협업 제안을 받게 됩니다. 꼼꼼하게 확인해야 할 점을 알아 둔다면 제안을 주고받는 시간을 줄이고, 흔한 실수를 줄이면서 조금 더 효율을 높일 수 있습니다.

광고(협업) 제안이 왔을 때 확인해야 할 것

업체의 소속과 담당자 확인하기

체계가 잡혀 있는 회사라면 메일이나 쪽지를 발송했을 때 명함이나 소속을 명확하게 밝히기 마련입니다. 밝히지 않고 오는 경우는 대부분 불법적인 키워드나 원고를 복사해서 붙여 넣는 형태의 위험한 의뢰를 할 가능성이 높습니다. 연락처 없이 카카오톡 아이디로 연락을 주라고 하면서 차후에는 일명 '먹튀'를 하는 경우도 있으니, 가능하면 메일을 주고받거나 명확한 연락처를 통해서 협업 내용에 대한 증거를 남기는 것이 필요합니다.

업체에서 요구하는 검색 키워드와 기본 가이드 확인하기

비대면으로 일을 주고받는 만큼 일에 대한 이해도에서 오해가 생기는 경우가 많습니다. 특히 일정과 진행하고자 하는 제품의 성격, 검색했을 때 광고주가 눈에 띄기를 원하는 키워드, 2차 활용 여부에 대해 기본적으로 확인해야 승낙 이후에 발생하는 분쟁을 줄일 수 있습니다. 따라서 진행 승낙을 하기 전에 반드시 업체에서 요구하는 검색 키워드와 기본 가이드를 확인하고 진행하는 습관을 들여야 합니다.

배송 체험단의 경우 물품을 받고 나서 가이드를 확인했는데 사전에 협의되지 않은 내용이나 일정을 요구하는 경우도 종종 생깁니다. 진행 가이드에 대한 안내가 늦어지는 경우라면 기본 협의 내용과 다를 시 반환이나 조율이 어려울 수 있다고 미리 이야기해 두면 차후 원활하게 대화를 이끌어 나가는 데 도움이 됩니다.

적법성 여부 확인하기

금융 상품이나 의약품(연고와 약품)이나 의료기기처럼 사전 심의가 필요한 물품들도 있습니다. 병원 홍보를 위한 의료 시술의 경우 일반인 체험단은 불법적인 영역입니다. 비의료인의 시술 행위가 들어가는 눈썹 문신도 흔하게 모집하는 체험단이지만, 알고 보면 불법인 경우가 많습니다. '해도 괜찮은 걸까?' 궁금증이 생길 때는 관련 기관에 물어보는 것이 가장 정확합니다. 부서를 모른다면 국민신문고(www.epeople.go.kr/index.jsp)를 통해서 확인하는 방법도 있습니다.(예 : 의약품 관련 문의 부서는 식품의약품안전처)

간혹 페이백 진행 형태로 내돈내산으로 진행했으니 추천, 보증에 의한 게시글이라는 문구를 삭제해 달라고 하는 곳이 있는데 어떠한 경우에도 이 경우는 불법입니다. 일부러 상품을 먼저 보내 놓고 나서 나중에 넣지 말라고 요구하는 경우도 있습니다. 공정위 문구 삭제나 내돈내산으로 홍보해 달라고 요구할 경우에는 공정거래위원회를 통해서 신고·접수가 가능합니다. 물품과 원고료를 동시에 받았는데 물품만 받았다고 적어 달라는 등 제공 내역을 축소하는 경우도 마찬가지입니다.

2차 활용 요구(저작권, 초상권) 확인하기

사진이 광고주의 니즈에 맞는 경우 처음 협의 내용에는 없었으나 2차 활용을 위해서 원본을 요구받는 경우도 생깁니다. 이럴 때 내가 생각하는 내 콘텐츠 가치에 따라서 원본의 무료·유료 제공 여부를 자율적으로 결정할 수 있습니다. 사전에 조율된 게 아니라면 달라고 한다고 무작정 줘야 하는 것은 아니니 잘 따져 보세요. 특히 아이나 내 얼굴 사진이 들어간 경우 초상권과 저작권은 다르게 봐야 합니다.

원본이나 콘텐츠 활용 제공에 동의한다면 사용하는 범위(채널이나 사이트), 활용 기간에 대해서 꼼꼼하게 이야기해 보세요. 특히 업체에서 네이버 카페나 업체 블로그, 타 블로그에 게시했을 때 내 블로그와 같은 이미지를 사용하게 되면서 유사문서로 문제가 될 수 있습니다.

참고하면 좋은 사이트

한국저작권위원회 사이트 내 국내외 법령 및 국제조약(www.copyright.or.kr/information-materials/new-law-precedent/list.do)

 단발성을 넘어 꾸준한 수익(지속성) 만들기

좋은 인상 남기기

타인과 같은 조건이라면 (꾸준히) 나를 (다시) 찾게 만드는 방법은 기분 좋게 마무리를 잘하는 것입니다. 일정을 잘 지키고, 가이드를 통해 광고주가 만족할 만한 결과물을 순조롭게 만들었다면? 최선을 다한 콘텐츠와 결과물을 기억한다면? 다음 번에 비슷한 협업 건이 생겼을 때 새로운 블로거를 찾는 것보다 신뢰가 쌓인 나에게 먼저 연락을 줄 것입니다. 얼굴을 직접 보지 않고 메일만 주고받았더라도 모니터 건너편에는 사람이 있다는 걸 꼭 명심하세요.

업체들이 (꾸준히) 나를 찾게 하는 방법

브랜드 협업을 통해 안정적으로 수익을 내고 싶다면 방문자만 올리는 것과는 또 다른 전략이 필요합니다. 네이버는 검색 기반이기 때문에 가장 기본은 키워드 '노출'입니다. 아기 선풍기를 홍보하고 싶은 업체들은 '신생아 선풍기'로 검색을 해서 나온 블로거들을 섭외하거나, 'N개월 아기' 같은 키워드를 검색해서 해당 광고를 맡기기 적합한 대상자를 물색합니다.

장난감이 필요하면 집에 있는 내돈내산 장난감에 대한 글을 작성해 보세요. 이때 내돈내산 콘텐츠여도 할 수 있는 만큼의 콘텐츠 퀄리티를 높이세요. 내 블로그를 평가하는 기준 중 하나가 됩니다.

일반적으로 방문자가 높은 블로그를 통해서 광고를 맡기는 업체가 기대하는 것은 해당 블로그에 콘텐츠를 생산했을 때 최대한 많은 사람이 보길 원하는 요구가 반영된 것이라고 볼 수 있습니다. 협업이 마무리가 됐다면 내 글이 어디에서 어떻게 보이는지 어필하는 것도 좋은 방법입니다. 저는 콘텐츠 업로드를 마치면 일정 시간 뒤 모니터링을 통해서 어떤 단어로 검색했을 때 검색 결과(통합검색 스마트블럭, 키워드 챌린지, 뷰 영역 등)에서 보이는지 매번 결과물을 보여 줍니다. 오늘의 Top이나 메인, 추천 구독 등에 올라갔을 때도 마찬가지입니다. 처음에 요청한 내용이 아니더라도 제가 센스 있게 넣은 제목 키워드를 통해 조금 더 많은 사람에게 보인다는 결과물을 내놓으면 대부분의 업체는 고맙다는 인사를 전하고 또 연락이 오곤 합니다. 활발

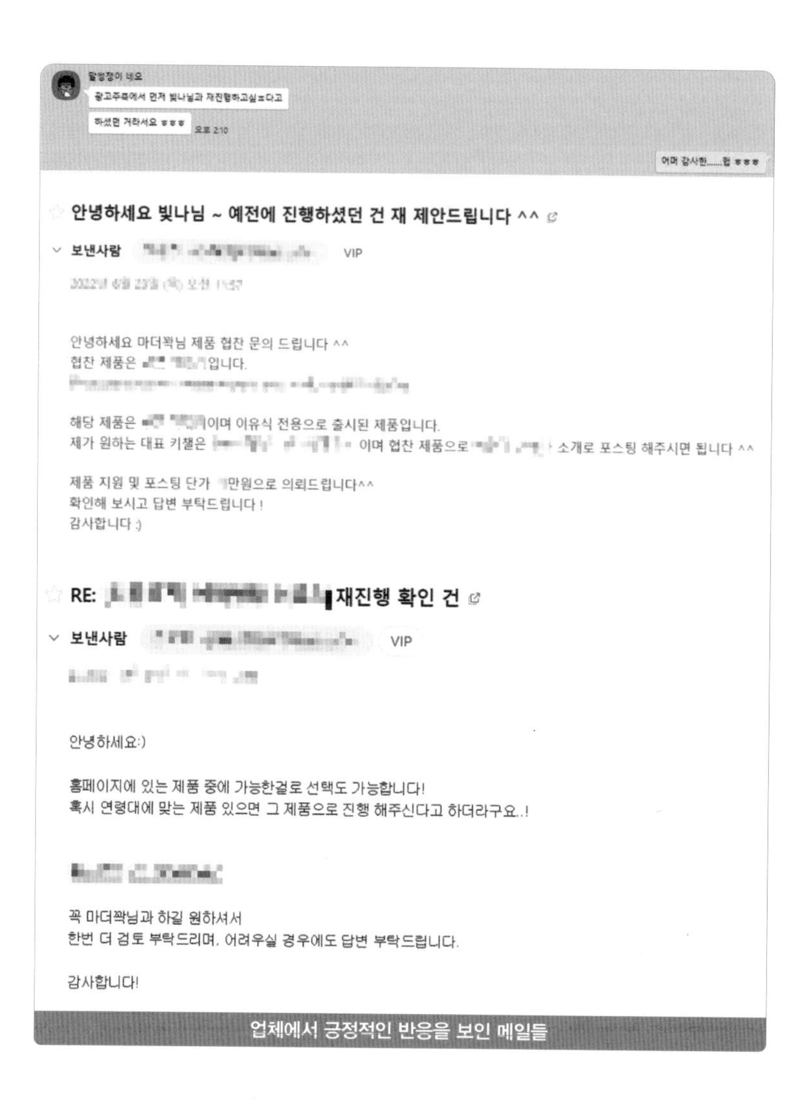

업체에서 긍정적인 반응을 보인 메일들

한 공감·댓글을 좋아하는 경우도 있으니 내가 뽐낼 수 있는 결과물은 최대한 자랑해 보세요.

인맥 만들기

동종 분야의 블로거들과 함께하는 커뮤니티에 참여해 보는 것도 도움이 됩니다. 내가 일정이나 여건이 맞지 않아서 당장 하지 못하는 일들은 서로 추천해 주면서 상호간에 수익 증진을 위해 도움을 받을 수 있습니다. 내가 겪어 보지 않은 업체들에 대한 정보 교류도 가능합니다.

업체와 블로거는 갑과 을의 관계보다는 협력하는 사이이다

블로거는 프리랜서와 같습니다. 부당한 제안과 요구가 있을 경우 받아들일지 진행할지 선택하는 것은 스스로의 몫입니다. 무조건 받아들여야 한다는 생각은 버리세요. 일정이나 요구 조건이 과하거나 맞지 않다면 제안을 통해서 조율한 후에 기분 좋게 진행할 수 있습니다.

TIP 최근 인스타그램 DM을 통해서 고가의 체험단을 제공해 주면서 카카오톡 아이디와 비밀번호를 요구하는 피싱 사례가 늘어나고 있습니다. 적게는 10만 원에서 30만 원 이상의 물품이나 원고료를 제공해 주면서 인증을 위해 개인정보를 알려 달라는 식입니다. 일반인 대상이 아닌, 체험단을 진행하는 특정인을 대상으로 공략하기에 '혹'하게 되지만, 카카오톡 해킹을 위한 사기이므로 해당 인스타그램 DM이나 메일, 모르는 번호로 오는 문자는 주의가 필요합니다.

07

흔하지만 주의해야 할 6가지 _불법은 불법일 뿐, 꼼수나 편법이 아니다

블로그를 운영하다 보면 법 조항이나 네이버 규정에 부딪치는 일들이 종종 생깁니다. 처음 겪는 분야라서 잘 모르거나 업체들의 사탕발림에 나도 모르게 불법행위를 하게 되는 경우가 있으니 주의가 필요합니다. 블린이들이 모르고 할 수 있는 실수 6가지를 알려 드리겠습니다.

 저작권

네이버에서는 공식 오피셜부터 저작권에 대한 이야기를 여러 번

다루고 있습니다. 저작권 침해와 관련된 신고센터도 운영 중입니다. 글쓰기를 하다 보면 사진이 모자라서, 넣고 싶은 노래라서 등의 이유로 나도 모르게 타인의 저작권을 침해하는 일이 생깁니다. 방송 연예 분야라면 연예인의 사진을, 음악이라면 노래를 녹음해서 올리거나 하는 것만 해당되는 게 아닙니다. 물품을 설명하기 위해 업체 쇼핑몰의 사진을 가져오는 경우나 본받고 싶은 타 블로그의 게시 내용을 허락 없이 발췌하는 것 등도 해당됩니다. 네이버 약관에서는 타인의 권리를 존중한다는 내용을 강조하고 있습니다.

네이버 이용약관 중 '타인의 권리'에 관한 내용

타인의 권리를 존중해 주세요.

여러분이 무심코 게재한 게시물로 인해 타인의 저작권이 침해되거나 명예훼손 등 권리 침해가 발생할 수 있습니다. 네이버는 이에 대한 문제 해결을 위해 '정보통신망 이용촉진 및 정보보호 등에 관한 법률'및 '저작권법' 등을 근거로 권리침해 주장자의 요청에 따른 게시물 게시중단, 원 게시자의 이의신청에 따른 해당 게시물 게시 재개 등을 내용으로 하는 게시중단요청서비스를 운영하고 있습니다. 보다 상세한 내용 및 절차는 고객센터 내 게시중단요청서비스 소개를 참고해 주세요.

한편, 네이버 서비스를 통해 타인의 콘텐츠를 이용한다고 하여 여러분이 해당 콘텐츠에 대한 지식재산권을 보유하게 되는 것은 아닙니다. 여러분이 해당 콘텐츠를 자유롭게 이용하기 위해서는 그 이용이 저작권법 등 관련 법률에 따라 허용되는 범위 내에 있거나, 해당 콘텐츠의 지적재산권자로부터 별도의 이용 허락을 받아야 하므로 각별한 주의가 필요합니다.

네이버는 여러분이 네이버 서비스를 마음껏 이용할 수 있도록 여러분께 네이버 서비스에 수반되는 관련 소프트웨어 사용에 관한 이용 권한을 부여합니다. 이 경우 여러분의 자유로운 이용은 네이버가 제시하는 이용 조건에 부합하는 범위 내에서만 허용되고, 이러한 권한은 양도가 불가능하며, 비독점적 조건 및 법적고지가 적용된다는 점을 유의해 주세요.

기본 이용약관과 더불어 네이버 인플루언서 약관에도 브랜드 커넥트 콘텐츠 제작, 키워드 챌린지 참여 시 인플루언서가 하면 안 되는 행위 중에서 권리 침해에 대한 내용을 언급하고 있습니다.

네이버 이용약관 중 '권리 침해'에 관한 내용 1

2. 브랜드 커넥트 서비스 이용 제한

1) 브랜드 커넥트 서비스 제휴 콘텐츠의 신뢰성 및 안전성을 지켜 주세요. 다음과 같은 게시물을 제휴 콘텐츠로 작성, 게재하는 경우에는 이용 제한 대상이 될 수 있습니다.

– 상품 등에 대한 명백한 허위, 과장 광고 게시물

– 타인의 지식재산권, 초상권 등 권리를 침해하는 게시물

네이버 이용약관 중 '권리 침해'에 관한 내용 2

2. 키워드 챌린지 이용 안내

1) 키워드 챌린지 참여 안내

– 키워드 챌린지는 인플루언서가 참여하고자 하는 키워드를 선택하여, 인플루언서 홈에 연동한 채널의 인플루언서 본인이 직접 제작한 콘텐츠로 참여하실 수 있습니다.

– 키워드 챌린지는 자신이 직접 제작한 창작물이 아닌 타인의 콘텐츠를 도용, 복제, 저작권 침해를 한 콘텐츠로 참여할 수 없습니다. 이와 관련한 법적 책임은 인플루언서 본인에게 있으며, 네이버 서비스 이용 제한을 받을 수 있습니다.

타인의 것을 무단으로 도용하는 것은 권리를 침해하는 불법적인 행위입니다. 나도 모르게 누군가의 것을 가져다가 사용하고 있었다면 중단하세요. 홍보가 된다면서 무단 사용하는 것을 방치하는 경우도 있지만, 엄한 곳은 법무법인을 통해서 저작권 침해에 대해 합의·고소를 주기적으로 하는 곳도 있습니다. 활용하고 싶은 경우가 생긴다면 해당 저작권을 가지고 있는 대상자에게 허락을 구하세요.

TIP 내 블로그 저작권을 보호하기 위한 CCL 설정은 퍼가기 금지가 아니라 일정 조건을 준수했을 때 다른 사람이 복제, 배포, 전송, 전시, 공연 및 방송하는 것을 허락한다는 의미입니다. 내 소중한 콘텐츠를 말없이 가져가는 것을 막고 싶다면 CCL 설정은 '사용안함'으로 지정해야 합니다.

콘텐츠 공유 설정

CCL 설정 ○ 사용 ◉ 사용안함
- 원저작자를 표시합니다.
- 저작물을 영리 목적으로 이용 ○ 허락 ○ 허락하지 않음
- 저작물의 변경 또는 2차 저작 ○ 허락 ○ 허락하지 않음 ○ 동일한 조건을 적용하는 경우 허락

내가 생성한 저작물에 대해 위의 조건을 준수하는 경우에 한해 다른 사람이 복제, 배포, 전송, 전시, 공연 및 방송하는 것을 허락 합니다.
선택하신 이용허락 관계의 해석 및 규율은 대한민국의 저작권법을 따릅니다.
CCL 사용이란? 영리목적의 이용이란? 저작물의 변경, 2차 저작이란?

자동출처 사용 설정 ◉ 사용 ○ 사용안함
사용 설정 시 내 본문 글을 복사하여 붙여 넣은 글이 11자(21byte)이상일 경우 내 글의 출처 정보가 자동으로 남습니다.
단, 복사하는 사람이 고의적으로 출처를 삭제할 수 있습니다.

마우스 오른쪽 버튼 금지 설정 ○ 사용 ◉ 사용안함
사용 설정 시 마우스 우클릭을 통한 본문 글 복사하기를 방지할 수 있습니다.

콘텐츠 공유(CCL) 설정 화면

게시중단 요청 서비스 화면

무단 복사를 막기 위해 마우스 오른쪽 버튼 금지 설정을 해 놨더라도 이미지를 가져가는 경우가 생깁니다. 이를 방지하기 위해 블로그에 올리는 콘텐츠는 워터마크나 서명을 해서 내 것임을 확실하게 해 두는 게 도움이 됩니다. 내 것을 누군가 도용했다면 '네이버 게시중단 요청 서비스'를 통해서 게시중단을 요청할 수 있습니다.

02 허위, 과대광고

종종 제품에 대한 리뷰를 하다 보면 나도 모르게 해당 제품이 좋다는 내용을 강조하기 위해서 과대광고를 하는 일이 발생하게 됩니다. 가장 흔한 게 질병이나 증상에 대한 개선 인증이 없는 의약외품이나 일반 화장품에 대해서 '○○가 좋아졌어요.'라는 식의 내용을 쓰게 되는 경우입니다. 이는 식품의약품안전처 등을 통해서 주기적인 단속이 이루어지고 있으며 위반사항인 경우 해당 글은 게시중단 조치가 됩니다. 반복될 경우 블로그 품질을 떨어뜨리는 원인이 되니 주의해야 합니다.

간혹 업체에서 광고를 위한 방법으로 시원한 수딩젤인데 아기 태열에 좋다, 화상에 좋다는 등의 내용이나 키워드를 사용하라고 하는 경우도 문제가 될 수 있습니다. 마찬가지로 비염이나 변비 개선 등의 인증을 받지 않은 일반 건강기능 식품인데도 불구하고 비염이 좋아졌다, 변비가 개선됐다는 등의 뉘앙스를 풍기는 것만으로도 문제가 될 수 있으니 주의해야 합니다.

네이버 이용약관 중 '관련 법령 준수'에 관한 내용

관련 법령상 금지되거나 형사처벌의 대상이 되는 행위를 수행하거나 이를 교사 또는 방조하는 등의 범죄 관련 직접적인 위험이 확인된 게시물, 관련 법령에서 홍보, 광고, 판매 등을 금지하고 있는 물건 또는 서비스를 홍보, 광고, 판매하는 내용의 게시물, 타인의 지식재산권 등을 침해하거나 모욕, 사생활 침해 또는 명예훼손 등 타인의 권리를 침해하는 내용이 확인된 게시물은 제한될 수 있습니다.

TIP 육아 분야에서 종종 있는 일로 영어유치원은 허가받은 '유치원'이 아닌 '학원'입니다. 이를 영어유치원으로 홍보하는 것은 유아교육법 '이 법에 따른 유치원이 아니면 유치원 또는 이와 유사한 명칭을 사용하지 못한다.'(제28조의2)에 의거하여 불법입니다. 내가 쓰는 주제 단어가 정확히 어떤 것인지 알고 명칭을 사용해야 합니다.

03 일상글인 줄 알았는데 알고 보면 법률 위반

흔히 ○○병원에 다녀왔어요, ○○원장님 좋아요라고 말하면서 일상글을 올리는 경우가 있습니다. 겉보기에는 단순 일기처럼 문제가 없어 보이지만, 내용에 따라서 병원광고로 오인받을 수 있는 경우에는 보건소에서 네이버에 게시중단을 요구하기도 합니다. 그 밖에도 내가 좋아서 의료기기를 내돈내산 한 이후에 추천·광고로 오해받을 수 있는 판매 링크를 넣었다거나, 온라인에서는 구매할 수 없는 (동물)의약품을 해외직구한 경험담이나 추천인 등 불법인 줄 모르고 나도 모르게 행했던 행위들이 신고를 받아서 문제가 되기도 합니다.

추천·보증 등에 관한 표시·광고 심사지침 위반행위

리뷰 협찬을 진행하다 보면 선구매 후 페이백 형식으로 내돈내산 형식의 리뷰를 요구한다거나, 심의 없이는 진행할 수 없는 의료기기에 대해서 공정위 문구를 삭제하고 올려 달라고 하는 경우가 종종 있습니다. 아기 분유의 경우 조제유는 광고가 불가하고 조제식은 가능하다 보니 아이의 개월수에 맞춰서 조제유를 보내고 난 뒤 내돈내산을 요구하는 업체도 있습니다.

그 밖에도 협찬처럼 보이고 싶지 않아서라는 이유를 대기도 하는데 어떤 경우라도 대가를 받았다면 명확하게 표기를 해야 합니다. 원고료와 제품 여부도 마찬가지입니다. 제품과 원고료를 동시에 받았는데 제품만 받았다고 하는 경우라든가 '서포터즈를 진행했습니다.' 등 일부를 빼거나 모호한 표현은 주의해야 합니다. 네이버에서는 본문 내 대가성 표기가 미흡할 경우 통합검색에서 노출이 제한될 수 있으니 주의해 달라고 말합니다.

05 복사, 붙여넣기만 하면 돈을 준다고?

네이버에서 지속적으로 단속하고 있는 비체험 원고(일명 기자단)는 블로그를 한순간에 나락으로 떨어지게 만듭니다. 업체에서는 새 사진, 새 원고라는 말로 현혹하면서 몇 초 만에 돈을 벌 수 있다고 하지만, 이러한 행위를 하다가 일명 저품질(스팸 패널티)에 걸린 경우가 정말 많습니다. 블로그 판매나 카테고리 임대 등 불법적인 계정 매매를 통한 경우도 마찬가지입니다. 네이버에서는 오래전부터 비체험 원고 문서를 어뷰징 행위로 간주하고, 검색에서 아예 노출이 제외될 수 있다고 말합니다.

06 네이버에서 금지하는 행위

네이버는 이용자(사람)가 실제 이용을 전제로 하는 네이버 서비스의 제공 취지에 맞지 않는 자동화된 수단에 대해 금지하고 있습니다. 대표적인 예가 방문자 프로그램(방프)으로 업체들이 초보 블로거들에게 방문자가 올라가면 협찬이 많이 들어온다면서 그 프로그램을 사용하도록 영업하기도 합니다. 방문자 수를 쉽게 올리기 위해서 하는 행위이지만, 네이버에서 금지하는 프로그램 사용이므로 해당 블로그의 방문자를 보고 섭외하는 경우 사기죄에 해당할 수 있습니다. 실제로 당했던 업체의 역고소와 함께 제품 반환·배상을 하는 경우도 늘어나고 있다고 하니 어뷰징 행위는 하지 말고 내 것이 되는 글쓰기와 콘텐츠 만드는 실력을 쌓도록 하세요.

네이버 이용약관 중 '자동화 수단 금지'에 관한 내용

네이버의 사전 허락 없이 자동화된 수단(예 : 매크로 프로그램, 로봇(봇), 스파이더, 스크래퍼 등)을 이용하여 네이버 서비스 회원으로 가입을 시도 또는 가입하거나, 네이버 서비스에 로그인을 시도 또는 로그인하거나, 네이버 서비스 상에 게시물을 게재하거나, 네이버 서비스를 통해 커뮤니케이션하거나(예 : 전자메일, 쪽지 등), 네이버 서비스에 게재된 회원의 아이디(ID), 게시물 등을 수집하거나, 네이버 검색 서비스에서 특정 질의어로 검색하거나 혹은 그 검색 결과에서 특정 검색 결과를 선택(이른바 '클릭')하는 등 이용자(사람)의 실제 이용을 전제로 하는 네이버 서비스의 제공 취지에 부합하지 않는 방식으로 네이버 서비스를 이용하거나 이와 같은 네이버 서비스에 대한 어뷰징(남용) 행위를 막기 위한 네이버의 기술적 조치를 무력화하려는 일체의 행위(예 : IP를 지속적으로 바꿔 가며 접속하는 행위, Captcha를 외부 솔루션 등을 통해 우회하거나 무력화하는 행위 등)를 시도해서는 안 됩니다.

08

더 높은 수익 향상을 위한 필수 도전 코스, 네이버 인플루언서

'네이버 인플루언서'의 정의

인플루언서(influencer)

SNS에서 수만 명에서 수십만 명에 달하는 많은 팔로워(follower : 구독자)를 통해 대중에게 영향력을 미치는 이들을 지칭하는 말이다.

– 네이버 어학사전

네이버에서 말하는 '네이버 인플루언서'는 사람들이 많이 찾는 다양한 채널에서 20개의 전문 주제로 활동하는 검증된 창작자들입니다.

네이버에서 말하는 '네이버 인플루언서'

 네이버 인플루언서가 되면 유리한 점, 좋은 점

현재 네이버 통합검색에서는 스마트블럭과 뷰 등의 다양한 영역이 존재합니다. 이 중에서 키워드에 따라서 한 블럭을 차지하고 있는 게 '키워드 챌린지'입니다. 일반 블로거와 인플루언서들이 함께 경쟁하는 스마트블럭 영역과 다르게 키워드 챌린지는 선정된 창작자들끼리의 노출 경쟁입니다.

키챌로 등록되지 않아서 통합검색에 바로 보이지 않는 키워드의 경우도 '인플루언서' 탭을 통해서 네이버 인플루언서들이 작성한 글들을 우선적으로 볼 수 있는 공간이 있습니다. 네이버 인플루언서는 뷰탭과 스마트블럭, 키워드 챌린지까지 동시에 키워드 노출을 통해

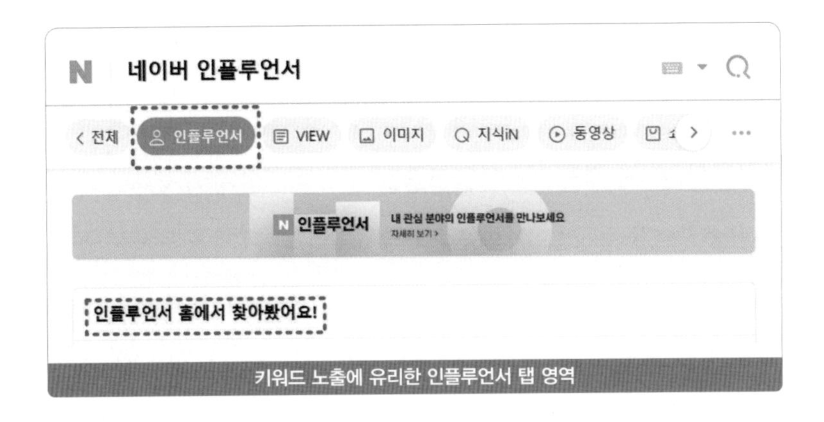

키워드 노출에 유리한 인플루언서 탭 영역

서 나를 광고할 수 있는 다양한 간판을 갖는 기회를 갖게 됩니다. 때문에 다양한 브랜드가 네이버를 통해서 광고를 희망하는 경우 인플루언서를 우선적으로 찾는 경우가 빈번합니다.

수천 명부터 수십만 명까지 영향력이 있다고 생각하는 인스타그래머나 유튜버들과 견줄 자신이 없다면 네이버 인플루언서는 누군가에게 영향력을 행사하는 첫걸음을 뗄 수 있는 길입니다. 전문 주제와 걸맞은 꾸준한 활동이 있다면 국내 최대 검색엔진 내에서 주제 전문 창작자로 번듯한 명함과 전용 공간(인플루언서 홈)을 받을 수 있습니다. 네이버는 꾸준한 성장을 원하는 인플루언서들을 위해 전용 교육인 스퀘어 프로그램과 전용 온라인 네임카드, 전용 크리에이터 워크숍 등의 혜택까지 창작자를 위한 다양한 지원을 하고 있습니다. '진짜' 인플루언서가 될 수 있는 기회를 놓치지 마세요.

인플루언서 선정에 대한 '카더라'와 팁

인플루언서가 되면 수익이 급상승?

블로그에 올라오는 많은 수익 인증과 다양한 매체를 통해서 홍보하는 강의들 때문일까요? 많은 사람이 '네이버 인플루언서'라는 명함을 얻는 순간 수익이 급상승한다고 오해를 합니다. 저 역시 육아 인플루언서로 선정된 이후로 수익이 급상승한 경우이긴 하지만, 그것은 인플루언서로 선정되었기 때문이라기보다 잘못된 키워드 공략과 글쓰기를 바로 잡고 난 뒤 생긴 것입니다.

인플루언서 선정은 수익화로 뻗어나갈 수 있는 다양한 방법과 과정 중 하나이지 최종 종착역이 아닙니다. 타이틀만 보고 열심히 달리다가 허무하게 블태기가 오는 경우를 많이 봤습니다. 저는 그것을 인플루언서 선정 증후군이라고 부릅니다. 인플루언서 선정은 끝이 아닙니다. 일반 블로거일 때부터 수익화에 대한 개념을 가지고 있어야 꾸준히 나아갈 수 있습니다.

인플루언서 선정 이후 수익이 급상승한 사례

일정 조건을 충족하면 달 수 있는 프리미엄 광고를 달고 난 뒤 수익이 큰 폭으로 상승했습니다. 평소에 기본 방문자와 콘텐츠가 받침이 돼야 가능한 수치입니다.

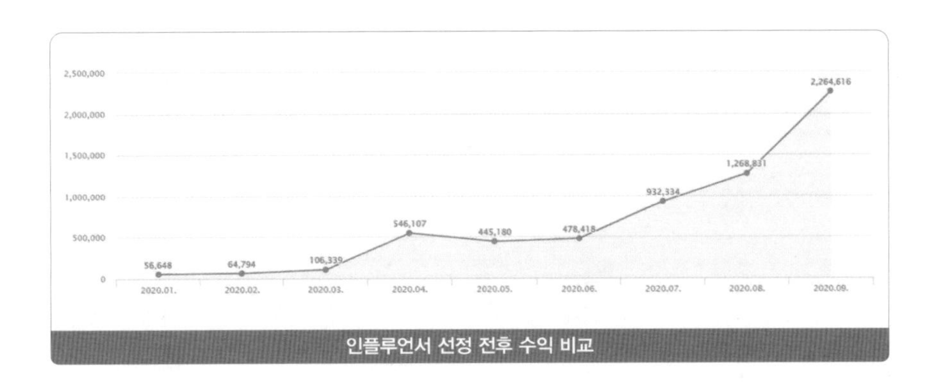

인플루언서 선정 전후 수익 비교

최적화 블로그만 가능하다?

“최적화 블로그가 아닌데 인플 선정이 가능할까요?”라고 묻는 경우가 종종 있는데 인플루언서 선정은 최적화·준최적화와는 관계가 없습니다.

홈페이지형 블로그가 선정에 유리할까?

인플루언서 선정을 위해서는 주제 전문성, 분야 집중도가 높아 보이는 것도 중요합니다. 콘텐츠도 중요하지만 간판이 되는 블로그의 화면도 그렇습니다. 갈수록 상향 평준화가 되는 만큼, 첫인상이 되는 프롤로그와 메인 화면은 주제와 관련 있는 이미지로 꾸며 보세요. 미리캔버스 등 무료 사이트를 이용해서 직접 만들 수도 있고, 시간을 아낀다면 디자인 전문가에게 맡기는 방법도 있습니다.

어떤 분야가 유리할까?

2023년 1월부터 9월까지 인플루언서는 846명이 증가했습니다.(인플루언서 홈 개설 기준)

1. IT : 11
2. 게임 : 8
3. 경제 · 비즈니스 : 29
4. 공연 전시 예술 : 12
5. 대중음악 : 4
6. 도서 : 18
7. 동물 · 펫 : 32
8. 리빙 : 14
9. 방송 연예 : 6
10. 뷰티 : 70
11. 생활건강 : 7
12. 어학 · 교육 : 9
13. 여행 : 270
14. 영화 : 12
15. 운동 레저 : 19
16. 육아 : 136
17. 패션 : 93
18. 푸드 : 86
19. 프로스포츠 : 8
20. 자동차 : 2

선정 숫자가 높아 보이는 분야로는 여행(270), 육아(136), 패션(93), 푸드(86), 뷰티(70)를 들 수 있습니다. 이 분야들은 과연 경쟁률이 낮은 걸까요? 취미나 일상생활에서 꾸준히 하는 사람이 많은 만큼 주제 집중도가 높고 도전하는 사람도 많을 것입니다.

여행을 다니며 사진과 글로 기록을 남기고 그것이 때로는 누군가에게 정보를 주는 여행 분야, 아이를 키우기 시작하면서 기록을 시작했다면 아이에 대한 글 비중이 높을 수밖에 없는 육아 분야, 꾸미는 것에 관심이 있다면 내 착장을 뽐내고 꾸미는 방법에 대해서 알려 주는 패션과 뷰티 분야, 요리를 하면서 먹고 나만의 레시피와 결과물을 뽐내는 푸드 분야 모두 생활과 밀착됐다는 공통점을 가지고 있습니다.

관심이 있을 경우 꾸준히 콘텐츠를 쌓기 좋다는 것을 생각하면 '평소 나만의 경험과 팁, 기록을 꾸준히 콘텐츠로 생산하는 것'이 인플루언서 선정에 유리하다는 것을 알 수 있습니다. 전문가로서 빛을 발할 수 있는 주제를 찾아서 지속적으로 콘텐츠를 쌓고 도전해 보세요.

09

결국엔 갖춰야 할 퍼스널 브랜딩

브랜딩(Personal Branding) : 브랜드 (이미지) 부여 작업

퍼스널 브랜딩(Personal Branding)

자신을 브랜드화하여 특정 분야에 대해서 먼저 자신을 떠올릴 수 있도록 만드는 과정. 특정 분야에서 차별화되는 나만의 가치를 높여서 인정받게끔 하는 과정

일반 기업이나 물품을 파는 사업자를 포함해서 이제는 1인 크리에이터나 1인 기업, 창업가, 강사, (마이크로) 인플루언서 등의 직업을 가진 개인이 많아지면서 퍼스널 브랜딩을 필수 요소로 꼽고 있습니다.

개인을 하나의 브랜드 가치로 인식하기 시작한 것입니다. 나를 직접적으로 드러내지 않는 블로그를 통해서도 하나의 브랜딩을 갖춘다면 더 오래, 더 높이 올라갈 수 있는 길이 만들어집니다.

거창하게 생각하지 마세요. 시작은 내가 가지고 있는 흥미, 주제, 잘할 수 있는 것, 행복하게 할 수 있는 것으로 꾸준하게 글쓰기를 하는 것이면 충분합니다. 저는 글을 쓰는 것을 좋아하고, 글을 쓰는 방식으로 누군가에게 정보를 나눠 주는 것을 좋아합니다. 아이를 키우면서 나눌 수 있는 정보를 쓰다 보니 육아 분야에 집중이 됐고, 지식을 나눠 주고 싶어서 공부하다 보니 자주 다루는 분야에 대해서 전문성이 생겼습니다.

전문성이 생기자 이웃과 구독자가 모이기 시작하면서 인정받기 시작했고, 엄마로서 아이를 키우면서도 제가 좋아하는 일로 행복하게 돈을 벌고 성장할 수 있다는 것을 깨달았습니다. 저만의 기준이 있었기에 분야와 전혀 맞지 않는 홍보글이나 육아 가치관에 맞지 않는 홍보글은 수십만 원을 준다고 해도 사양했습니다.

이후로는 소신 있게 글을 쓰면서 수익을 내고 성장하는 엄마 마더꽉이 하나의 이미지가 됐습니다. 가치관이 담기거나 소신 있는 발언을 하면서 공감을 얻고 저와 뜻이 맞는 사람들이 모이기 시작했습니다. 어떤 분은 제가 글을 쓰면서 받았던 수익들에 대한 인증글을 보면서 집에서 가정보육을 하면서도 저처럼 될 수 있다는 희망을 얻었다고 했습니다. 고민하는 엄마들을 보면서 꾸준히 글쓰기를 하는 엄마들에게 계속해서 나아갈 수 있도록 독려하기 시작하니 모이는 것 자체로 힘이 난다고 하는 분들도 생겼습니다.

네이버의 키워드 경쟁을 벗어나서 개인의 강점을 살리자고 이야기하면서 저만의 소신을 가지고 운영하다 보니 나아가서는 '엄마들의 엄마', '육아인플계의 대모', '마더 테레사' 같은 듣기만 해도 얼굴이 화끈해지는 별명이 생기기도 했습니다. 제 수익을 충족하고 할 수 있는 것을 나누는 과정에서 생긴 이미지로 마더꽉이라는 개인의 브랜딩이 만들어진 것입니다.

온라인상의 퍼스널 브랜딩은 누군가와 대면하지 않고 온라인에 글을 쓰면서 보이는 행동으로도 충분합니다. 자신의 전공이나 경력을 살리고 싶다면 해당 부분을 강조하는 글을 주기적으로 쓰면서 독자들을 모을 수 있습니다.

엄마들 중에서는 전직 유치원·어린이집 교사도 많은데, 영유아 시기의 궁금한 점이 많은 엄마 구독자들과 함께 아이를 키우면서 함께 성장하는 블로그를 만들어 나갈 수도 있습니다. 아이를 셋, 넷, 다섯 이상 키우는 다둥이맘의 노하우라면 아이를 키우면서 고민이 많은 엄마들이 주목할 것입니다.

얼리어답터로 생활한다면 내가 경험하는 물품에 대한 리뷰를 작성할 때 나만의 시선이 들어간 내용이 꾸준하다는 것만으로도 충분합니다. 사진으로 내가 좋아하는 감성을 표현하길 원한다면 예쁜 섬네일이나 특유의 분위기를 활용해서 블로그의 분위기를 통일하는 것도 방법 중 하나입니다.

블로그는 사람들의 얼굴을 보지 않고, 직접 말을 걸지 않아도 글쓰기와 사진, 동영상의 조화를 가지고 나를 표현할 수 있는 수단입니다. 삶의 변화를 꿈꾼다면 지금 당장 주제에 집중할 수 있는 네이버 인플루언서에 도전해 보는 것을 추천합니다. 당장 먼 미래를 그리지 않아도 괜찮습니다. 내가 좋아하는 주제로 꾸준히 글을 쓰고, 나만의 색을 가지는 것으로 충분합니다. 좋아하는 일로 수익화를 이뤄 낼 수 있다면 그것을 확장시킬지, 소소함으로 남겨 둘 것인지는 꾸준히 글쓰기를 하면서 나중에 선택해도 될 일입니다.

PART 3

알고리즘을 이기는 '좋은 글쓰기'

- IT/테크 블로그 | 세수하면이병헌

01 블로그를 통한 삶의 변화
– 뼛속까지 문과, 평범한 아빠, 1위 IT 블로거로

난 수포자였다. 유년 시절을 떠올리면 누나와 아버지에게 매일 꾸지람을 들으며 산수를 배웠던 기억이 떠오른다. 당장 구구단을 외운 것도 어렴풋한 기억이지만 친구들보다 한참 더 늦은 때였다. 중·고등학교 때도 다르지 않았다. 아무리 노력해도 수학 정복은커녕 입문조차 하지 못한 느낌이었고, 매 시험마다 수학 점수는 바닥을 치기 바빴다. 하지만 다행히도 신은 역시 공평했다. 엄청난 노력을 기울여도 늘

수포자가 될 수밖에 없던 나는 국어와 영어에는 조금 소질이 있었다.

영어 단어를 외우는 게 전 과목을 통틀어서 가장 재미있었고, 국어 시간이 꽤 흥미롭게 느껴지기도 했다. 그렇게 나는 뼛속까지 문과 기질을 타고 났다. 물론 그렇다고 글짓기 대회에서 수상을 하거나, 영어를 잘해서 프리토킹을 할 수 있거나 하는 수준은 아니었다. 그저 수학을 포기했던 것보다는 조금 더 잘하는 수준이었을 뿐 그저 그런 문과생에 불과했다. 실제로 내 나이 서른다섯이 되기 전까지는 제대로 된 글이라는 걸 써 본 일이 없었다. 회사에서 의무감에 작성해야 했던 보고서, 제안서가 있었지만 모두 선배로부터, 상사로부터 전해 받은 기존 양식에 핵심 내용만 바꾸는 수준이었다.

그때 알았다. 가만히 돌아보니 글을 읽고 해석하는 능력, 독해 능력만 부단히 키웠을 뿐이었다. 글을 작성하는 능력, 그런 경험 따위는 전혀 없었다는 걸 인생 서른다섯 해를 살고 나서야 깨달았다. 그렇게 난 35년 동안 글을 써 본 일이 없다. 포기할 수밖에 없던 수학보다는 그나마 조금 더 나은 국어, 영어의 소질을 가지고 있었던 그저 그런 문과생일 뿐이었다.

20대의 시작과 함께 대학교 입학, 군 입대, 전역, 복학, 졸업. 내 인생은 너무나도 평범했다. 그리고 그땐 전혀 몰랐던, 인생 최대의 황금기 20대 시절을 RPG 게임에 푹 빠지는 우를 범했다. 회사도 친구도 가족도 모두 뒷전이었다. 생각도 계획도 의지도 돈도, 아무것도 없었다. 매일 눈뜨면 바로 PC방으로 직행했고, 낮부터 새벽까지 그

야말로 미친 듯이 게임만 했다. 그렇게 폐인처럼 살기를 6년, 정말 다행히도 가족의 반강제적인 도움으로 서서히 그 지옥 같던 시간에서 탈출할 수 있었다. 지금도 그때를 회상하면 대체 왜 그랬을까, 너무나도 아쉽고 또 아쉬운 시간으로 느껴진다(물론 이따금씩 게임 속에서 영웅이었던 나를 그리워하기도 한다).

정신 차리고 보니 이미 내 나이 서른이었다. 이렇다 할 학력도, 경력도, 심지어 돈도 없었다. 그때 내가 할 수 있던 선택은 의지만 있다면 누구나 할 수 있는 그저 그런 회사에 들어가서 입에 풀칠을 하는 것뿐이었다. 뒤늦게 정신 차린 만큼 열심히 살려고 노력했다. 지금 돌아보면 그 노력조차도 너무나 애송이 같았지만 그땐 나름 최선이었던 것 같다. 당시 월급이 약 200만 원이었는데, 그때도 나는 내 인생이 지금처럼 180도 변화할 거라곤 전혀 생각하지 못했다. 그때로서는 최선이라 생각했고, 매주 로또를 사며 일확천금의 꿈을 꾸는 게 내가 할 수 있는 최고의 선택이라 여겼으니까.

월급 200만 원의 삶을 3년째 이어가던 그때 그 시절, 서른넷에 아빠가 됐다. 그때부터였다. 수포자이면서 태생이 문과였던 평범한 사람, 월급 200만 원과 일확천금의 꿈을 계획이라 여기며 살던 우물 안 개구리 같던 내 인생의 변화가 바로 그때부터 시작됐다. 나보다 2배, 3배는 더 잘 벌던 연하의 아내에게 남자의 자존심이라는 게 생기기 시작했다. 생후 89일, 목도 가누지 못하던 갓난아이를 1등으로 어린이집에 데려다 놓고, 꼴등으로 데리러 가면서 매일 돈을 많이 벌 수 있는 방법을 찾았다. '돈을 더 많이 벌고 싶다. 로또를 기대하지 말고 내가 스스로 로또를 만들 방법을 찾아야겠다.'라고 매일같이 결심하고 또 결심했다.

그렇게 해서 지난 2015년에 무작정 블로그를 시작했고 2023년 현재 대한민국 1위 IT 블로거 '세수하면이병헌'이 되었다.

02 취미에서 전업으로, 월 200에서 월 2천으로

많은 이가 그렇듯 내 시작도 맛집 탐방이었다. 취미라고 표현했지만, 그때를 돌아보면 단돈 2~3만 원의 식사권을 제공받을 수 있다는 사실 자체가 굉장히 신기한 경험이었다. 당시에는 그 자체를 일종의 취미로 여겼던 것 같다. 지금은 맛깔 나는 음식을 앞에 두고 사진부터 찍는 게 너무나도 당연한 모두의 일상이지만 그땐 아니었다. 음식을 앞에 두고 사진을 찍는 것 자체가 다소 이상하게 보일 수 있는 행위였다. 체험단으로 제공받은 음식이 아니어도 찍었다. 가족과 외식을 하러 나간 평범한 시간에도 사진을 찍어서 블로그에 올렸다.

전체보기 4,765개의 글 **목록닫기**

글 제목	조회수	작성일
반달눈웃음을 가진 미소천사아기 예유니에요 (29)	115	2015. 10. 9.
용산 전자쌀롱에서 병헌씨 직장인밴드 공연해요 (37)	98	2015. 10. 8.
내생에최고의순간 평생 잊지 못할겁니다.	192	2015. 10. 7.
모두랑떡볶이 저렴하고 맛도 좋더라구요 (35)	50	2015. 10. 7.
창의력키우기 원하는걸 마음껏 하게 해주세요	82	2015. 10. 6.
민방위5년차 나오라는데 벌금은 얼마나 될까요? (52)	4,753	2015. 10. 6.
블로그 이사 결정했어요 이웃님들 도와주세용! (84)	433	2015. 10. 5.
간단하게 오징어 무국 끓여봤어요 (6)	26	2015. 10. 4.
10월 한강에서 열리는 불꽃축제 사진이라도 보세요 (4)	148	2015. 10. 3.
블로그라고 어렵지 않아요 이웃관리 쉽게 생각하세요 (21)	201	2015. 10. 2.
연휴마지막날 김포공항롯데몰 또봇공원에서 신나게 뛰어놀았네요 (8)	360	2015. 10. 1.
공식적인 추석연휴 일정은 이제 끝났네요 (2)	33	2015. 9. 29.
추석은 역시 풍성한 음식이 빠질 수 없어요 (2)	17	2015. 9. 28.
예유니 외가는 춘천에 있어요 (10)	75	2015. 9. 28.
즐겁고 흥거운 날입니다 소원빌기 잊지 마세요 (2)	10	2015. 9. 27.
이제는 예유니도 추석차례상에 함께해요 (2)	129	2015. 9. 27.
벌써 5일이나 됐네요. 즐거운 연휴 되시길! (2)	34	2015. 9. 26.
뜻밖의 꿀맛같은 휴식을 즐기고 있습니다 (2)	30	2015. 9. 25.
서두르지 않을겁니다 꾸준함속에 답이 있죠 (5)	103	2015. 9. 25.
행복했던 속초바다를 회상했어요 (2)	249	2015. 9. 24.
HRD컨퍼런스에서 행복한 삶에 대해 생각해 봤습니다 (3)	42	2015. 9. 24.
가끔은 하늘을 보면서 쉬었다가도 좋아요 (2)	61	2015. 9. 23.
아내의 손편지를 받고 진심에 감동했습니다. (9)	450	2015. 9. 23.
신정동 접시꽃보쌈에서 즐거운 점심시간 보냈어요 (5)	178	2015. 9. 22.
첫 포스팅::동네 산책 (4)	204	2015. 9. 14.

세수하면이병헌 블로그 '글 전체 목록 1페이지'

소재를 찾지 못해서, 어떤 글을 써야 할지 몰라서, 그야말로 닥치는 대로 모두 블로그에 글을 쓰기 위한 소재로 삼기 바빴다. 동네를 산책했던 일, 아장아장 아이가 걷기 시작했던 일, 늦게 퇴근하는 아내를 위해 오징어뭇국을 끓였던 일, 민방위 5년 차의 기록 등 나를 중심으로 주변에서 벌어지는 모든 일을 소재 삼아 블로그에 포스팅했다.

그렇게 서서히 블로그에, 글쓰기에 눈을 뜨기 시작했고 차차 블로그가 돈이 된다는 걸, 수익화가 가능하다는 걸 깨닫게 됐다. 단돈 2만 원짜리 아이의 옷을 50% 할인받는 조건으로 포스팅할 수 있었고, 그 시작을 발판 삼아 다양한 육아 용품 체험단에서 계속해서 1위를 하며 지속적인 성장을 이어갔다.

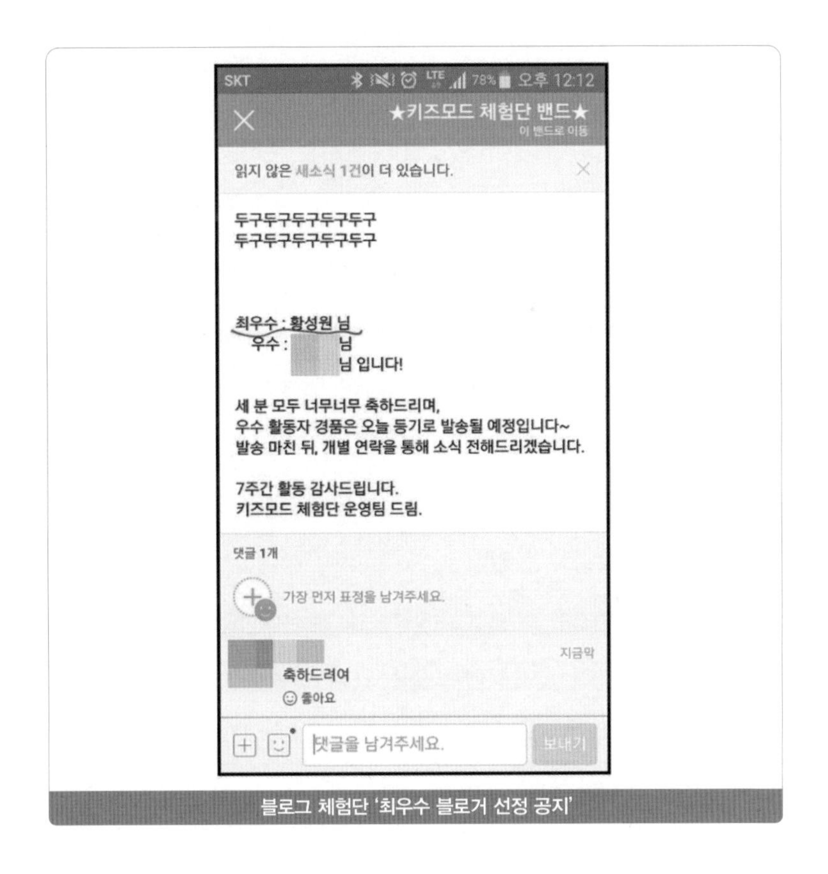

블로그 체험단 '최우수 블로거 선정 공지'

그러던 중에 블로거에게는 사형선고와 같은 저품질 현상도 겪었다. 하늘이 무너져 내리는 것만 같았는데, 수개월의 방황 끝에 결국 다시 심기일전해서 저품질을 스스로 풀어내었다. 그리고 바로 그때 블로그에 전념하게 되면서 자연스레 소홀해졌던 회사 생활에 대해 아내와 깊이 논의를 했고, 고맙게도 나를 믿어 준 아내 덕분에 퇴사하기로 했다.

저품질 탈출 후 이미 당시 블로그 수익은 월급을 넘어섰고, 그 역전 현상을 6개월 이상 지속하고 나서 육아휴직을 썼다. 육아휴직은 퇴사 전에 마지막으로 다시 한 번 전업 블로거로서의 검증을 위한 최후의 보루로 삼았던 것이다. 정말 다행히도 준비를 꼼꼼하게 한 결과가 빛을 발했다.

2017년 8월 1일 육아휴직 첫날, 당시 육아 블로그에서 IT 블로그로 전향을 하던 시기에 일체형 PC 리뷰를 한다고 아침부터 저녁까지 하루 종일 비지땀을 흘렸던 기억이 진하다. 그렇게 내 전업 블로거로서의 제2의 삶이 시작됐고, 정확히 7개월 후 2018년 2월에 당당히 사직서를 내고 퇴사했다. 당시 내 수익은 이미 월 최소 500만 원, 최대 7~800만 원을 향하고 있었다.

그렇게 시간의 자유를 얻었고(물론 그때도 육아와 가사는 내가 전담했다.), 글쓰기와 사진 촬영에 엄청난 공을 들였다. 낮에는 수익을 위한 글을 썼고, 육아와 가사를 마친 밤 11시부터 새벽 4~5시까지는 글쓰기와 사진 스킬을 올리기 위한 노력을 기울였다. 커피에 기대며 잠을 참았고, 친구를 만나고 싶은 욕구, 게임을 하고 싶은 욕구를 모두 참았다.

그렇게 난 하루하루 폭풍 성장을 했고, 퇴사 후 정확히 8개월 후인 2018년 10월에 처음으로 월 1천 만 원의 수익을 달성했다. 그리고 지금은 개인 사무실과 직원들, 5,500명이 함께하는 블톡 카페(네이버 카페)의 매니저이며, 1.5만 명의 유튜브 채널 운영자가 됐으며, 월 평균 매출 2천 만 원의 프로 블로거가 되었다.

03 연령, 성별, 직업별 수익 구조 테크트리

블로그 수익 구조에 대한 기본 사항들은 이미 알려진 내용이 많다. 당장 이 책에서도 MJ 님, 마더꽉 님께서 기본적인 수익 구조에 대해 기술한 내용이 있으니 참고하기 바란다. 그래서 나는 조금은 더 원론적인 수익 구조 테크트리에 대해 설명해 보겠다.

블로그 수익 구조를 가장 심플하게 설명해 보자면, '사람을 모으고 - 정보를 제공하고 - 신뢰를 얻고 - 수익을 만들어 낸다.' 이러한 테크트리에 따라 수익이 결정된다. 반대로 이 테크트리를 따르지 않는 블로그는 99.9%의 확률로 안정적인 수익화에 실패한다.

가장 먼저, 사람을 모아야 한다. 사람이 모이는 곳은 온·오프라인을 가리지 않고 반드시 수익이 따라붙을 수밖에 없다. 블로그를 시작하는 대부분의 사람이 첫 단계인 사람을 모으는 과정부터 실패하는 편이다. 조급한 마음, 과도한 욕심, 꾸준함의 결여 등이 주된 이유다.

여기서 또 한 가지 중요한 점은 '내 블로그 주제와 관련 있는 사람'이어야 한다는 것이다. IT 블로그를 통해 고수익의 리뷰 건을 다량 진행하고 싶다면, 그와 관련된 사람들이 모일 수 있는 방식으로 블로그를 운영해야 한다. 경제·비즈니스·재테크 블로그라면 부동산, 재테크, 주식 등에 관심이 깊은 사람들을 위한 정보를 지속적으로 제공하는 운영 방식을 취해야 한다.

2023년 6월 기준, 내 블로그의 일 평균 방문자 수는 약 4만 명이다. 하루 4만 명의 사람이 지속적으로 블로그에 방문한다는 의미이다.

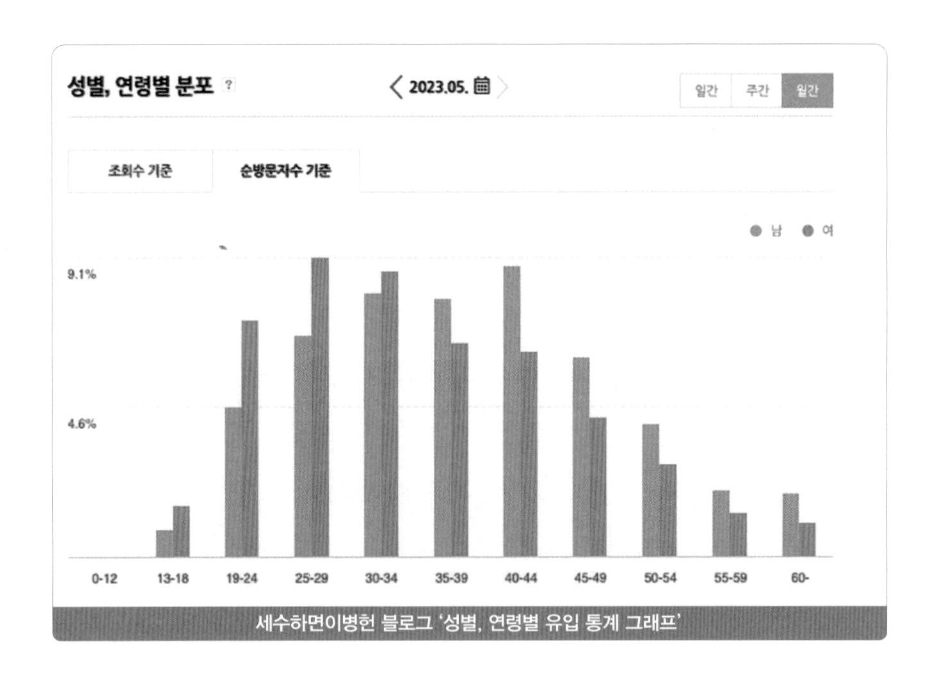

세수하면이병헌 블로그 '성별, 연령별 유입 통계 그래프'

남녀 비율은 균등한 편인데(51%/49%) 연령별 편차가 있다. 10대에서 30대 중반까지는 여성이, 30대 중반 이상부터는 남성 비율이 높다. 이 결과는 오랜 기간 동안 내가 '그렇게 되길 바라면서' 운영을 했기 때문이다.

IT 블로그를 생각하면 보통 '남성/30~40대'만 떠올리게 된다. 하지만 난 좀 더 폭넓은 타깃을 공략하고 싶었다. 20~30대 여성이 좋아할 만한 콘텐츠를 배치하면서 최대한 이해하기 쉽게 표현하고자 했다. 그 결과, '브이로그 카메라 / 대학생 노트북 / 에어팟 / 아이폰 / 아이패드 / 애플워치 / 인스타그램' 등 20~30대 여성이 선호하는 쉬운 콘텐츠로 안정적인 수익을 창출하고 있다.

내 블로그에 내가 타깃으로 정한 사람이 많이 찾아오게 하는 방법은 너무나도 당연하다. '그들이 좋아할 만한 콘텐츠'를 꾸준하게 생산해 내야 한다. 내가 좋아하는 콘텐츠가 아니라 그들이 좋아하는 콘텐츠여야 한다. 이때 적극 추천하는 방법이 바로 '실존 인물을 떠올리는 것'이다.

20대는 친한 친구 혹은 학교 동기를 떠올리고, 30대는 직장 동료 혹은 상사를, 40대는 사회생활 중 알게 된 거래처 직원 혹은 가족을 떠올리면 된다. 연령별로 각자 처한 상황이 다르기 때문에 명확히 '그 사람이다.'라고 말할 수 있는 정답은 없다. 이 대목에서 중요한 것은 '실존 인물을 떠올려야 한다는 점'이다. 그들이 궁금해하는 것, 어려움을 겪고 있는 것, 고민 등 다양한 문제를 대화를 통해 캐치하고, 그 내용을 그대로 블로그에 연재한다면 자연스레 공감대가 형성되고, 애초에 내가 원했던 타깃의 사람들이 내 블로그에 모여들게 된다.

딸아이와 친한 유치원 친구가 있다. 아이들이 친했기 때문에 자연스럽게 부모들도 함께 친해졌는데, 친구의 아빠가 내 애플워치에 관심이 있다는 걸 알았고, 그때부터 자연스레 애플워치를 포함하여 다양한 전자기기에 대한 생각을 나눌 수 있었다. 다분히 일상적인 대화 이후, 나는 애플 디바이스에 대한 글을 작성할 때는 그 아이 아빠를 떠올린다. 어떤 라이프스타일로 살아가고 있는지, 어떤 점에서 고가의 전자기기를 구입할 생각을 하게 됐는지 등을 '그들이 공감할 수 있는 언어로 표현'하기 위해 애쓴다. 이런 고민들과 실행 하나하나가 모두 자연스레 블로그 수익화의 견인차 역할을 해내고 있다.

패션, 뷰티, 육아, 푸드 카테고리에 여성 블로거 비중이 압도적으로 높은 이유, IT/테크, 자동차, 게임, 스포츠 카테고리에 남성 블로거 비중이 압도적으로 높은 이유가 다 여기에 있다. 얼마나 타깃과의 공감 포인트를 잘 이끌어 내는지, 그에 따라 얼마나 내 카테고리에 관련이 높은 사람이 많이 찾아오는 블로그가 될 수 있는지, 이 테크트리를 따라 운영해야 애드포스트, 체험단, 협찬, 공동구매, 어필리에이트, 강의, 지식 재산 판매 등 모든 수익화 루트가 톱니바퀴처럼 맞물려서 폭발적으로 상승할 수 있다.

직업에 따른 수익화도 중요한 고려 대상이다. 내 직업을, 혹은 내 사업을 블로그에 접목시킬 때 수익화의 수준을 가장 폭발적으로 향상시킬 수 있다. 수년 동안 참 많은 취재를 나갔다. 대기업의 신제품 론칭 행사부터, 소상공인의 작은 매장을 취재하는 일까지. 엄청나게 많은 현장을 돌아보면서 생각했다. 블로그를 직접 운영할 수 있는 아주 작고 기본적인 스킬만 익힌다면 지금보다 훨씬 더 폭넓은 고객을 편하게 끌어당길 수 있을 텐데.

실제로 현장에서 내가 전문적인 수준의 촬영을 하고, 관련 사항에 대해 심도 깊은 질문을 하는 걸 보고, 내게 블로그 상담을 요청했던 대표님이 참 많았다. 블로그를 아주 크게 성장시킬 필요는 없다. 전국구를 대상으로 할 필요도 없다. 내 사업장 주변, 반경 5km 내외의 작은 지역을 타깃으로 키워드를 선정할 줄 알고, 그 키워드를 본문에 녹여 내는 방법을 알고 꾸준히 실행만 하면 된다.

직장인은 자연스레 업무상 알게 되고 몸으로 익히게 되는 다양한 스킬을 블로그에 녹여 내는 것으로 수익화의 기틀을 마련해 볼 수 있다. 엑셀 사용법의 A to Z를 콘텐츠화할 수 있고, 보고서 작성 요령을 시리즈로 만들어 볼 수도 있다. 나 역시 직장 생활을 하면서 블로그를 시작했는데, 당시 엑셀 사용법과 보고서 작성 스킬을 블로그 포스팅으로 생성했고, 꽤 좋은 호응을 이끌어 낼 수 있었다.

연령, 성별, 직업은 모두 다양하다. 하지만 블로그를 통한 수익화는 사실 좀 단순하다. 사람을 모으고 정보를 제공하고 신뢰를 얻는다. 시대를 불문하고 많은 수익을 올린 사람들은 모두 이 공식을 따랐다. 블로그는 그 과정을 만들어 내는 단순한 도구일 뿐이다.

02

키워드, 키워드, 키워드

키워드에 사활을 걸어야 하는 이유

A와 B 두 사람이 있다. 두 사람은 연령도 성별도, 직업도 유사하다. 블로그 운영을 시작한 시기도 비슷하다. 언뜻 생각하면 A, B 두 사람의 1년 후 블로그 상황은 비슷해야 정상이다. 하지만 현실은 아니다. 전혀 그렇지 않다. 가장 단순하게 비교해 보자면, 1년 후 A의 블로그는 일 평균 방문자 수 8,000명, B의 블로그는 일 평균 방문자 수 1,000명으로 극명한 편차를 보일 수 있다.

평균 방문자 수 외에도 많은 차이가 발생한다. A의 월 평균 수익은

약 2~300만 원인 반면 B의 월 평균 수익은 3~40만 원에 그친다. 단순히 리뷰를 진행하는 수익형 블로그 운영이라면 그나마 이 정도 편차에 그칠 수도 있는데, 내 사업을 직접적으로 접목하거나 블로그에서 유·무형의 제품 및 서비스를 판매하는 방식의 수익화에는 더 큰 차이가 발생한다.

맞다. 지금 여러분이 생각하고 있는 그것, 그 차이 때문에 A와 B 두 사람의 상황은 극과 극으로 갈린다. 바로 키워드 활용이다.

각 블로그는 '지수'라는 개념으로 통용된다. 이제 막 개설해서 첫 글을 발행한 블로그의 지수는 1점이다(편의상 1~100까지로 표현하겠다.). 그리고 이제 A와 B는 하나씩 하나씩 성실하게 매일 포스팅을 쓰고 올리는 과정을 반복한다. 이때 A는 '내 블로그로 검색 유입이 될 수 있는 키워드'를 사용했고, B는 그런 개념 없이 '내가 쓰고 싶은 키워드'만 골라 썼다. 매회 포스팅마다 '검색 유입이 되는 키워드'를 전략적으로 사용한 A의 블로그 지수는 차곡차곡 1점씩 쌓여 간 반면 '내가 쓰고 싶은 키워드'만 사용한 B의 블로그 지수는 0.2 / 0.1 / 0.5의 수준으로 쌓여 간다. 당연하게도 A와 B의 격차는 날이 갈수록 더 커져만 갔다.

키워드에 사활을 걸어야 한다. 블로그를 잘하고 못하고의 첫 번째 차이는 '키워드를 잘 활용하는지'에 달려 있다. 내 블로그 수준에 알맞은 키워드를 찾아야 하고, 그 키워드에 대한 본문 내용을 잘 풀어낼 수 있어야 한다. 이 과정을 얼마나 성실하게, 꾸준히 반복하는지에 따라 내 블로그의 지수는 99점이 될 수도, 9점에 그칠 수도 있다는 점부터 확실히 인지해야 한다.

 키워드, 의식의 흐름대로

많은 입문자가 키워드를 어디서 어떻게 찾아야 하는지에 대한 전략을 어려워한다. 그래서 보통은 1일 1포스팅을 해야 한다는 강박관념 때문에 하루 일과를 마치고 PC 앞에 앉았을 때부터 키워드를 찾기 시작한다. 이 방법이 틀린 건 아니다. 하지만 효과적이라고 볼 수는 없다. 키워드는 평소에 습관적으로 찾거나, 대략적으로라도 미리 생각해 두는 게 좋다. 이때 가장 효과적인 방법이, 내 생활 패턴에 맞춰 키워드를 찾는 '습관을' 들이는 것이다. 즉 평소에 의식의 흐름대로 흘러가는 생각을 키워드로 바꾸는 습관을 들여야 한다.

여행

제주도 가족여행, 맥북 아이폰 마인드맵 어플 마인드노드로 계획하고 오늘 떠납니다.

세수하면이병헌 2017. 7. 12. 6:12 URL 복사 통계

제주도.... 어린시절과 총각때는 그다지 관심이 없었는데, 결혼하고 출산을 하고 예유니도 어느 정도 크고 나서부터는 정말 줄기차게 갔었습니다.

작년 3월과 6월, 올해 2월에 다녀왔고 오늘 또 한번 저희 3명 제주도 가족여행을 갑니다.

일상 이벤트를 IT 키워드로 조합한 사례

2017년 7월 포스팅이다. 당시 처음으로 가족여행을 위해 제주도로 떠났는데, 간단하게 아내와 함께 여행 계획을 세웠다. 숙소와 주변 관광지 정도를 리스트업하는 정도로 심플하게 계획을 세웠다. 이때 심플하게 리스트만 정리하던 아내와 달리, 나는 하나의 과정을 더 추가했다. 우리 가족이 방문하게 될 관광지와 식당, 숙소를 모두 키워드라 생각하고 '검색량'을 찾아봤다. 그와 동시에, 'IT 블로거'로서 사용할 만한 키워드를 찾아봤고 포스팅으로 옮겼다. '맥북 / 아이폰 / 마인드맵 / 어플 / 마인드 노드' 모두 IT 키워드이다.

당시 난 제주도 여행이 너무 설레었지만, 가만히 생각해 보니 제주도에 대한 경험과 지식이 전무했다. 그래서 마인드맵 프로그램을 이용해서 간략한 계획을 세웠는데, 그 과정에서 '마인드맵'이 블로그 키워드로 쓰일 수 있다는 걸 깨달았다. 가족 여행을 가면서도 IT 블로거로서 해당 키워드를 활용하는 포스팅으로 내 블로그 지수를 끌어올릴 수 있다는 점에 주목해야 한다.

관련키워드 태그 자동생성

마인드 노드 마인드노드 윈도우 마인드노드 pc 마인드노드 가격 마인드노드 안드로이드 마인드노드 무료 마인드노드 사용법 마인드노드 구독 마인드노드 유료 마인드노드 활용 마인드노드 앱

-	키워드	PC 검색량	모바일 검색량	총조회수	문서수	비율
-	마인드노드	240	200	440	3,988	9.064
-	맥북 마인드맵	40	10	50	535	10.700
-	마인드맵 어플	410	740	1,150	5,031	4.375
-	마인드맵	7,510	15,600	23,110	211,292	9.143

키워드 마스터 사이트

제주 함덕 해수욕장 찍고 델문도 카페에서 힐링하기 (49)	3,060	2017. 8. 22.
에버랜드의 짜릿한 한여름의 물총축제, 어린이전용앱 키즈모드 & 썸머 워터편 (91)	2,407	2017. 8. 18.
제주공항에서 김포로 돌아오던 길, 잠시 가볼만한 곳 벽화마을 스케치 (33)	388	2017. 8. 17.
제주도의 숨은 명소 판포리 하늘과 땅이 맞닿은 그곳에서 남기는 인생사진 (59)	869	2017. 8. 9.
제주 협재해수욕장 스노쿨링, 수영, 자연체험학습 (65)	8,921	2017. 8. 2.
구로 안양천 물놀이장 알차게 즐기기 [주차/위치] (79)	9,322	2017. 7. 30.
눈부신 지삿개, 대자연의 신비 제주도 주상절리 (54)	2,064	2017. 7. 27.
제주도 코업시티 호텔 견적 비교 후 씨트립에서 예약, 실제 숙박 후기 (52)	1,369	2017. 7. 25.
바다탐험대 옥토넛 어린이 뮤지컬, 소월아트홀에서 함께 한껏 알차게 즐긴 시간이었습니다. (54)	735	2017. 7. 25.
제주 서귀포 독채펜션 제주에우리집 독립성을 갖춘 편안한 휴식처 (62)	1,813	2017. 7. 23.
제주도 독채펜션 바당정원, 200% 진심 담은 추천. 왜? (119)	6,082	2017. 7. 20.
제주공항 근처 든든히 한끼 보말칼국수 (100)	2,165	2017. 7. 18.
제주 여행 2일차, 평생 기억에 남을 사진 남겨보기(인생사진) (70)	486	2017. 7. 14.
다시 찾은 함덕해수욕장, 아이와 함께 즐기는 제주도의 명소 (61)	702	2017. 7. 12.
제주도 가족여행, 맥북 아이폰 마인드맵 어플 마인드노드로 계획하고 오늘 떠납니다. (71)	3,310	2017. 7. 12.

세수하면이병헌 블로그 '여행 카테고리 글 목록'

IT 키워드로 작성한 마인드맵 포스팅의 조회수는 3,310회, 그 외 제주도 여행지와 숙소에 관한 11건과 포스팅의 조회수는 약 2.7만 회이다. 난 우리 가족이 방문할 만한 목적지를 모두 사전에 키워드로 찾아보고, 검색량을 기록했고, '내 블로그로 상위 노출을 할 수 있을 만한 키워드'를 다시 추렸다.

대부분은 여행을 가기 전에 누구나 '대략적인 계획'을 세운다. 거창하게 하나하나 시간 순으로 기록하지는 않아도 생각은 한다. 여러분의 그 생각, 의식의 흐름대로 찾고 계획하는 그 과정에 '키워드'만 추가하면 된다. 내가 어떤 키워드로 '검색을 했는지', 검색했을 때 보이는 연관 검색어, 자동완성어 중 어떤 키워드를 클릭해서 다음 과정을 의식의 흐름대로 찾아보았는지, 그 과정이 블로거의 입장에서는 매우 중요한 단서이며, 내 블로그의 방문자 수로 이어진다는 생각을 해야 한다.

특정 서비스, 제품을 구입할 때도 같은 과정이 진행된다. 예를 들어, 아이폰, 갤럭시 등 스마트폰 신제품을 구입할 때, 지금까지 어떤 키워드로 어떻게 검색했는지를 떠올려봐야 한다. 블로그를 운영하기 전까지는 '검색자의 입장에서' 키워드를 입력하고 필요한 정보를 얻는 데 그쳤을 것이다. 하지만 이제는 '블로거의 입장에서' 검색해 보고 필요한 정보를 얻되, '내 블로그에 포스팅으로 녹여 낼 만한 키워드'를 찾아보고 기록해 두는 게 좋다.

또 다른 예시를 들어보겠다. 주말에 친구와 스타벅스에서 만날 약속을 했다. 집을 나서기 전에 자투리 시간을 이용해서(5분이면 충분하다.) 스타벅스와 관련한 키워드를 찾아본다. 스타벅스를 검색하면 자동완성어로 다음과 같은 항목이 나온다.

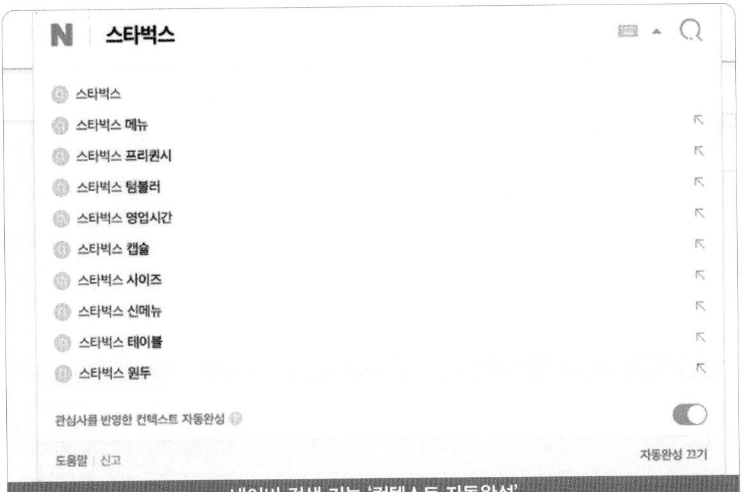

네이버 검색 기능 '컨텍스트 자동완성'

다음은 '스타벅스 메뉴' 키워드의 연관 검색어이다. 일본, 제주 등 지역명이 들어간 키워드는 당장 내 상황과 무관하다. 과감히 패스하면 되고, '스타벅스 메뉴 가격 / 스타벅스 메뉴 순위 / 스타벅스 음료메뉴 / 스타벅스 메뉴 사이즈 / 스타벅스 메뉴 칼로리'와 같은 키워드를 클릭해 본다.

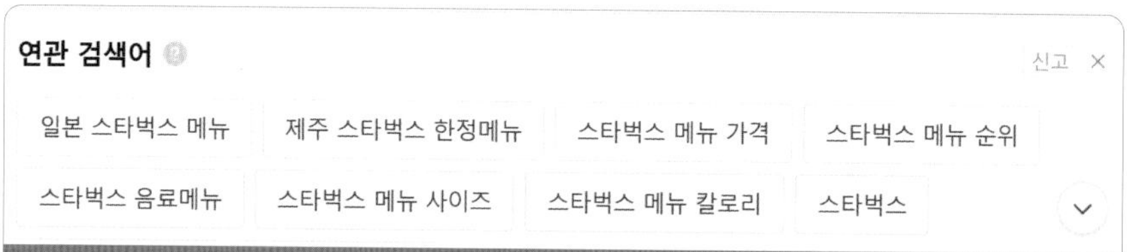

네이버 검색 기능 '연관 검색어'

다음은 '스타벅스 음료메뉴' 키워드의 연관 검색어이다. 5개의 키워드 중에서 바로 눈에 띄는 항목이 하나 있다. '스타벅스 베스트메뉴'이다. 마침 친구와 편안한 분위기에서 수다를 떨고 싶고, 인기 있는 음료를 마시고 싶은 상황에 딱 알맞은 키워드이다.

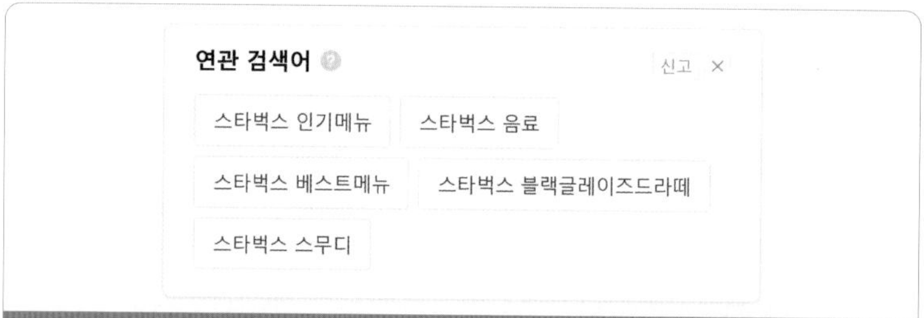

'스타벅스 음료메뉴' 연관 검색어

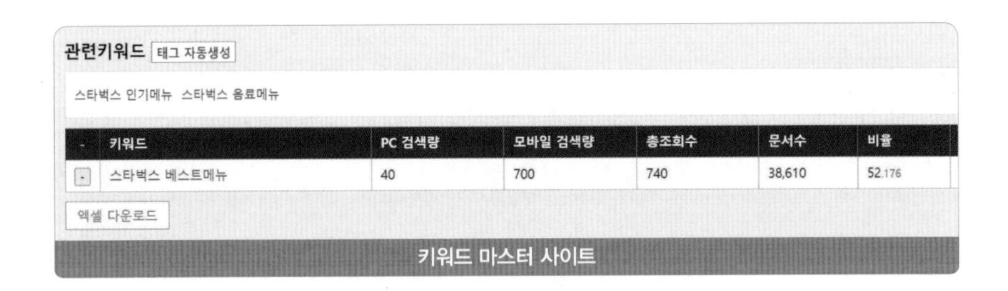
관련키워드 태그 자동생성

스타벅스 인기메뉴 스타벅스 음료메뉴

-	키워드	PC 검색량	모바일 검색량	총조회수	문서수	비율
-	스타벅스 베스트메뉴	40	700	740	38,610	52.176

엑셀 다운로드

키워드 마스터 사이트

PC 검색량 40, 모바일 검색량 700, 총 검색량 740이다. 블로그 지수가 낮은 상황에서도 충분히 도전해 볼 만한 키워드이다. 추가로 '스타벅스 인기메뉴 / 스타벅스 음료메뉴' 키워드도 제목에 같이 배치해서 작성한다면 1개의 키워드만 삽입했을 때보다 더 많은 검색 유입을 만들어 낼 수 있다.

키워드는 이렇게 의식의 흐름대로 찾아가면 된다. 과정이 몇 단계로 세분화되어 있을 뿐 익숙해지면 단 1분이면 일상 속에서 자연스레 연결되는 키워드를 찾을 수 있다. 친구를 만나러 나가는 길, 버스나 지하철 안에서 찾아도 될 정도로 간단하다. 이렇게 내 라이프스타일 속에서 의식의 흐름대로 키워드를 찾는 습관이 내 블로그를 폭발적으로 성장시키는 원동력이 될 수 있음을 잊지 말자.

TIP 내 블로그 지수에 알맞은 키워드를 사용해야 한다. 그리고 검색량이 더 낮은 키워드부터 시작해야 한다. 이제 막 시작한 블로그로는 검색량이 높은 키워드를 상위 노출할 수 없다. 상위 노출할 수 없다는 의미는 포스팅이 아무에게도 읽히지 못하고 버려진다는 뜻이다. 반면 검색량이 낮은 키워드는 비교적 상위 노출이 쉽다. 검색량이 극히 적은 키워드라 비록 하루에 한두 명이 유입되더라도 처음부터 아무에게도 읽히지 못하고 버려지는 것보다는 10배, 100배 더 낫다. 이렇게 하루 10명이 볼 수 있는 포스팅을 100개 쌓는다. 그럼 내 블로그의 일 평균 방문자 수 1천 명은 확보되는 셈이다.
내 블로그 지수에 알맞은 키워드는 이렇게 정한다. 월 검색량이 '내 블로그 일 평균 방문자 수와 비슷한' 키워드이다. 내 일 평균 방문자 수가 800명이라면, 월 검색량이 500~800, 혹은 그 이상 1,000건인 항목을 내 블로그에 알맞은 키워드로 봐도 무방하다. 2,000, 3,000, 5,000~1만 이상의 월 검색량을 가진 키워드는 상위 노출이 사실상 불가능한 상황이다. 500~1,000까지의 월 검색량을 가진 소형 키워드부터 시작해서 블로그 지수를 차곡차곡 쌓아 올려야 한다.

2023 키워드 유형 분류

블로그 검색 동향은 시시각각 빠르게 변화하고 있다. 변화에 민감하게 반응하고 신속하게 대응하는 블로그는 비교적 오랜 시간 건강한 상태를 유지하면서 많은 수익을 올리거나 자체 브랜딩의 도구로 크게 발전해 간다. 반면, 변화에 대응하지 못하고 도태되는 블로그는 소리 소문 없이 사라지기도 한다. 그렇게 빠르게 변화하는 블로그 검색 동향의 중심에는 키워드가 있다. 과거에는 '통합검색 키워드' 단 1개만 알고 잘 적응하면 큰 문제가 없었지만 지금은 아니다. 2023년 블로그 검색 동향의 축을 구성하는 키워드의 종류는 크게 다음 3가지로 구분된다.

– VIEW(통검)

– 스마트블록(스블)

– 키워드 챌린지(키챌)

VIEW 통합검색

네이버 VIEW 검색 결과

가장 오래된 방식의 키워드 검색 유형이다. 흔히 알고 있는 통합검색과 같은 방식이며, 'VIEW'라는 워딩으로 통용되고 있다. VIEW 검색에서의 키워드는 블로그/카페/포스트까지, 다양한 유형의 포스팅과 동시에 경쟁해야 하는 복잡한 구도를 가졌다. 또한 각 블로그의 블로그 지수 + C-RANK + DIA 로직 등 여러 가지 기준에 따라 랭킹이 결정되는 특성이 있어 상위 노출이 굉장히 어려운 키워드이다.

VIEW 키워드는 '최적화 블로그(같은 글을 써도 검색 노출 결과에서 상당한 우위를 점하는 블로그)'라고 표현하는 블로그에서 작성한 포스팅이 우선적으로 상위 노출되는 구조적인 한계가 있다. 문서 자체의 퀄리티가 낮아도 출처가 최적화 블로그라는 이유만으로 검색 결과에서 우위를 점하기 때문에 신규 블로그가 일반적인 키워드로 진입하기란 쉽지 않다.

반면, 한 번 상위 노출이 되면 쉽사리 랭킹이 변하지 않는다. 키워드에 따라 다른데, 길게는 4~5년 이상 오랜 기간 동안 상위 노출 상태를 유지하는 키워드 공략이 가능한 유형이기도 하다. 비록 검색량이 높지는 않아도, 1년 내내 계절을 타지 않고 항상 비슷한 수준의 검색량을 유지하는 키워드가 있다. 바로 그런 키워드를 VIEW 검색에서 공략해야 한다.

대체적으로 그런 키워드는 새로운 포스팅이 발행되는 빈도가 높지 않다. 쉽게 말해서 사람들이 꾸준히 검색은 하는데 새로운 글을 쓰는 블로그는 없는 키워드이다. 그런 키워드를 '롱테일 키워드' 혹은 '꿀키워드'라고 부른다. 롱테일 키워드를 얼마만큼 확보하고 있는지에 따라 블로그 전체 지수와 랭킹이 결정된다. 그만큼 VIEW 검색에서 롱테일 키워드는 매우 중요하다.

블로그차트 사이트 참고

블로그 차트 사이트

2023년 7월 기준, 블로그 차트 순위 전체 19위(최고 순위 3위), IT/인터넷 4위, 유효 키워드 1,598개, 전체 키워드 19,377개이다.

데이터 랩, 블로그 차트 사이트 제공 '블로그 순위 위젯'

데이터 랩 기준, IT·컴퓨터 카테고리 1위이다.

스마트블록

'스블'로 줄여서 표현하는 검색 유형이다. 2021년 말, 모바일에서부터 도입해서 점차 PC로 확대했고, 2023년부터 엄청난 속도로 상당수의 키워드 검색 결과를 기존 VIEW 유형에서 스마트블록 형태로 변경하고 있다.

네이버 스마트블록 '애플워치 울트라' 검색 결과

스마트블록의 개요는 심플하다. 사용자가 여러 번에 걸쳐서 검색해서 필요한 정보를 얻어야 했던 과정을 키워드의 피라미드 구조화를 통해 심플하게 제공하겠다는 취지를 가졌다. 예를 들어, '애플워치 울트라'를 검색한 사람에게 '애플워치울트라기능', '애플워치울트라개봉기', '애플워치울트라배터리', '애플워치 울트라 방수' 등 다양한 스마트블록을 제시한다. 이제 검색자는 많은 스마트블록 중에서 내가 알고 싶고 보고 싶은 키워드를 클릭해서 자세한 정보를 보다 빠르고 쉽게 확인할 수 있다.

또 하나, 스마트블록 키워드의 특징은 '중의성'이다. 한 단어가 2가지 이상의 뜻으로 해석될 수 있는 특성이 있다. 예를 들어, '아이폰 키보드'를 검색한 사람은 다음과 같이 서로 다른 다양한 의도로 검색을 한다.

– 아이폰 키보드 크기가 궁금해.

– 아이폰 키보드 설정은 어떻게 하지?

– 아이폰 키보드에 천지인이 있다던데….

– 아이폰 키보드에 내가 몰랐던 꿀팁이 있나?

네이버 스마트블록 '아이폰 키보드' 검색 결과

이외에도 다양한 검색 의도가 있을 수 있다. 그래서 스마트블록 키워드는 다양한 키워드의 검색 의도에 대응하기 위해 수시로 검색 노출 결과를 변경한다. 그리고 '검색하는 사람마다' 서로 다른 결과를 보여 주기도 한다. 성별, 연령, 위치 등 개인마다 다른 데이터를 적용한 에어서치[AiRSearch : AI(인공지능) + 검색(Search) 합성어. 인공지능 기술을 활용한 네이버의 새로운 검색 알고리즘 결과]를 적용한다. 그에 따라 특정 블로그가 많은 키워드 검색 결과를 독식하는 유형은 서서히 사라지고 있다.

블로거 입장에서 스마트블록은 굉장히 중요한 변화이다. 기존 VIEW 키워드 체제에서, 스마트블록 키워드로 검색 동향이 완전히 뒤바뀌고 있다. 그 변화에 적응하고 대응하기 위해, 여러분의 이해를 돕기 위해, 스마트블록 키워드의 피라미드 구조를 다음과 같이 정리했다.

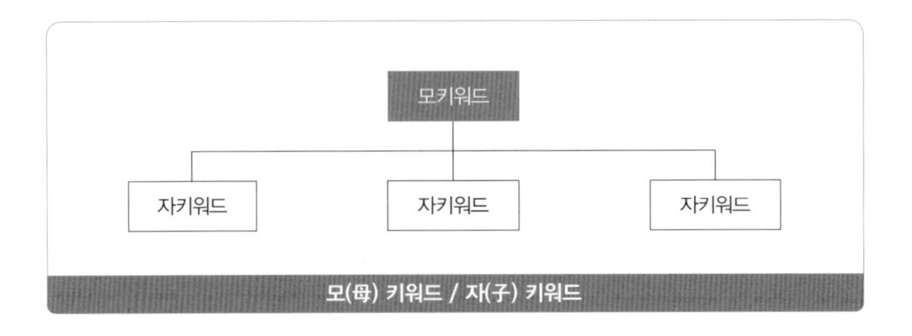

모(母) 키워드 / 자(子) 키워드

- 모(母) 키워드 : 처음 우리가 검색하게 되는 '중의성을 가진 단어'이다(이하 '모키'로 표기).

- 자(子) 키워드 : '모(母) 키워드'를 검색했을 때 네이버에서 우리에게 제시하는 다양한 스마트블록의 키워드이다(이하 '자키'로 표기).

'애플워치 울트라' 모키 검색 : '자키' 스마트블록 리스트

위 검색 결과를 그대로 풀어 보면 이렇다.

– 모키 : 애플워치 울트라

– 자키 : 애플워치 울트라 출시일 / 애플워치 울트라 개봉기 / 애플워치 울트라 할인 / 애플워치 울트라 색상 / 애플워치 울트라출시 / 애플워치 울트라 중고 / 애플워치 울트라 짭 / 애플워치 울트라 알파인 / 애플워치8 할인 / 애플워치 8 울트라 / 애플워치 울트라 밴드 / 애플워치 울트라 종류 / 애플워치 울트라 페이스 / 애플워치 울트라 후기 / 애플워치 울트라 베젤 / 애플워치울트라심전도 / 애플워치 울트라 스트랩 / 애플워치 울트라 설정 / 애플워치울트라롤렉스 / 애플

워치 울트라 에르메스 / 애플워치8울트라가격 / 애플워치 울트라 사용법 / 애플워치 울트라 비교 / 애플워치 울트라 케이스 / 애플워치 울트라 필름 / 애플워치 울트라 충전 / 애플워치 울트라 다이빙 / 애플워치 울트라 갤럭시 / 애플워치 울트라 오션밴드

참고로, 스마트블록 키워드를 '모키/자키'로 분류한 것은 내가 블로거분들의 이해를 돕기 위해서 스스로 정의한 사항이다. 네이버의

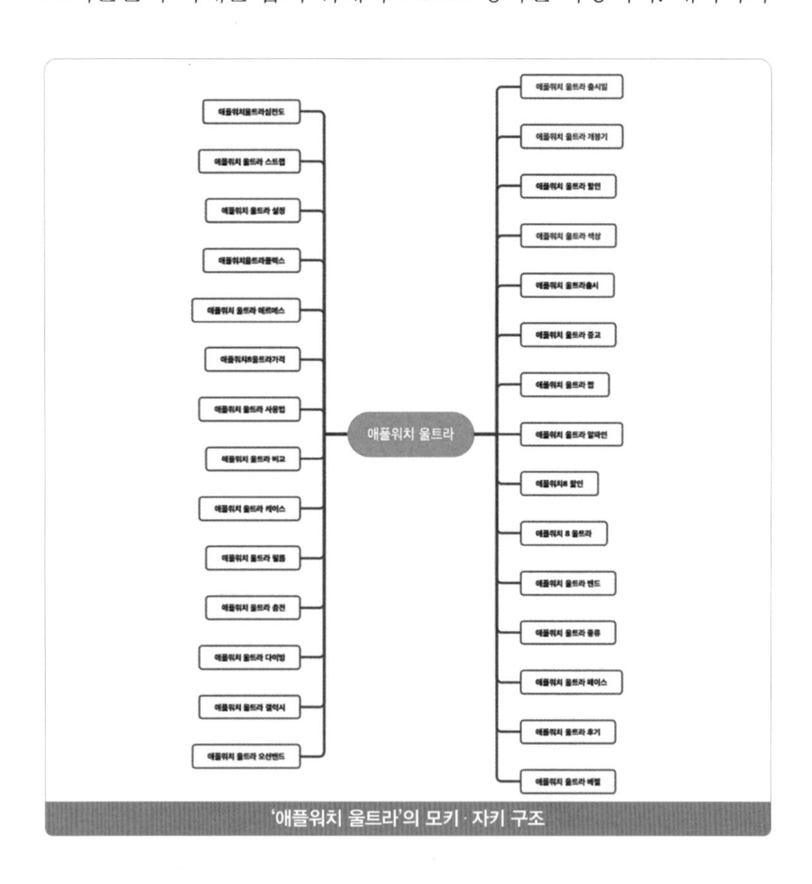

'애플워치 울트라'의 모키·자키 구조

공식 오피셜이 아니다.

모키를 검색했을 때의 결과인 자키는 2~3개일 수도 있고, 위 사례와 같이 엄청나게 많은 항목으로 구성되어 있을 수도 있다. 또한 검색할 때마다 노출되는 우선순위가 변경될 수도 있다. 그렇기 때문에 스마트블록 모키/자키는 특정 블로그가 검색 결과를 독식하기 어렵다. 그래서 VIEW 유형에 비해 신규 블로그가 비교적 쉽게 키워드 진입을 할 수 있다.

외적으로는 네이버를 이용하는 사람들에게 검색의 편의성을 제공하겠다는 취지이며, 내적으로는 최적화 블로그와 준최적화 블로그 간의 검색 노출 결과의 격차를 줄이겠다는 의도가 담겨 있다.

키워드 챌린지

키워드 챌린지는 '네이버 인플루언서'만 등록 가능한 키워드이다.

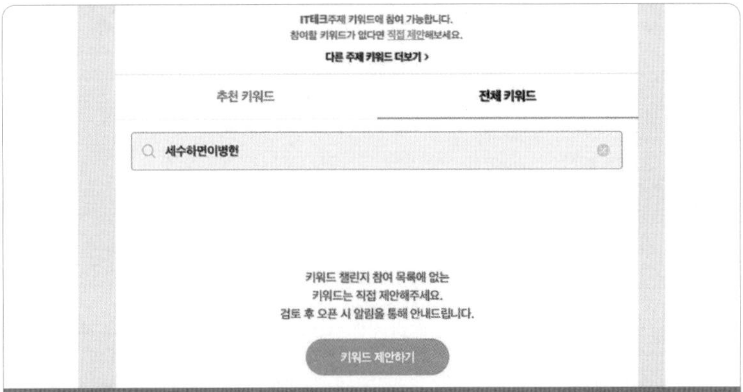

네이버 키워드 챌린지 '미등록 키워드' 검색 결과

해당 키워드는 네이버 인플루언서 팀에서 자체 선정하기도 하고, 각 인플루언서들 본인이 직접 신청해서 적용되는 경우도 있다.

네이버 키워드 챌린지 '동물·펫' 카테고리 키워드 리스트

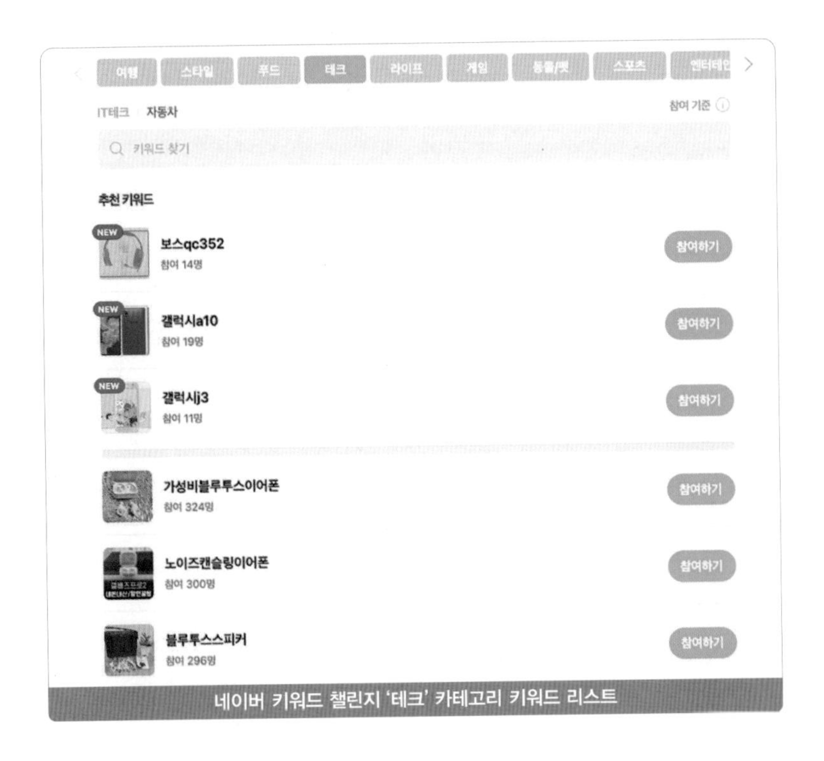

네이버 키워드 챌린지 '테크' 카테고리 키워드 리스트

여행 / 스타일(패션, 뷰티) / 푸드 / 테크(IT, 자동차) / 라이프(리빙, 육아, 생활건강) / 게임 / 동물·펫 / 스포츠(운동 레저, 프로스포츠) / 엔터테인먼트(방송 연예, 대중음악, 영화) / 컬처(공연 전시 예술, 도서) / 경제·비즈니스 / 어학·교육

12개의 카테고리 내에서 20개의 세부 카테고리로 다시 구분되며, 각 카테고리마다 등록 가능한 키워드 챌린지의 수는 모두 다르다. 2023년 7월 기준, 약 100,500개의 키워드 챌린지 키워드가 있다. 각 인플루언서들은 자신의 주제에 제시된 키워드 챌린지 항목만 등록

할 수 있다. 나는 IT/테크 인플루언서이기 때문에 IT 자동차 분야의 키워드 챌린지만 등록할 수 있고, 그 외 다른 카테고리의 키워드 챌린지는 등록할 수 없다.

블로그 포스팅을 업로드하면 일정 시간 후에 자동으로 검색 결과에 노출이 시작되는 'VIEW & 스마트블록'과는 방식이 다르다. 블로그 포스팅을 업로드하고, 키워드 챌린지 항목을 내가 직접 '등록'해야 한다. 그때부터 키워드 챌린지 영역에서의 검색 노출 경쟁이 시작되는 방식이다. 포스팅 후에 직접 키워드 챌린지 등록을 하지 않으면 키워드 챌린지 영역에 노출되지 않는다.

다음은 '아이패드 케이스' 키워드를 검색했을 때의 노출 결과이다. 빨간색 레터박스가 키워드 챌린지 영역이며, 위아래 파란색 레터박스가 스마트블록 영역이다. 인플루언서의 키워드 챌린지는 1~3위까지 1페이지에 노출되는데, 카테고리 구분 없이 경쟁하는 VIEW / 스마트블록과는 다르다. '같은 카테고리의 인플루언서들만' 경쟁을 하는 구조이다. 그만큼 VIEW / 스마트블록 키워드에 비해 비교적 검색 상위 노출이 쉽지만 오래 유지되기는 어렵다.

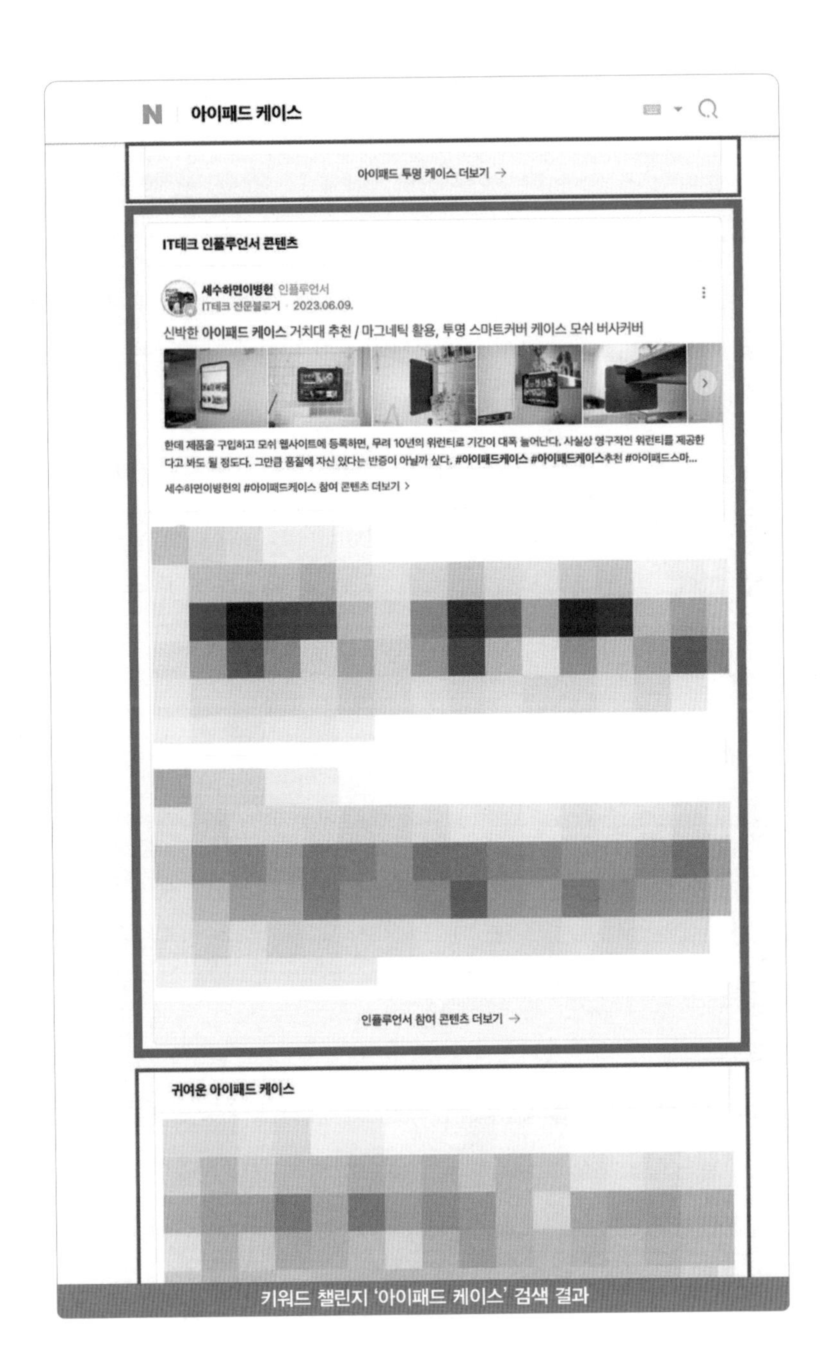

키워드 챌린지 '아이패드 케이스' 검색 결과

04 차별화 전략(핀셋/조커 키워드)

모든 키워드는 검색하는 사람의 '의도'가 담겨 있다. 보통 어떤 주제에 대해 자세한 내용을 알고 싶어서 검색을 한다. 같은 단어를 검색해도 현재 의도에 따라서 클릭하는 콘텐츠가 달라진다. 스마트블록은 그런 다양한 검색 의도에 대응하는 키워드 검색 유형이다. 이렇게 다양한 검색자의 의도에 모든 포스팅을 100% 맞춤 제작하는 블로그 운영은 불가능하다. 하지만 최대한 가깝게 만들 수는 있다. 블로그의 처음 시작부터 현재까지, 난 거의 모든 포스팅에 2가지 방식의 차별화 전략을 대입해 왔다. 그 차별화 전략을 소개하겠다.

핀셋 키워드

블로그 초보, 중수, 고수까지 모든 블로그에서 활용할 수 있는 강력한 키워드 전략이다. 마케팅 용어 중에 '핀셋 마케팅'이라는 개념이 있다.

핀셋 마케팅(Pincette Marketing)

핀셋으로 콕 집어내는 것처럼 타깃층을 정교하게 세분화해 필요한 곳만 정조준하는 마케팅 기법으로 불특정 다수를 대상으로 하는 판촉 활동 대신 특정 고객을 위한 맞춤형 마케팅을 구사하는 것. 불특정 다수가 대상인 매스(Mass) 마케팅과 반대 개념으로, 고급 백화점 등에서 시작돼 산업 전반으로 확산되고 있다.

– 지형 공간정보체계 용어사전

작은 물체를 집어내는 데 사용하는 핀셋이라는 도구를 마케팅에 접목하는 개념이다. 불특정 다수가 아닌 특정 고객을 위한 맞춤형 마케팅을 구사하는 활동을 의미한다. 한마디로 내 맘에 쏙 드는 취향 저격 마케팅 기법이다. 이 개념을 나는 블로그 키워드에 접목시킨다.

보통 대부분의 블로거는 블로그 포스팅에 사용할 키워드를 찾을 때 '검색량이 존재하는 완성형 키워드'에만 집중하는 경향이 있다. 자동완성어, 연관 검색어, 스마트블록 키워드, 키워드 챌린지 키워드 등 다양한 항목에서 발견할 수 있는 키워드를 찾고 조합해서 블로그 포스팅을 써 내려간다. 그 방식이 틀렸다는 건 아니다. 각 키워드의 검색량을 확인하고, 내 블로그에 알맞은 수준의 키워드인지 파악해서 포스팅을 쓰는 건 당연한 진행 방식이다. 하지만 여기에 핀셋 키워드를 추가한다면 좀 더 세분화된 검색 결과를 만들어 낼 수 있고, 포스팅의 조회수가 훨씬 더 오랫동안 유지되도록 할 수 있으며, 제품 판매량을 한층 더 끌어올릴 수 있다.

핀셋 키워드 이해를 돕기 위한 가공 이미지

애플워치의 운동 기능에 대한 포스팅을 작성한다고 가정해 보자. 이때 대부분의 블로그에서 자주 등장하는 단어들이 있다. 건강, 유산소, 피트니스, 걷기, 헬스, 러닝, 사이클링, 달리기, 종류, 일시정지, 측정, 알림 등 '누구나 쉽게 떠올릴 수 있는' 관련 단어들을 본문에 추가하면서 포스팅을 풀어 간다. 이 방법은 틀리지 않다. 하지만 차별적이라고 말할 수는 없다. 이때 필요한 개념이 바로 핀셋 키워드이다.

혹시 애플워치가 있다면 지금 바로 손목을 들어 운동 기능을 실행해 보자. 방금 전에 짚어 본 다양한 단어가 자연스레 머릿속을 스쳐 간다. 하지만 폭넓은 관점이 아니라 특정 기능이나 특정 단어에 집중해 볼 필요가 있다.

-	키워드	PC 검색량	모바일 검색량	총조회수	문서수	비율
-	애플워치 운동 추가	10	70	80	24,675	308.438
-	애플워치 운동 멈춤	10	40	50	458	9.160
-	애플워치 운동 순서	20	120	140	3,653	26.093
-	애플워치 운동 종류	60	640	700	11,200	16.000

키워드 마스터 사이트

위 4개의 키워드는 모두 지금 바로 찾아본 '핀셋 키워드'이다. 모두 검색량이 적은 편이라 대부분의 사람이 블로그 포스팅으로 잘 사용하지 않는다는 공통점이 있다. 그래서 다음과 같은 결과가 나온다.

N 애플워치 운동 추가

통합 VIEW 이미지 지식iN 인플루언서 동영상 쇼핑 뉴스 어학사전 지도 ···

VIEW • 전체 • 블로그 • 카페

세수하면이병헌 IT, 육아 인플루언서 2023.03.10.

(아무도 몰랐던) 애플워치 울트라 운동 사용법, 사용자화 루틴 활용 기능

애플워치 운동 사용법, 꼭 활용해야 할 빅꿀팁 1. 사용자화 세팅하기 일단 운동 앱을 켠다. 보통... 이제 '운동생성 - 사용자화'를 선택해서 세부 사항을 결정한다. 준비 운동은 취향에 따라 결정하고, + 추가를 눌러 '운동'을...

순담작가의 사진 그리고 IT 인플루언서 2023.05.22.

애플워치 운동 기록 종류 수동으로 유산소 근력운동 앱 설정하는 방법

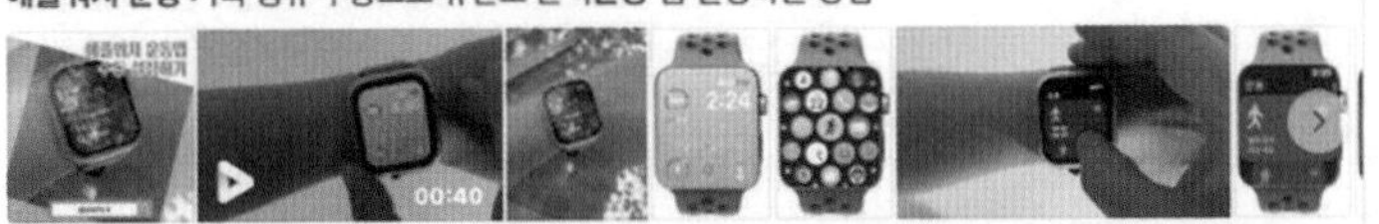

것을 추가하거나 기타 버튼을 통해 새로 루틴을 만들 수 있으니 참고하시면 좋겠죠? 저는 실내 걷기를 선택했습니다. 예시니까 이렇다는 점 한번 봐주세요. 이렇게 수동으로 누르고 운동을 시작하면 좀 더 정확히 애플워치...

등2딸KI 2021.07.18.

애플워치 6세대 음악, 운동, 수면관리 활용 팁

애플워치 사용한 지 벌써 4년 차가 된 것 같은데요 최근 사용하는 모델은 애플워치 6세대 입니다. 최신 OS 업데이트 후 사용하고 있는데요 새로운 기능들이 하나씩 추가될 때마다 은근 뿌듯한 ...

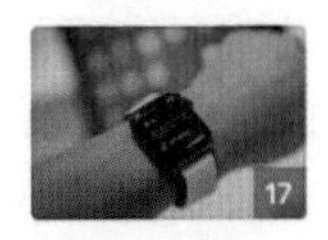

이지이 IT창고 인플루언서 2022.09.06.

애플워치 시리즈8 프로 새로운 디자인과 운동특화 기능

상황에서 애플워치 시리즈8 프로에 대한 디자인과 기능성에 대해서 추가적으로 공개되어 화제를 모으고 있습니다. 그동안 기본 모델만으로도 만족스러운 운동 보조 기능을 가지고 있었던 것도 ...

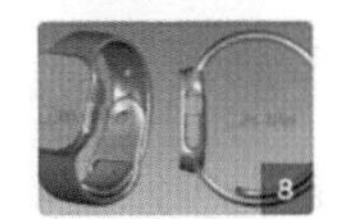

송도아이폰수리인천애플 7일 전

애플워치 운동 다양한 모드 선택해서 활용해보자

새롭게 추가하는 애플워치 운동 알려 드릴께요 먼저 운동 어플을 들어가 줘야 하는데요 크라운 버튼 눌러서 어플 화면을 열어 주세요 다들 아시겠지만 녹색 모양이 사람 아이콘이 바로 운동 어...

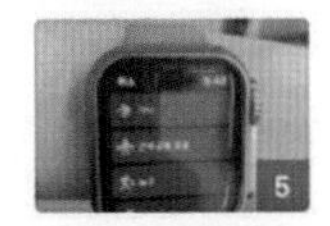

'애플워치 운동' 핀셋 키워드 검색 결과

'애플워치 운동 추가' 키워드는 '애플워치 / 운동 / 추가' 3개의 단어가 조합되어 하나의 키워드가 된 형태이다. 네이버 검색 알고리즘은 '애플워치 / 운동 / 추가' 3개의 단어가 포함된 블로그 포스팅을 찾고, 관련성이 높다고 판단되는 포스팅을 상위에 노출시킨다. 이때 '애플워치 / 운동 / 추가' 3개의 단어를 찾는 순서는 '제목 - 본문'이다. 그래서 위 검색 결과를 자세히 볼 수 있어야 한다. 중요한 공통점이 있다.

'애플워치 / 운동'까지는 제목에서 찾을 수 있다. 하지만 '추가'라는 단어가 제목에 있는 포스팅은 없다. 방금 3개의 단어를 찾는 순서가 '제목 - 본문'이라고 했다. 모든 포스팅의 제목에 '추가'라는 단어가 없으니, 이제 본문으로 넘어간다. 위 5개 포스팅의 본문 내용을 보자. 모두 '추가'라는 단어에 볼드 처리가 되어 있는 걸 알 수 있다. 즉 제목이 아니라 본문에 '추가'라는 단어가 있기 때문에 검색 노출이 될 수 있었다.

이쯤에서 '애플워치 운동 추가'라는 키워드의 검색 의도를 잠시 생각해 보자. '애플워치의 운동 기능 중에서 내가 원하는 운동을 어떻게 추가할 수 있지? 경로가 어떻게 되지? 방법을 알고 싶어.' 이런 의도가 담겨 있다고 볼 수 있다. 이제 다시 앞으로 가서, 검색 결과 중에서 '본문 내용'을 살펴보자. 키워드의 검색 의도에 맞게 작성되어 있는 포스팅이 1, 2위에 노출되어 있다는 걸 알 수 있다.

이 원리를 적용해서 수많은 핀셋 키워드를 본문 내에 '의도적으로 배치'한다. 제목에 모든 키워드를 다 넣지 않고도 내 포스팅을 손쉽게 상위 노출할 수 있는 중요한 차별화 전략이다. '애플워치 운동 추가' 키워드로 1위에 노출되어 있는 내 포스팅 역시 본문에 '추가'라는 단어를 의도적으로 배치한 결과이다.

'애플워치 운동 / 애플워치'와 같은 완성형 키워드, 메인급 키워드는 당장 상위 노출도 쉽지 않지만, 상위 노출이 된다고 해도 오래 지속되지 않는다. 하지만 핀셋 키워드인 '애플워치 운동 추가'는 굉장히 오랫동안 내 블로그에 남아 꾸준히 검색 유입을 만들어 낸다. 같은 포스팅을 해도 남들보다 더 빠르게 더 오랫동안 최상위권을 유지하는, 내 중요한 차별화 전략 중 하나이다.

핀셋 키워드를 다수 배치하면 본문 내용의 디테일을 끌어올릴 수 있고, 특정 제품의 디테일한 사용법이나 후기가 궁금한 사람에게 정확한 정보를 제공함으로써 간지러운 속을 긁어 줄 수 있다. 그렇게 검색자들의 포스팅 만족도를 끌어올릴 수도 있는데, 이때 긍정적인 사용자 반응이 다양한 형태로 나타난다. 공감, 댓글(특히 질문 댓글), 스크랩, 긴 체류 시간, 위아래로 수차례 이어지는 스크롤, 링크 클릭, 애드포스트 클릭, 재방문, 심지어 제품 구입까지 이어질 확률이 크게 높아진다.

TIP 핀셋 키워드는 직접 생각해서 찾아볼 수도 있지만, 메인 키워드를 검색해서 확인해 볼 수도 있다. 네이버 카페 / 지식인 / 뉴스 / 각종 커뮤니티 등 다양한 채널에서 메인 키워드에 대해 사람들이 어떤 생각을 하는지를 살펴보고 그 내용에서 인사이트를 얻을 수도 있다. 내 생각대로 포스팅을 쓰기보다는 '사람들이 어떤 생각을 하는지'에 집중하면, 다양한 핀셋 키워드도 찾고 디테일한 고퀄리티의 포스팅을 만들어 낼 수도 있다.

조커 키워드

핀셋 키워드와는 상반되는 개념이다. 메인 키워드의 검색량을 보다 포괄적으로, 크게 증폭시켜 줄 수 있는 개념이다.

조커(joker)

트럼프에서, 다이아몬드·하트 따위에 속하지 아니하며 가장 센 패가 되기도 하고 다른 패 대신으로 쓸 수 있는 패

– 네이버 어학사전

조커는 가장 센 패가 되기도 하고, 다른 패 대신으로도 쓸 수 있는 패를 말한다. 난 이 개념 또한 블로그 키워드에 접목시킨다. 앞서 핀셋 키워드를 설명하면서 예시로 삼았던 애플워치 운동 포스팅을 다시 살펴보자.

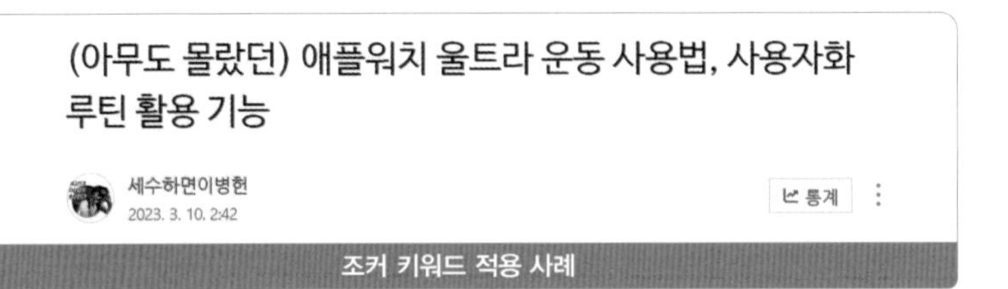

조커 키워드 적용 사례

'애플워치 운동'을 메인 키워드로 작성한 내용인데, 여기에 '사용법 / 기능' 등의 키워드를 추가한 사례이다.

키워드	총조회수	문서수	비율
애플워치 사용법	3,770	9,018	2.392
애플워치 운동	1,810	135,637	74.938
애플워치 기능	4,070	120,636	29.640

키워드 마스터 사이트

'애플워치 운동'은 기능 중 하나이며, 운동 기능 사용법은 '애플워치 사용법' 중의 하나이다. 즉 오늘 내가 작성할 메인 키워드를 더 포괄적인 의미로 포함하고 있는 상위 개념에 대해 생각해 보고, 가능하다면 제목에 삽입해서 더 많은 유입을 만들어 내야 한다.

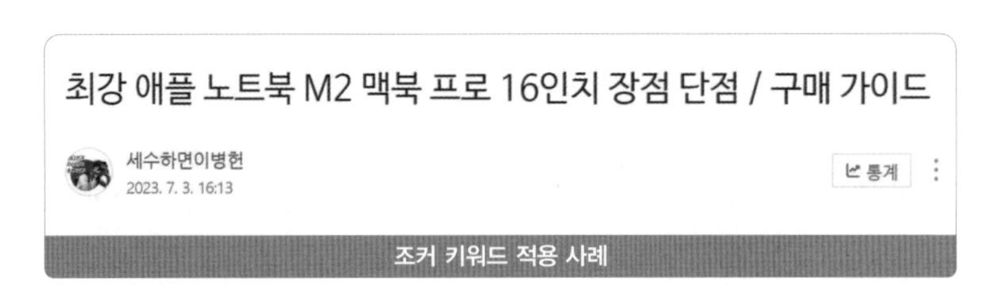

조커 키워드 적용 사례

맥북프로 M2 16인치에 대한 개인적인 리뷰를 담은 포스팅이다. 보통은 '맥북프로 / 맥북프로 16인치 / 맥북프로 M2' 등 제품명에 관련한 메인 키워드만 고려한다. 이때 조커 키워드를 한 번 더 생각해 본다.

키워드	PC 검색량	모바일 검색량	총조회수	문서수	비율
애플 노트북	1,920	8,660	10,580	263,685	24.923
맥북프로 M2	1,400	3,640	5,040	10,671	2.117
맥북프로 16인치	2,430	7,270	9,700	14,608	1.506
맥북프로	5,700	17,000	22,700	237,435	10.460

키워드 마스터 사이트

맥북프로 22,700 + 맥북프로 M2 5,040 + 맥북프로 16인치 9,700 = 37,440

맥북프로 22,700 + 맥북프로 M2 5,040 + 맥북프로 16인치 9,700 + 애플 노트북 10,580 = 48,020

조커 키워드로 '애플 노트북'을 삽입하면 10,580건의 기회가 더 생길 수 있다. 이 개념이 조커 키워드의 핵심이다. 물론 검색량이 반드시 높은 것만 조커 키워드가 될 수 있는 건 아니다. 가장 센 패가 되기도 하고, 다른 패 대신으로도 쓸 수 있어야 한다.

키워드	PC 검색량	모바일 검색량	총조회수	문서수	비율
맥북 단점	160	420	580	42,672	73.572
맥북 장점	120	250	370	65,364	176.659
애플 노트북	1,920	8,660	10,580	263,675	24.922
맥북프로 M2	1,400	3,640	5,040	10,670	2.117
맥북프로 16인치	2,430	7,270	9,700	14,607	1.506
맥북프로	5,700	17,000	22,700	237,429	10.459

키워드 마스터 사이트

'맥북 단점 / 맥북 장점'의 검색량은 총 950건이다. 하루 32건에 해당하는 꽤 큰 비중이다. 그래서 난 '장점', '단점' 단어를 제목에 삽입하되, 제목의 완성도를 높이면서 동시에 본문 내용을 이끌어 가는 목적으로 사용했다. 이쯤에서 해당 포스팅의 제목을 다시 살펴보자.

최강 애플 노트북 M2 맥북 프로 16인치 장점 단점 / 구매 가이드

언뜻 보면 '장점 단점' 단어가 어떤 내용의 포스팅인지를 설명하기 위해 사용한 것처럼 보이지만, 실제로는 '검색량이 있기 때문에' 삽입했다. 제목의 완성도를 끌어올리면서, 동시에 키워드 검색량까지 추가로 확보할 수 있는 조커 키워드는 굉장히 중요한 개념이니 꼭 알아두고 계속 활용해 보기 바란다.

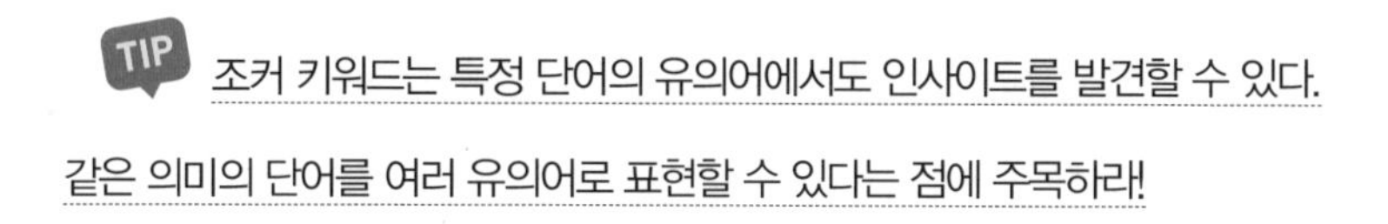

조커 키워드는 특정 단어의 유의어에서도 인사이트를 발견할 수 있다. 같은 의미의 단어를 여러 유의어로 표현할 수 있다는 점에 주목하라!

05 IT 블로그, 무한 키워드 시대

뼛속까지 문과인 내가 대한민국 최상위 IT 블로거로 성장할 수 있었던 이유를 꼽자면, 단언컨대 키워드 전략과 글쓰기 덕분이라고 말할 수 있다. 보통 IT 블로그 운영은 각종 전자기기에 능통하고 논리적이거나 기계적인 학습 능력이 뛰어나야 하며, 다양한 고가의 디바이스를 보유하고 있어야 한다고 생각하기 쉽다. 단언컨대 아니다.

난 오히려 반대였다. 전자기기는 별 생각 없이 그저 '갖고 싶다.'라는 마음에 덜컥 구입했다가 다시 중고로 판매하는 수준에 그쳤다. 기계적인 언어는 문외한에 가까웠고, 논리적인 사고를 통해 문제를 해결해 나가는 타입도 아니었다. 게다가 IT 블로그를 시작할 당시, 딱히 이렇다 할 디바이스가 있는 것도 아니었다. 누구나 하나쯤은 가지고 있는 스마트폰 1대와 구형 데스크톱 PC가 전부였다.

IT 블로그 운영을 위한 소재는 무궁무진하다. 당장은 스마트폰, 카메라, 노트북, PC, 이어폰, 스피커 등 굵직한 하드웨어들만 떠올리기 쉬운데 그렇지 않다. 엑셀, 포토샵, 윈도우, 카카오톡, iOS, 구글, 인스타, 클라우드 기타 등등. 다양한 소프트웨어 및 사이트, 운영체제에 대한 정보를 잠깐만 떠올려도 이렇게나 많다. 게다가 IT 카테고리에는 가전제품도 상당수가 포함되어 있고, '○○하는 법 / ○○ 사용법'과 같은 간단한 방법을 알려 줄 수 있는 키워드까지 무수히 많다.

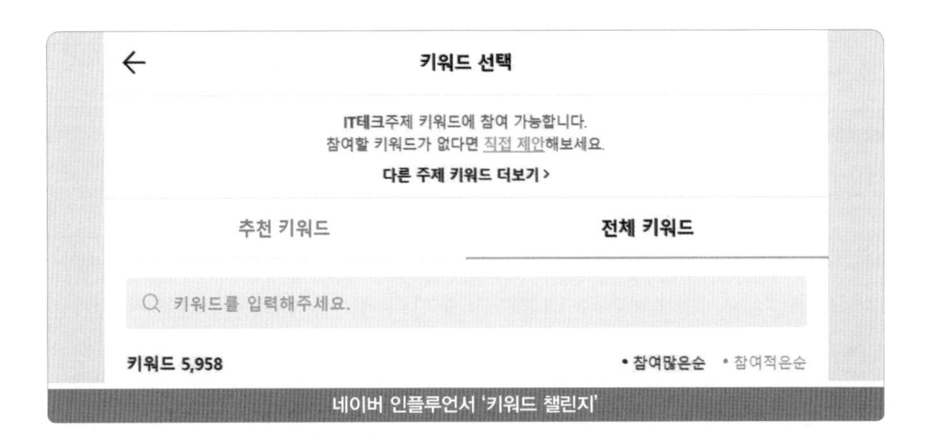

네이버 인플루언서 '키워드 챌린지'

참고로 2023년 10월 기준, IT/테크 인플루언서의 키워드 챌린지는 5,958개이다. 그중에서 나는 총 2,926개에 참여했는데, 비율로 보자면 49.1%에 불과하다. 네이버의 모든 IT 키워드 중에서 49.1%를 다루었다는 의미가 아니다. 'IT/테크 키워드 챌린지'로 정해진 범위 내에서 49.1%만큼 키워드를 사용했다는 의미이다. 월 최소 1천 만 원 이상의 순수익을 수년 동안 지속하고 있는, 블로그가 직업인 프로 블로거조차 절반을 채우지 못했다. 그만큼 IT 카테고리의 키워드는 무궁무진한 상황이다.

코로나19 팬데믹으로 인한 라이프스타일의 변화 또한 IT 산업의 대중화를 촉진시키고 있다. '화상회의, 원격제어, 인공지능, AI' 키워드가 대중화됐고, '웹캠, 마이크, 카메라, 노트북' 등 비대면 시대를 살아가는 데 반드시 필요한 디바이스에 대한 인식도 크게 바뀌는 추세이다. 자연스레 그와 관련한 파생 키워드가 무수히 많이 쏟아졌고, 앞으로도 새로운 키워드가 계속 생겨나게 될 것이다.

애플은 매년 아이폰, 아이패드, 애플워치, 맥북 등의 디바이스를 주기적으로 출시하고, 삼성도 같은 패턴으로 항상 새로운 디바이스를 시중에 쏟아내고 있다. IT 리뷰를 전문적으로 진행하고 있는 사람조차 그 수많은 디바이스를 다 리뷰하지 못한다. 100% 실사용하거나, 빠짐없이 모두 다 블로그 포스팅으로 만들어 내지는 못한다. 모두 각자의 스타일대로 선택과 집중을 할 뿐이다. 그만큼 우리는 각종 디바이스와 소프트웨어, 사이트, 사용법 등에 대한 IT 키워드가 끝도 없이 새롭게 생성되는 무한 키워드 시대를 살고 있다.

혹자는 이렇게 말한다.

"블로그는 진작에 끝났다. 엄청난 레드오션이다."

과연 그럴까? 2015년 당시 내가 블로그를 시작할 때는 더 심했다. 이미 오랫동안 블로그를 운영했던 쟁쟁한 사람이 엄청나게 많았고, 그때도 대부분이 블로그를 대표적인 레드오션으로 생각했다. 하지만 난 과감히 도전했고, 하루하루 나와의 경쟁을 통해 지금의 자리에 올라섰다. 그때와 지금을 비교해 보면 오히려 난 지금이 블로그를 제대로 시작하기에 훨씬 더 좋은 상황이라고 생각한다.

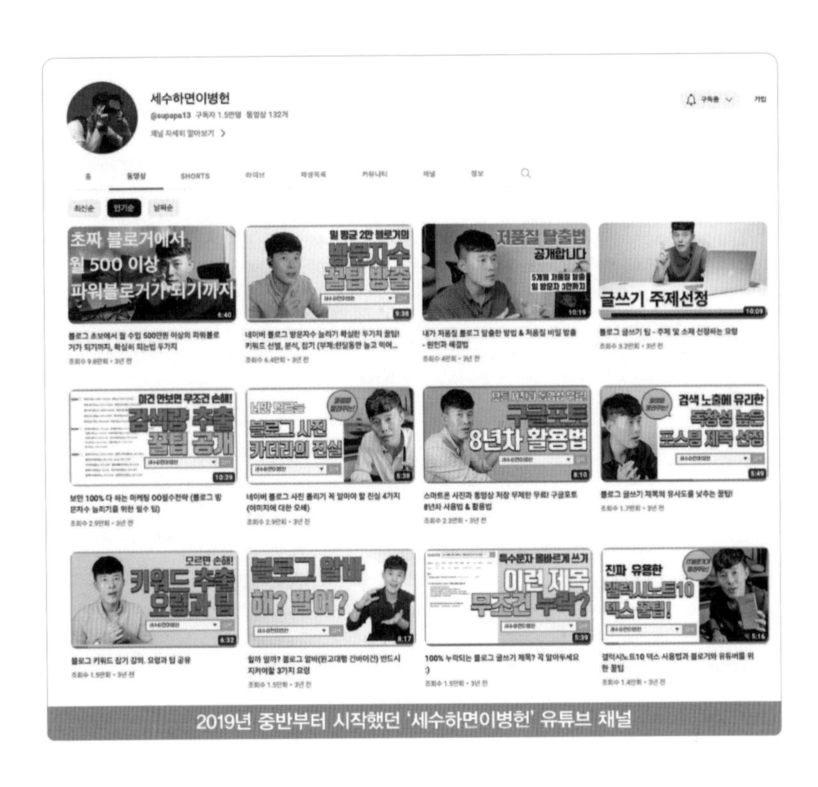

2019년 중반부터 시작했던 '세수하면이병헌' 유튜브 채널

블로그 운영에 대한 실전 팁을 가감 없이 모두 풀어내고 있다. 유튜브가 대중화되면서 블로그와 관련한 다양한 운영 팁이 모두 무료로 공개되고 있다. 그리고 시중에는 다양한 유료 강의도 엄청나게 많다. 손만 뻗으면 블로그 운영 방법을 학습할 수 있는 루트가 크게 오픈되어 있다는 뜻이다. 2015년에는 정확하게 반대였다. 앞서 살펴본 '키워드에 사활을 걸어야 하는 이유 / 키워드, 의식의 흐름대로 / 2023 키워드 유형 분류 / 차별화 전략'과 같은 방법들은 모두 상당한 고가의 강의에서 접할 수 있거나, 아예 정보 자체를 찾을 수 없었다.

늦지 않았다. 오히려 폭발적인 IT 키워드의 무한 생성이 진행 중인 지금이 IT 블로그를 시작하기에 더 좋은 시기이다. 무한 키워드가 빠르게 생성되고 있고, 블로그 운영 관련 정보의 불균형이 해소되면서 누구나 마음만 먹는다면 IT 블로그로 기대 이상의 수익화를 실현할 수 있는 상황이다.

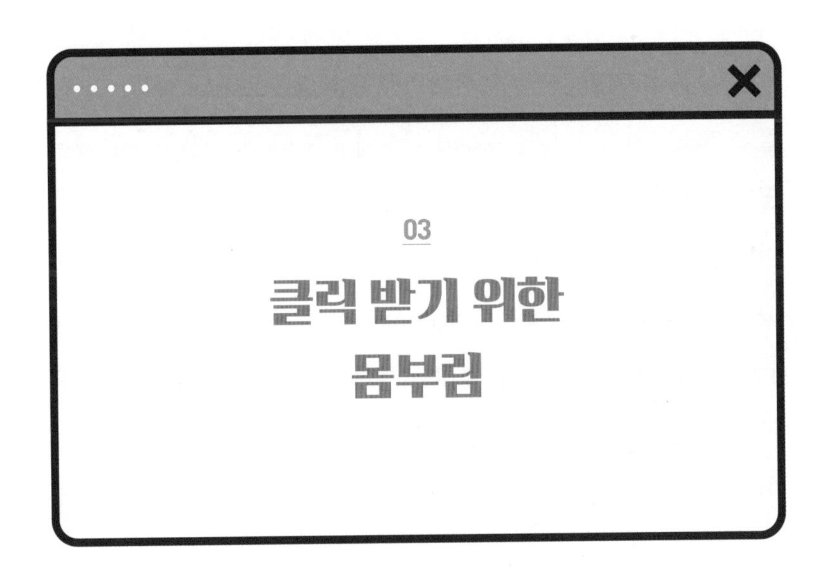

01 제목의 중요성

하루 동안 수천 개 이상의 블로그 포스팅이 업로드된다. 그 수많은 블로그 포스팅 중에서 내 포스팅이 누군가로부터 '클릭을 받는 확률'을 따져 본다면 아마도 대부분은 극히 낮은 비율이 나올 것이다. 그런데 문제는 우리가 평상시 접하는 다양한 콘텐츠는 블로그 포스팅만 있는 게 아니다. 유튜브, 인스타, 페이스북, 틱톡, 네이버 카페, 지식인, 티스토리, 카카오톡 등 다채로운 SNS 플랫폼에서 수많은 콘텐츠가 끝도 없이 생산되고 있다.

현 시대가 그렇다. 스마트폰의 대중화와 포스트 코로나는 수많은 콘텐츠 소비가 자연스레 우리의 일상이 되도록 만들었다. 너무 많은 글과 사진, 영상이 있고, 끝도 없이 새로운 콘텐츠가 올라온다. 당장 어떤 콘텐츠를 우선적으로 봐야 할지, 그 고민의 시간 자체가 고민이 되는 아이러니한 시대를 살고 있다.

그렇게 치열한 콘텐츠 경쟁 구도 속에서 살아남기 위한 중요한 전략 중 하나가 바로 '제목'이다. 글이 아무리 빼어나도, 사진이 아무리 예뻐도, 검색 노출이 아무리 잘돼도 '클릭을 받지 못하는' 포스팅은 죽은 포스팅과 다름없다. 한껏 공을 들여 본문을 수려하게 만들어 냈다 한들, 누군가의 호기심을 자극하여 클릭을 유발하지 못하는 제목의 포스팅은 빠른 시간에 잊힐 수밖에 없다. 그만큼 제목은 중요하다.

잘 작성된 제목은 검색자들에게 포스팅의 내용을 함축적으로 전달하는 미리 보기의 역할을 할 수 있고, SEO 검색 엔진 최적화를 위한 강력한 무기가 되기도 한다. 또한 블로그 이외 다른 플랫폼에서 내 포스팅이 공유될 때에도 강렬하고 매력적인 제목은 확산 속도를 빠르게 촉진시킨다. 장기적인 관점에서 보면, 블로그 자체의 브랜딩과 신뢰도 구축에도 크게 기여할 수 있다.

02 제목의 3요소

대부분의 사람이 길고 긴 본문의 내용보다, 사진을 촬영하고 보정하는 일보다, 제목 짓기를 더 어려워한다. 나는 블로그를 처음 시작했을 때부터 지금까지 반드시 제목을 먼저 완성하고 그 후에 본문 내용을 작성한다. 솔직하게 고백하자면, 나는 블로그 포스팅의 제목을 짓는 과정이 가장 쉽고 즐겁기까지 하다. 내게 특별한 능력이 있어서가 아니다. 특별한 경험을 가진 것도 아니다. 그저 평상시 TV, 라디오, 잡지, 신문 등 다양한 미디어 매체에서 접할 수 있는 매력적인 제목, 스크립트, 브로슈어, 광고를 눈여겨보는 습관이 있을 뿐이다.

그리고 다음에 소개하는 '제목의 3요소' 공식을 지킨다.

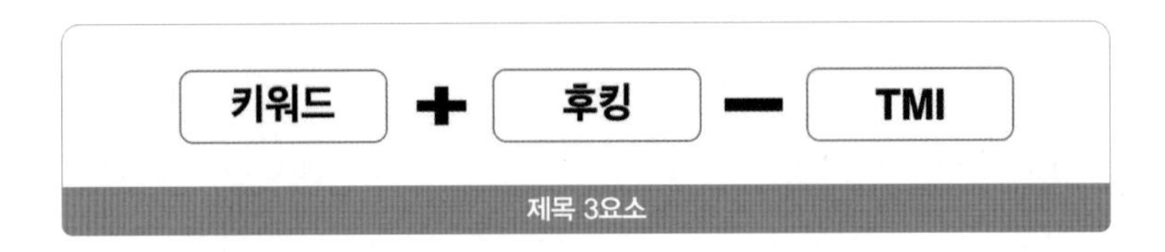

제목 3요소

키워드는 반드시 제목에 배치한다. 이때 본문 내용을 고려한 후킹 멘트를 삽입하되 TMI는 과감히 제거한다.

첫째, 특정 키워드로 검색 유입을 만들어 내서 블로그 지수를 향상시키기 위한 모든 포스팅에는 필연적으로 '키워드'가 삽입되어야 한다. 앞에서 알아본 'VIEW / 스마트블록 / 키워드 챌린지' 3개 유형에 맞춰 어떤 키워드를 삽입할지부터 리스트업한다. 간단히 메모장에

기재하면서 정리하면 된다. 키워드의 중요성에 대해서는 앞에서 충분히 다루었으니, 혹시 왜 키워드를 삽입해야 하는지 의문이라면 키워드와 관련하여 설명한 내용을 다시 참고하기 바란다.

둘째, 후킹 멘트를 삽입한다. 후킹(hooking)이라는 단어 그대로의 의미는 '갈고리'이다. 주로 마케팅 용어로 쓰이는데, 갈고리로 목표물을 강하게 끌어당기는 것처럼, 마케팅에서는 고객의 마음을 사로잡는 매력적인 키포인트를 의미한다. 어떤 전략이 될 수도 있고, 의미심장한 한마디가 될 수도 있다. 어떤 방법으로든 고객의 마음을 강하게 끌어당기는 모든 요소를 의미한다. 블로그 제목에서의 후킹은 '제목의 완성도를 높이거나 / 본문 내용을 함축적으로 표현하거나 / 호기심을 강하게 자극시키거나' 하는 목적으로 사용되는 단어 혹은 표현들을 의미한다.

리뷰 / 추천 / 찐후기 / 리얼 후기 / 선택 가이드 / 주요 기능 정리 / 비교 분석 / 활용 사례 / 꿀팁 / 이유 3가지 / TOP5 / BEST3

블로그 제목에 삽입할 만한, 가장 자주 등장하게 되는 후킹 멘트를 간략히 정리한 사례이다. '리뷰, 추천', '후기'와 같은 심플한 후킹 멘트도 있지만, '선택 가이드', '비교 분석', '활용 사례', '꿀팁'과 같이 '포스팅을 읽었을 때 제공받을 수 있는 이점'에 대해 피력하는 후킹 멘트도 자주 활용되곤 한다.

또 하나 빠질 수 없는 제목의 후킹 사례는 '넘버링'이다. 추천하는 이유를 3가지 소제목으로 만들어서 독자를 설득하는 논리를 펼칠 수도 있고, 특정 지역의 여행지 혹은 맛집 정보를 5개로 분류해서 하나씩 소개하는 방식으로 포스팅을 제작할 수도 있다.

잠시 생각해 보자. 뉴스 기사 / 커뮤니티 게시물 / 유튜브 영상 / 블로그 포스팅 등 인터넷 상에서 매일 접하는 다양한 형태의 콘텐츠가 있다. 그 수많은 콘텐츠 중에서 유독 내 관심을 끌었던 콘텐츠는 무엇이었는가. 내 관심을 끌고 내 클릭을 유발했다면 그 이유가 무엇이었는가. 혹시 잘 생각나지 않는다면 지금 바로 네이버에서, 블로그에서, 유튜브에서, 괜스레 클릭하고 싶어지는 콘텐츠가 있는지 확인해 보자. 있다면 해당 콘텐츠의 '제목'을 유심히 살펴보길 바란다. 그리고 그 제목에서 '나를 강하게 끌어당긴 멘트'가 무엇인지를 체크해 보자. 그 멘트가 바로 '후킹 멘트'이다.

셋째, TMI는 과감히 제거한다. TMI는 'Too Much Information'의 약어로, 필요 이상의 너무 많은 과한 정보를 의미한다. TMI는 이제 전 국민의 용어가 됐을 정도로 보편화됐는데 일상 대화 속에서, 인터넷 커뮤니티 속에서 상황에 따라 다양하게 통용되고 있다.

필요 이상으로 말이 많은 경우가 있다. 출근 준비에 눈코 뜰 새 없이 바쁜 아침, 한 통의 전화가 걸려온다.

"대표님 안녕하세요. 제가 어제 밤에 갑자기 친구에게 연락을 받았는데… 그 친구가 갑자기 너무 아픈데, 혼자 사는 친구라 간호해 줄 사람도 없고 밥도 챙겨 먹기 힘들어서 제가 밤새 옆에 있어 주면서 죽도 사다 주고 그랬어요. 그런데 그 친구가…(구시렁구시렁…)"

"그래서요? 지금 나도 바빠서… 요점만 간단히 말해 봐요."

"아, 넵. 아무튼 제가 갑자기 밤을 새는 바람에… 지금 집에 가고 있는데… 얼른 준비해서 가겠습니다."

"늦는다는 거예요?"

"넵. 1시간 정도 늦을 것 같습니다."

위 대화 내용에 대해 독자들의 생각을 묻고 싶다. 실제로 내가 겪었던 일이다. 솔직히 좀 답답했다. 이런 상황은 누구에게나 있을 수 있고, 실제로 수많은 일상생활 속에서 비슷한 유형의 대화 방식을 볼 수 있다. '요점만 간단히' 말해야 하는 상황이 있고, 그렇지 않은 상황이 있다. 출근 준비로 바쁜 시간에는 어떤 내용이 됐든 요점만 간략하게 정리해서 말해야 한다. 그건 우리 모두가 잘 알고 있는 보편적 상식이다.

블로그 포스팅의 제목도 마찬가지이다. '요점만 간단히' 정리하는 제목이어야 한다. '제목의 중요성' 편에서 설명했듯, 하루 동안 수천 개 이상의 블로그 포스팅이 업로드된다. 그 무한 경쟁 속에서 제목 내에 과도하게 삽입되는 TMI 표현들과 단어들은 모두 클릭은커녕 독자의 눈길에도 들지 못하는 불편한 상황을 야기하는 주범이다.

'누가 그걸 그렇게 쓰겠어?'라고 생각한다면 오산이다. 출근 준비로 바쁜 시간에는 요점만 간략하게 정리해서 말해야 한다는 보편적인 사실을 잘 알고 있으면서도, 유독 블로그 포스팅을 작성할 때는 그 사실을 인지하지 못하거나, 잠시 잊게 되는 경우가 부지기수이다. 실제로 그렇다. 여러분이 평소 접하고 있는 TMI가 많은 이웃 블로거분들의 포스팅 제목을 잠깐 떠올려 보면 된다. 생각보다 굉장히 많은 'TMI 제목 사례'를 발견할 수 있을 것이다.

– 아이폰 15 출시일 예상, 일반보다는 확실히 프로가 끌리네 스펙과 디자인 예상 정보를 미리 알아 두자.
– 제주도 가족여행 서귀포 맛집 역시 현지인이 추천해 주는 맛집이 제대로인 듯? 리얼 후기 보고 가세요~
– ○○미용실 레이어드 펌 ○○원장님 상담받고 결정한 후회 없던 후기

모두 실제 내 수강생분들의 TMI 제목을 살짝 각색한 것이다. 제목만 보고 클릭을 결정해야 하는 상황에서, 위 3개의 포스팅을 클릭하는 경우는 아마도 거의 없지 않을까 싶다. 위 3개의 제목 모두 불필요한 TMI 요소가 너무 많다. 그래서 제목의 매력도가 떨어지고, 뭔가 엉성한 듯한 느낌이 지워지지 않는다. 그럼 이제, 위 3개의 제목에서 TMI를 제거한 결과를 보자.

– 아이폰 15 출시일 예상, 일반보다 프로가 끌리는 이유(스펙/디자인 프리뷰)

– (현지인 추천) 제주도 가족여행 서귀포 맛집 리얼 후기

– ○○미용실 원장님 강추 레이어드 펌 찐 후기

TMI를 제거하기 전과 후의 제목 차이가 느껴진다면 독자분들을 설득하고자 하는 내 의도가 통했다고 볼 수 있다. 확실히 다르다는 걸 누구나 알 수 있을 정도이다. 그럼에도 불구하고 많은 블로거가 TMI 제목을 쓰는데 그 이유는 단순하다. '내 포스팅에 대한 과도한 애정' 때문이다. 내가 직접 겪은 일, 내가 애지중지 사용하는 제품, 내가 방문한 맛집, 내가 꼽는 최고의 여행지, 기타 등등 모두 내가 직접 경험하고 하나하나 겪은 소중한 내 일상에 대한 이야기를 담는 과정이기 때문에, 그에 대한 과도한 애정이 TMI로 투영되는 것이다.

제목은 객관적이어야 한다. 최대한 객관적이고 비판적인 시각으로 내 제목을 평가할 수 있어야 한다. 수년 동안 수천 명의 수강생을 접하면서 참 많은 인사이트를 전했다. 그중에서도 '자신에 대한 객관화'를 할 수 있게 도와준 사례가 가장 많았고, 가장 기억에 남는다. 그만큼 나 자신에 대해, 내 포스팅에 대해 객관적인 시각을 갖는 것은 어렵지만 중요한 과정이다. 혹시 당장 오늘부터 바로 변화하기 어렵다면, 다음 2가지 방법을 참고해 보기 바란다.

– 주변 사람들(가족, 친구, 이웃 블로거 등)에게 제목을 보여 주고 어떤 느낌이 드

는지 객관적이고 비판적인 피드백을 받는다.

- 기존처럼, 늘 하던 대로 제목을 일단 짓는다. 이어서 '자신에 대한 객관화 모드'로 진입한다. 스스로 비판적인 시각으로 제목을 '수정'한다.

이 2가지 방법 모두 블로그 활동 초창기에 스킬을 폭발적으로 끌어올리기 위해 내가 매일 했던 방법이다. 참고로 제목뿐 아니라 본문 내용 또한 위 2가지 방법으로 스스로 트레이닝할 수 있고, 점차 완성도를 높여 갈 수 있다.

이쯤에서 제목의 3요소를 다시 정리해 본다.

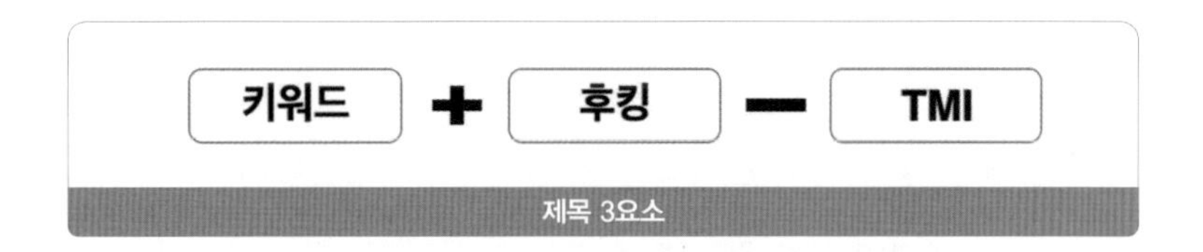

제목 3요소

"키워드를 정리해서 삽입하고, 독자의 마음을 끌어당길 수 있는 적절한 후킹 멘트를 더한다. 자신에 대한 객관화를 통해, 불필요한 TMI는 과감히 제거한다."

03 IT 블로그 제목 짓기 실전

제목의 중요성과 제목의 3요소에 대해 모두 이해했다면, 이제 실전

타입이다. 실제로 지금 당장 블로그 포스팅에 적용할 수 있을 만한 소재들을 샘플 삼아 제목 짓기 실전을 해 볼 차례이다. 샘플은 모두 IT 소재를 채택했지만, 꼭 IT가 아니어도 괜찮다. 키워드와 후킹 멘트를 구분할 줄 알고, 방법을 이해해서, 내 블로그 제목에 접목하는 시도를 해 본다면 그 변화의 시작만으로도 충분하다.

IT 카테고리의 수많은 키워드 중에서 가장 경쟁이 치열한 '노트북 추천' 키워드를 예시로 제목을 지어 보자. 제일 먼저 해야 할 것은 '노트북 추천'을 검색해 보는 것이다. 노트북 추천 키워드는 월 검색량이 2만 2,000에 육박할 정도로 경쟁이 치열하다. 실제 검색 결과를 보면, 상당히 많은 파워링크에 쇼핑 탭과 브랜드 콘텐츠, 인플루언서들의 콘텐츠로 빼곡하다는 걸 알 수 있다. 그래서 보통은 애초에 시도조차 하지 않게 된다. 하지만 스크롤을 끝까지 내려서 보면 '내가 상위 노출할 수 있는 키워드'를 찾을 수 있으니 포기하지 마라.

연관 검색어 신고 ×

게이밍 노트북 추천 대학생 노트북 추천 가성비 노트북 추천 사무용 노트북 추천
삼성 노트북 추천 포토샵 노트북 추천 노트북 백팩 추천 노트북 가방 추천
코딩 노트북 추천 개발자 노트북 추천

'노트북 추천' 연관 검색어

위 키워드들이 아직은 낯설게 느껴질 수 있다. 하지만 비슷한 키워

드들을 계속 사용하다 보면 굳이 하나하나 검색량을 찾아보지 않고도 알 수 있다. '포토샵 노트북 추천 / 코딩 노트북 추천' 2개 키워드가 입문용으로 쓰기에 적절한 키워드이다.

키워드	총조회수	문서수	비율
포토샵 노트북 추천	640	31,921	49.877
코딩 노트북 추천	400	10,290	25.725

키워드 마스터 사이트

PC + 모바일, 한 달 검색량이 각각 640 / 440에 불과하다. '키워드, 의식의 흐름대로' 편에서 설명한 대로 월 640 / 440의 검색량은 일평균 방문자 수 500~1천 미만의 블로그에서도 상위 노출 가능성이 매우 높다. 이제 막 IT 블로그에 입문했거나, 혹은 블로그 지수가 낮은 편이라면 대형 키워드(노트북 추천)에서 파생된 소형 키워드(포토샵 노트북 추천 / 코딩 노트북 추천)를 하나씩 하나씩 차곡차곡 쌓아 가는 과정이 필요하다.

이제 키워드가 정해졌다. '코딩 노트북 추천' 1개로 키워드를 잡을 수도 있고, '포토샵 노트북 추천'을 더해서 2개로 확장할 수도 있다. 이때 중요한 것은 '코딩 / 포토샵'이라는 각기 다른 유형의 키워드에 대한 본질적인 내용들을 본문 내에 모두 잘 풀어낼 수 있는가이다.

글쓰기가 아직 익숙하지 않은 단계라면 1개 키워드에만 충실한 편

코딩 노트북 추천

통합 VIEW 이미지 지식iN 인플루언서 동영상 쇼핑 뉴스 어학사전 지도

엔서포터 키워드 분석

지식iN 지식iN에 물어보기

코딩 노트북 추천해주세요! 저렴할수록 좋고 맥북 제외하고 코딩이나 간단한 문서 작업만 할거에요 추천 부탁드려요!

IT 전문가 호랭맨 IT노하우/게임 IT노하우/게임 expert와 상담 →

노트북 구매 상담(무료로 노트북 구매 가이드를 드립니다.) | ★ 5.0 상담 2

... 학업용 + 코딩 학습용(VSCODE를 통한 C언어, 자바, HTML, CSS 등의 프론트엔드)으로 사용하기 위해서는RAM이 8GB가 아닌 16GB 여야 여러 창... 고민이 완벽하게 해결되지 않았다면 무료 노트북 추천 서비스를 이용해보세요! ...

2023.06.15.

대학생 코딩 노트북 추천 맥북이 나올까요 다른 노트북 날까요 자바스크립트 dec c++ 비쥬얼스...

2023.03.28.

코딩 노트북 추천 안녕하세요. 코딩 독학 해보려는 사람입니다. 맥북에어를 사는게 좋을까요. 삼...

2022.04.11.

관련 + 맥북

코딩 노트북 추천 코딩할때 쓸 노트북을 구매하려고 합니다. (웹개발 관련) 레노버 v15 g3 aba 제품도 괜찮나요?? 별로라면 그외에 70만원 안쪽으로 괜찮은 노트북 추천 부탁드립니다.

디지털 메딕 태양신 IT노하우/게임 1:1

... 다음은 웹 개발을 위한 70만원 내외의 노트북 추천입니다: 레노버 IdeaPad S340: AMD Ryzen 5 또는 Intel Core i5 프로세서를 사용한 이 가벼운... HP 15s: Intel Core i5 프로세서, 256GB SSD, 8GB 메모리를 탑재한 HP 15...

2023.05.29.

코딩 노트북 추천 제가 내년에 대학교를 들어가는데, 노트북을 하나 장만 하려고 합니다. 근데 사용은 코딩, ppt, 게임(메이플 정도)로 생각 중인데 괜찮은 노트북 없나요? 제가 생각한 것 ...

IT 전문가 수지 은하신 1:1

<아래 답변 드립니다> ASUS 젠북 14x OLED UX3404VA는 코딩, ppt, 게임에 적합한 높은 성능을 가진 노트북입니다. 그러나 180 이하의 가격으로는... HP Spectre x360, Dell XPS 13 등도 추천할 만한 노트북입니다. 이번에 구...

2023.06.11.

지식iN 더보기 →

hermart.kr › 프로그래머-코딩-베스트-노트북-추천-9

프로그래머 & 코딩 베스트 노트북 추천 9가지 - 헤르마트

1. 애플 맥북 (MacBook) 2. 마이크로소프트 서피스 3. 델 XPS / Inspiron 4. 아수스 VivoBook /

2020.02.27. 브랜드 / Apple 가장 많은 추천을 받은 노트북 중 하나인 애플의 맥북! iOS가 개발하기 제일 좋아서 추천을 했다고 합니다. 추천 시리즈 맥북 프로 15 인치 맥북 프로 13 인치 맥북 에어 13 인치 보러가기

jobblogcom.tistory.com › 코딩용-노트북-추천

코딩용 노트북 추천 가이드(현직 자바 개발자) - 도니의 팁 블로그

2023.02.22. 코딩용 노트북 추천 2023 년 노트북 구매를 위해 알아보았던 정보 를 정리 해보고자 한다. 일단 필자는 3년차 현업 자바 개발자 인점 강조 합니다. 개발언어 우선 본인이 무엇을 개발할건지에 따라 우선순위가 갈립니다. IOS 본인이 만약 Apple 의 생태계 MacOS 환경에 ...

코딩 노트북 추천

이 좋다. 익숙하지 않은 상태에서 서로 다른 내용을 1개의 본문에 모두 풀어내려고 하면, 자칫 알맹이는 없고 키워드만 반복하는 속 빈 강정과도 같은 글이 될 가능성이 높기 때문이다.

키워드는 '코딩 노트북 추천'이다. 이제 제목의 3요소에 따라 '후킹 멘트'를 정할 순서이다. '코딩 노트북 추천'을 검색해 보면 지식인 / 웹 문서 등이 먼저 노출되는 걸 볼 수 있다. 그 말은 검색자에게 블로그 포스팅으로 먼저 제시할 만한 양질의 내용이 블로그보다는 지식인과 웹 문서에 더 많다는 걸 의미한다. 그래서 꼭 한 번은 살펴보길 추천한다. 지식인과 웹 문서를 대략적으로라도 훑어봐야 한다. 그래야 적절한 후킹 멘트를 뽑아낼 수 있고, 본문 내용 또한 그에 맞춰 작성할 수 있다.

저렴하다, 맥북 제외, 프로그래머, 가이드 등의 단어들이 눈에 띈다. '코딩 노트북 추천'을 검색했을 때, 검색자들이 자주 클릭하고 오래 체류하는 문서들의 제목에서 인사이트를 발견하는 과정이다. 만약 내가 프로그래밍에 대한 지식과 경험이 어느 정도 있다면 '가이드'라는 단어를 채택할 수 있고, 그렇지 않다면(이제 막 배워 가는 과정이라면) '저렴한, 혹은 프로그래머' 등을 후킹 멘트로 채택할 수 있다.

프로그래머 지망생의 코딩 노트북 추천, 내돈내산 후기

'프로그래머 지망생 / 내돈내산 / 후기' 3개 단어를 후킹 멘트로 채택했다. 이때 당연히 TMI는 없어야 한다. 이해를 돕기 위해 위 제목에서 TMI를 추가한 잘못된 제목의 예시도 함께 비교해 보기 바란다.

프로그래머 지망생의 코딩 노트북 추천, 수십 번 고민하다가 질러 버린 내돈내산 후기

'수십 번 고민하다가 질러 버린'이라는 워딩을 후킹 멘트로 오해할 수도 있다. 하지만 내돈내산 제품을 추천한다는 것 자체가 이미 스스로 고민을 깊게 한 결과라는 뜻이기 때문에 자신을 객관화시켜 해당 워딩을 불필요한 TMI로 배제할 수 있어야 한다.

'포토샵 노트북 추천' 키워드도 같은 공식을 대입해서 제목을 생성해 본다. 포토샵에 능숙하다면 '포토샵 노트북 추천, 전문가 후기'와 같은 제목을 만들어 낼 수 있다. 불필요한 모든 TMI를 배제하고, 전문가가 추천하는 제품이라는 걸 어필하기만 하면 된다. 반대로 포토샵에 이제 막 입문하는 사람이라면, '입문용 포토샵 노트북 추천, 내돈내산 후기 / 입문용 포토샵 노트북 추천, 3가지'와 같은 제목을 만들 수 있다. 참고로 '3가지'라는 후킹 멘트는 앞서 살펴봤던 '코딩 노트북 추천'의 검색 결과 중 웹 문서에 있던 '노트북 추천 9가지' 제목에서 인사이트를 얻은 것이다.

꼭 노트북을 실제로 구입해야만 포스팅을 쓸 수 있는 건 아니다. 내가 이제 막 포토샵에 입문하고 싶은 사람인데 어떤 노트북을 구입

하면 좋을지, 검색하고 비교 분석하는 과정 자체를 포스팅으로 담아 볼 수 있다는 뜻이다.

이렇게 '코딩 노트북 추천, 포토샵 노트북 추천'과 같은 키워드를 제목으로 생성하고 포스팅으로 만들어 냈다면, 그 다음 과정은 자연스레 '코딩을 학습해 가는 과정, 포토샵에 입문해서 다양한 지식과 경험을 쌓아 가는 과정'을 모두 같은 방식으로 키워드를 선별하고 TMI를 배제한 제목으로 생성해서 내 포스팅으로 차곡차곡 쌓아 가면 된다. 이런 식으로 소형급 키워드를 각 포스팅마다 연결시키고 시리즈로 만들어 낸다. 그 과정에서 자연스레 블로그 지수가 쌓이고, 점점 더 대형 키워드를 상위 노출할 수 있는 수준으로 성장해 갈 수 있으며, 서서히 수익화의 발판이 마련될 수 있다.

잊지 말자. 제목의 3요소는 '키워드 + 후킹 - TMI'이다. 앞으로 작성하게 될 독자들의 모든 포스팅에 이 공식을 대입해 보기 바란다. 보다 깔끔하고, 눈에 띄는 매력적인 제목을 만들어 낼 수 있을 것이다.

TIP 제목에 불필요한 TMI를 배제해야 하는 또 다른 이유는 '키워드의 관련도'를 높이기 위해서이다. 모든 키워드는 제목과 본문 간의 연계성, 관련성이 얼마나 높은지를 체크하게 되고, 그 결과를 토대로 상위 노출 여부가 결정된다. 그런 이유 때문에라도 키워드의 본질을 벗어나는 불필요한 단어, 표현 등은 자제해야 한다.

04

첫 타이핑을 하지 못하는 당신을 위한 팁

맛집으로 시작해도 좋아

유튜브를 필두로 SNS에서 다양한 분야의 지식과 경험이 무한 공유되고 있다. 나 역시 2019년부터 블로그에 대한 지식과 경험을 유튜브에서 공유하기 시작했는데, 네이버 블로그에 대한 대중의 지식 수준을 대폭 상향시키는 데 크게 일조했다고 본다. 경험자들의 진짜 지식과 다양한 팁이 공유되는 현상은 긍정적이다. 네이버 블로그에 대한 허들을 크게 낮출 수 있었고, 더 다양한 긍정적 사례가 도출되는 결과를 낳고 있다. 하지만 반대로 부정적인 결과를 초래하기도 한다.

네이버 블로그는 장기적인 관점으로 생각해야 한다. 당장 한두 달 1일 1포스팅을 한다고 해서 갑자기 삶이 확 바뀌지 않는다. 적어도 1년 이상은 장기적으로 꾸준히 나를 변화시켜야 한다. 하지만 앞서 언급한 대로 무한 공유 시대에 살다 보니 정작 중요한 '시작'을 하기에 앞서 엄청난 수준의 계획부터 세우는 경우를 많이 보곤 한다.

실제로 내 전자책, 유료 강의 등을 수강하는 분들 중 약 10% 이상이 블로그를 시작하지도 않은 상태였다. 내게 맞는 키워드를 선별하거나, 제목을 지어 보거나, 본문 내용을 작성해 보고, 업로드하고, 노출 결과를 통해 스스로 피드백을 거치는 일련의 발전 과정 자체를 전혀 거치지 않은 채 덜컥 유료 강의, 유료 전자책부터 구입하는 아이러니한 일이 실제로 꽤 많다.

또 다른 경우는 바로 '카테고리에 대한 고민' 때문에 시작조차 하지 못하는 분들이다. 과거에는 맛집, 여행, IT, 패션, 뷰티, 게임 등 다양한 카테고리의 포스팅을 1개 블로그에서 다 올려도 괜찮았다. 흔히들 말하는 '잡 블로그(이하 잡블)'도 다양한 카테고리에서 상위 노출이 가능했고, 수익화도 충분했다. 하지만 이제는 아니다. 뚜렷한 나만의 주제를 가지는 것이 필요하다. 네이버도 그렇고, 유튜브도 그렇다. 1~2개의 주제를 선정해서 계속해서 해당 주제의 콘텐츠만 양산하는 전문가를 원한다.

이건 사실 현존하는 거의 모든 플랫폼이 크리에이터에게 바라는 지향점이기도 하다. 그 결과, C-RANK / 인플루언서 검색 등 실질적인 검색 노출 상황의 변화와 함께 모든 블로거에게 '전문적인 카테고리 콘텐츠를 생산'하라고 한다.

이런 상황 때문에 아직 첫 글을 발행하지도 못했는데, 나만의 카테고리를 정하지도 못했는데, 빛을 볼 기회조차 얻지 못했는데, 시작도 하지 못하거나 조금 해 보다가 포기하는 사례가 속출하고 있다. 플랫폼이 바라는 지향점이라는 건 십분 공감할 수 있다. 하지만 일반 블로거의 입장에서 본다면 난 이렇게 말하고 싶다.

"맛집으로 시작해도 좋아."

대한민국 톱티어 IT 블로그로 성장한 나 또한 처음 시작은 맛집, 그리고 일상이었다. 아무도 관심 없는 일상 이야기와 맛집에 대한 후기로 시작했고, 당시 아직은 어렸던 딸아이에 대한 이야기를 자연스레 계속 쓰다 보니 어느덧 육아 블로그가 되어 있었다.

아무것도 모르면 용감하다. 아무것도 몰라야 용감해질 수 있고, '실행'할 수 있게 된다. 아무리 이론적인 지식을 많이 습득해도, 하나의 포스팅을 직접 써 볼 때의 깨달음보다 더 깊은 경험을 가질 수 없다. 2015년 당시를 회상해 보면, 그때의 난 '상당히 용감'했다. 시시하기 그지없는 일상, 맛집, 육아 이야기를 '꾸준히' 쓰면서 블로그에 대한 감을 익힐 수 있었고, 서서히 적응하는 시간을 가질 수 있었다. 단돈 2~3만 원짜리 맛집 체험단을 받으면서 가족과 함께 '무료 식사'라는 희열에 빠져 어깨를 으쓱하기도 했다. 정말이지, 아무것도 몰랐기에 용감할 수 있었고, 하루하루 무지에서 오는 용감한 실행이 나를 빠른

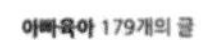

세수하면이병헌 육아 카테고리 초기 포스팅 목록

성장의 길로 이끌어 주었다.

맛집과 일상 이야기로 시작해서 육아 포스팅을 계속했고, 자연스레 '아이와 함께하는 콘셉트의 브이로그 카메라(당시 작은 캠코더였음)'를 필두로 IT 블로그로서의 발판을 마련해 갔다. 지금 당장 IT에 대한 포스팅을 하기 두려울 수 있다. IT에 대한 지식과 경험이 전무한데, 내 키워드를 추출해서 제목을 짓고 양질의 포스팅을 써야 한다고 생각하면 가장 중요한 '시작'을 할 수 없는 상황에 직면하게 된다. 그렇기 때문에 대부분 시작도 하지 못하고 생각만 하다가 바쁜 일상에 치여 서서히 잊히는 루틴을 반복하고 있다.

혹시 이 책을 읽으면서 거창한 계획부터 머릿속에 떠올랐다면 그 계획부터 접어야 한다. 일단은 가볍게 읽어 보길 바란다. 그리고 아무 생각 없이, 아무런 계획 없이 '시작부터' 해 보길 바란다. 그렇게 하루하루 내 포스팅을 스스로 쓰고 또 써 본다. 그럼 어느 순간 찾아온다. 각종 의문점과 고민, 깨달음이 급격히 빠르게 찾아올 때가 있다. 바로 그때, 이 책을 다시 꺼내서 정독해 보길 바란다. 지금 여러분의 시선과, 그때 여러분의 시선이 크게 달라져 있음을 스스로 깨달을 것이다.

부디 거창한 계획부터 세우거나, 끝까지 1개의 카테고리만 밀고 나가야 한다는 강박관념에서 벗어나길 바란다. 맛집부터 시작해도 좋다. 블로그 포스팅과 친해져야 오래오래 밀고 나갈 수 있는 나만의 카테고리를 발견할 수 있다.

02 페이스 메이커가 중요해

블로그는 장기전이다. 최소 1년 이상은 내 실력을 갈고 닦아야 빛을 보는 편이다. 그 과정에는 자연스레 갖가지 힘든 상황이 찾아온다. 대표적인 사례가 '블태기(블로그+권태기)'이다. 어느덧 블로그 생활 8년 차인 나도 당연히 수없이 많은 블태기를 겪었다. 짧게 찾아오기도 하고, 길게 찾아오기도 한다. 블태기가 찾아오면 모든 걸 내려놓고 싶은 생각만 든다.

특히 모두가 꿀잠에 빠져 있는 새벽 2시 이후가 되면, 데일리 블태기가 여지없이 찾아온다. '자고 싶다. 남들처럼 하루 평균 7~8시간을 자는 게 소원이다.' 이런 생각들이 머릿속을 계속해서 스쳐 간다. 그때마다 '자신과의 타협'을 할까 말까 기로에 서기도 한다. 정상적인 사람이라면 누구에게나 찾아오는 너무나도 당연한 과정이다. 지금 이 책을 쓰고 있는 시간도 새벽 2시 반이다. 그리고 여지없이 내 안의 한쪽 자아가 내게 달콤한 말을 하고 있다. '글 쓰기 싫지? 대충 하고 가서 자자.'

그렇게 8년 동안 하루도 빠짐없이 데일리 블태기 타임이 반복된다. 그 타이밍에 만약 한두 번도 아니고 장기적으로 자신과의 타협에 굴복했다면 과연 지금의 내가 있었을까 싶다. 단언컨대 절대 지금의 나는 없었다. 구독자분들이 내게 자주 하는 말이 하나 있다. '세병헌님은 로봇인가요?, 세병헌님 로봇설!'과 같은 우스갯소리다. 그럴 만도 하다. 평균 3~4개의 포스팅을 매일 업로드하고, 유튜브/카페/단톡방까지 운영하고 있으며, 수면 시간이 하루 평균 3~4시간이니 당연히 그런 말이 나올 법하다. 이 책을 통해 분명히 밝힌다. '난 로봇이 아니다. 지극히 평범한, 여러분과 다르지 않은 사람이다'.

하지만 지극히 평범하고 의지박약인 내가 매일 찾아오는 데일리 블태기 타임을 이겨 낼 수 있던 가장 큰 원동력이 하나 있다. 바로 '페이스 메이커'이다. 페이스 메이커의 사전적인 의미는 중요하지 않다. 내가 힘들고 지칠 때 나를 긍정적인 방향으로 이끌어 줄 수 있는 '동료'의 의미로 받아들이면 된다. 네이버 블로그는 지극히 대중적인 플랫폼이다. 흔히 티스토리 블로그와 많이 비교되는데, 정답이라고 말할 수는 없겠지만 '티스토리 블로그는 외롭고, 네이버 블로그는 외롭지 않다.'라고 표현되는 편이다.

그 동안 많이 받았던 질문이 하나 있다. "세병헌님 글쓰기 실력과 키워드 분석력이면 티스토리 블로그를 하시지 그래요? 날아다닐 것 같은데…"이다. 나도 어느 정도 공감하는 질문인데, 그럼에도 내가 네이버 블로그를 고집하는 이유는 단 하나이다. '외롭지 않아서'이다. 네이버 블로그는 플랫폼 자체는 폐쇄적이지만, 수많은 페이스 메이커를 만들기 좋은 플랫폼이기도 하다. 그런 면에서는 개방적이라고 해야 할 것 같다. 힘들고 지칠 때 함께하는 동료 블로거가 있어 외롭지 않다. 매일매일 찾아오는 데일리 블태기의 순간에, 동료인 동시에 경쟁자이기도 한 수많은 페이스 메이커가 있어 힘을 낼 수 있고, 자

페이스 메이커 찾기 / 블로거를 위한 네이버 카페 '블톡'

신과의 타협을 뿌리칠 수 있었다.

이웃으로 시작해서 오프라인으로 만나 찐친 블로거가 된 사례, 남

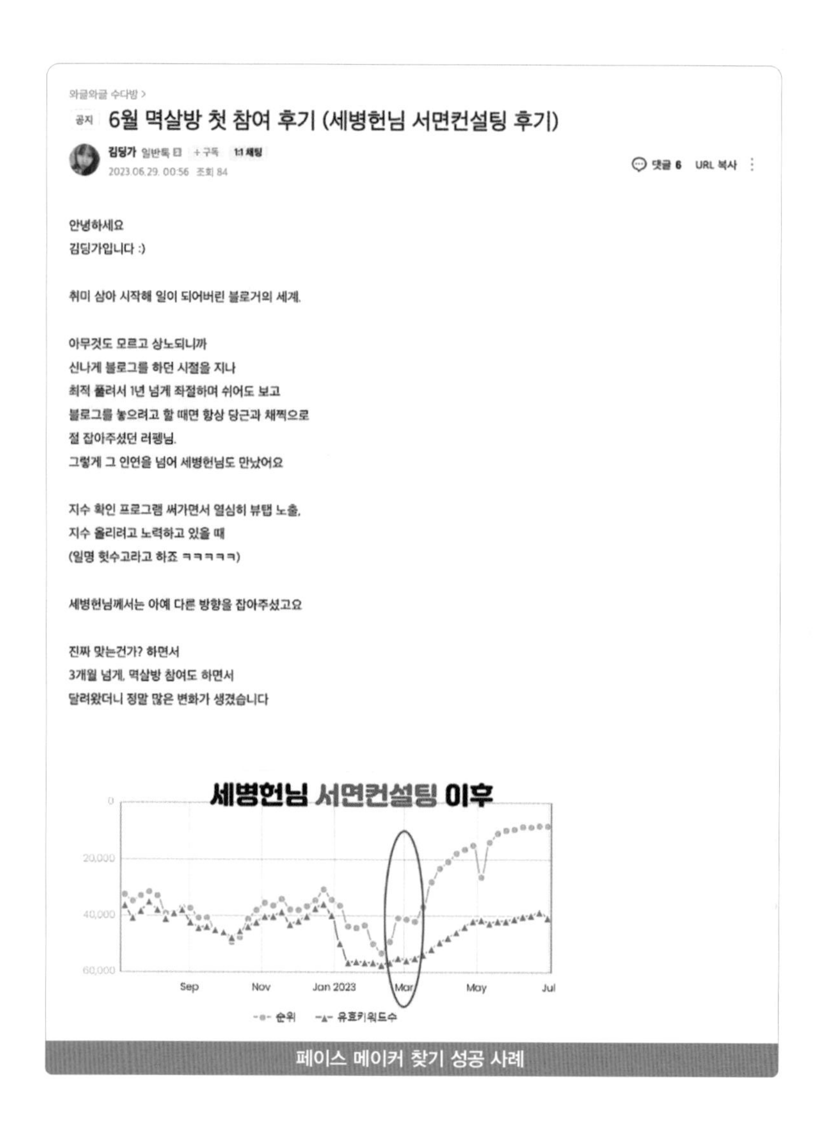
와글와글 수다방 >

공지 6월 멱살방 첫 참여 후기 (세병헌님 서면컨설팅 후기)

김딩가 일반톡 +구독 1:1 채팅

2023.06.29. 00:56 조회 84

댓글 6 URL 복사

안녕하세요
김딩가입니다 :)

취미 삼아 시작해 일이 되어버린 블로거의 세계.

아무것도 모르고 상노되니까
신나게 블로그를 하던 시절을 지나
최적 풀려서 1년 넘게 좌절하며 쉬어도 보고
블로그를 놓으려고 할 때면 항상 당근과 채찍으로
절 잡아주셨던 러펭님.
그렇게 그 인연을 넘어 세병헌님도 만났어요

지수 확인 프로그램 써가면서 열심히 뷰탭 노출,
지수 올리려고 노력하고 있을 때
(일명 횟수고라고 하죠 ㅋㅋㅋㅋㅋ)

세병헌님께서는 아예 다른 방향을 잡아주셨고요

진짜 맞는건가? 하면서
3개월 넘게, 멱살방 참여도 하면서
달려왔더니 정말 많은 변화가 생겼습니다

페이스 메이커 찾기 성공 사례

편이 블로그에 먼저 입문하고 아내를 설득해서 같이 블로깅을 즐기는 사례, 매일 1114(1일 1포스팅)를 같이 하면서 서로 독려하는 사례,

네이버 카페나 카카오톡 오픈 채팅방 등의 커뮤니티에 가입해서 힘들거나 어려울 때마다 고민을 공유하며 힘을 얻는 사례 등 굉장히 다양한 유형으로, 나만의 방식으로, 여러분들도 지금 바로 페이스 메이커를 만들 수 있다.

참고로 나는 네이버 카페 '블톡'을 운영하고 있는데 대표적으로 1114 멱살 챌린지를 진행 중이다. 1일 1포스팅을 스스로에게 약속하고, 그 약속을 운영진이 멱살을 잡아서라도 하게끔 만드는 취지의 챌린지이다. 벌써 3년이 넘었다. 혼자서 블로그를 운영하면 외롭고 지칠 수밖에 없다. 게다가 궁금한 점이나 고민이 생겼을 때 공유할 수 있는 공간도 없다. 그래서 페이스 메이커 없이 홀로 외로이 자신과의 싸움을 이어가고 있는 수많은 블로거를 위해 2020년에 개설했고, 2023년 7월 현재 회원 수 5,500명이 되었다.

자신과의 타협에서 이겨 내기 위한 여러분만의 페이스 메이커를 지금 바로 블톡 카페에서 찾아보기 바란다. 카페지기로서 두 팔 벌려 독자분들을 환영한다.

03 글쓰기가 쉬워지는 스킬 활용법

처음 블로그 포스팅을 시작하는 사람도, 수년 동안 몸이 기억할 만큼 많은 포스팅을 작성해 본 사람도 모두 마찬가지이다. 새 글을 발행하기 위해 에디터를 켜면 일단 중압감부터 느껴진다.

'제목'이라는 두 글자만 보일 뿐 큼지막한 화면이 텅텅 비어 있는 걸 보면, 블로그 포스팅이 결코 쉬운 일이 아니라는 걸 새삼 깨닫게 된다. 이렇게 넓은 새하얀 도화지를 빼곡한 텍스트로, 다양한 이미지로 채워 가야 하는데 입문자 입장에서는 절대 만만한 일이 아니다. 그래도 한 글자 한 글자 타이핑을 하면서 빈틈을 메워 가야 한다. 이때 맨땅에 헤딩하는 것처럼 마구잡이식으로 써 내려가는 방식보다는 효과

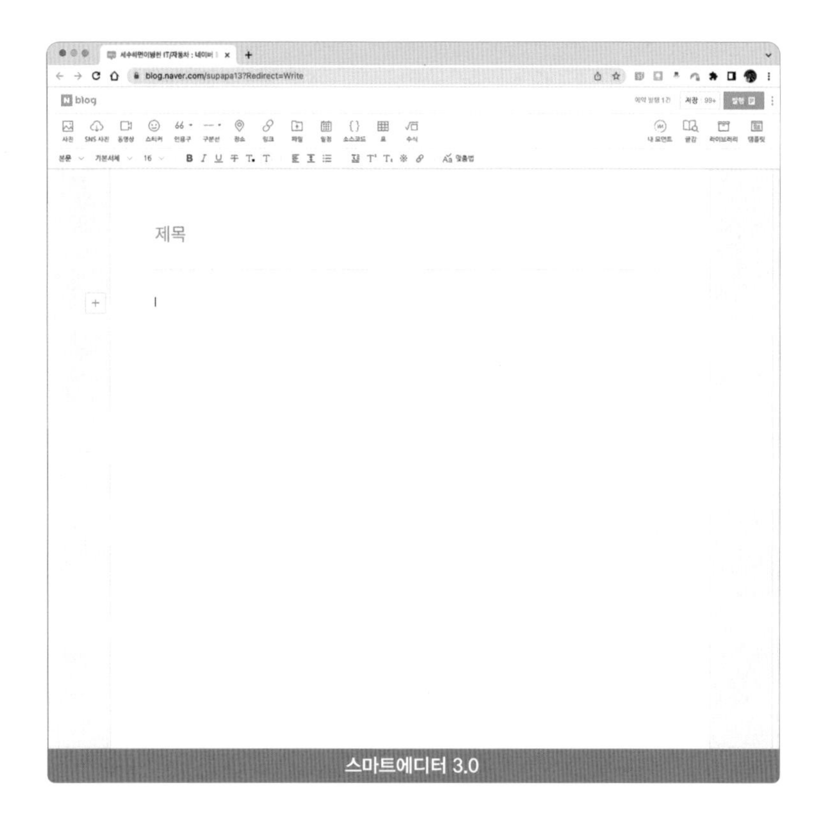

스마트에디터 3.0

적인 방법과 툴 몇 가지를 활용하면 한결 글쓰기가 쉬워질 수 있다.

– 소제목은 글쓰기의 절반

– 인용구 / 스티커 / 구분선

– 글감 / 라이브러리

– 템플릿

– 키워드

텅텅 비어 있는 새하얀 도화지를 보고 중압감을 느낀다면 여러분이 가장 먼저 해야 할 것은 바로 '소제목 정하기'이다. 모든 책에는 목차가 있다. 지금 쓰고 있는 이 책 또한 집필을 결정할 때 가장 먼저 목차부터 고민했고, 대략적인 목차를 만든 후에 최종적으로 집필을 확정했다. 블로그 포스팅도 마찬가지이다.

1개의 블로그 포스팅은 아주 작은 소책자와 같다. 그런 이유로 소제목부터 정해야 한다. 실제로 소제목이 본문 내에 텍스트로 기입되어도 좋고, 그렇지 않아도 좋다. 직접 기입하지 않더라도 따로 메모장에라도 반드시 소제목을 정하고 글쓰기를 시작해 보기 바란다. 소제목을 정하고 시작하는 글쓰기와 그렇지 않은 글쓰기의 난이도 차이는 상당히 크다.

소제목이 분명한 글은 여러 가지 장점이 있다. 글의 문맥에 일관성이 생기고 논리 정연해진다. 자연스럽게 각 문단을 구조화할 수 있고, 공략하고자 하는 키워드에 대한 효율적 배치도 가능해진다. 마지막으로 퇴고할 때도 제외해야 할 내용, 추가해야 할 내용이 분명해진다. 이렇듯 소제목 생성은 블로그 글쓰기뿐 아니라 모든 글 작성에서 가장 먼저 선행되어야 할 아주 중요한 스킬이다.

소제목을 텍스트 형태로 본문 내에 기입한다면, 인용구와 스티커

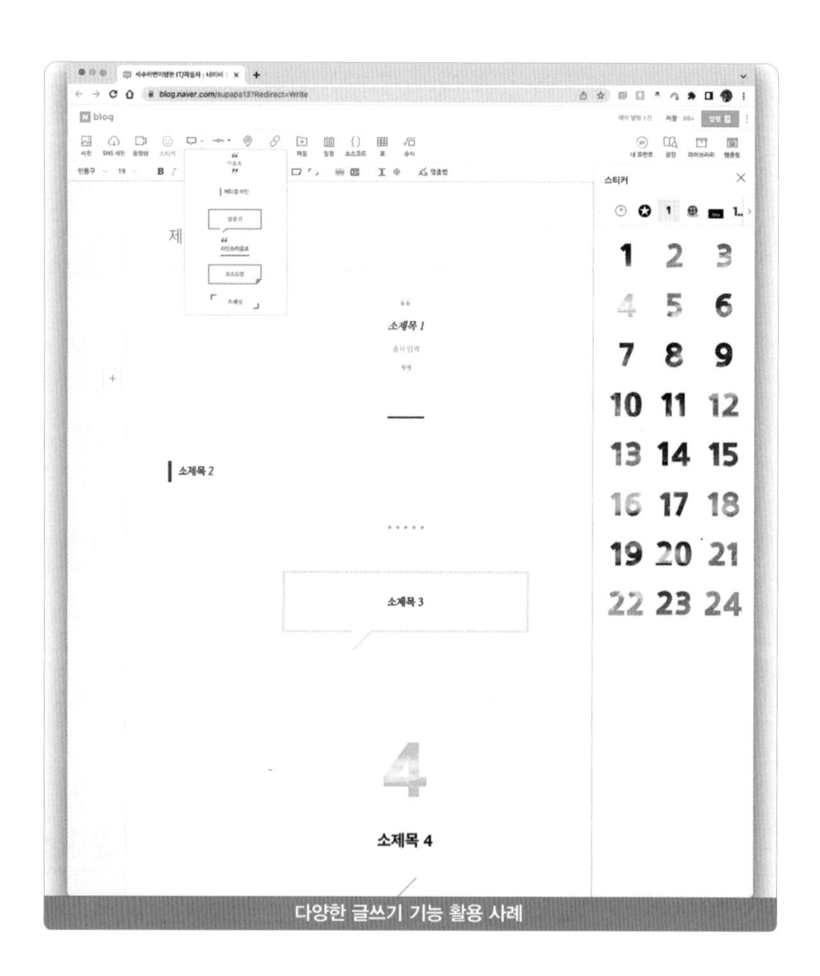

다양한 글쓰기 기능 활용 사례

/ 구분선 등 부수적인 기능을 적극 활용하자.

인용구 기능은 본문의 내용을 더 풍성하게 만들어 갈 수 있는 목적으로 '다른 글에서 끌어다 쓴 구절'을 표기하는 기능이다. 하지만 실제로 대부분의 블로거는 소제목을 기입하거나, 특정 문장을 강하게 어필하고 강조하는 상황에서 사용한다. 각 소제목을 구분선 기능으로 분명하게 '구분'하는 것도 좋은 방법이다. 글을 쓰는 입장에서도

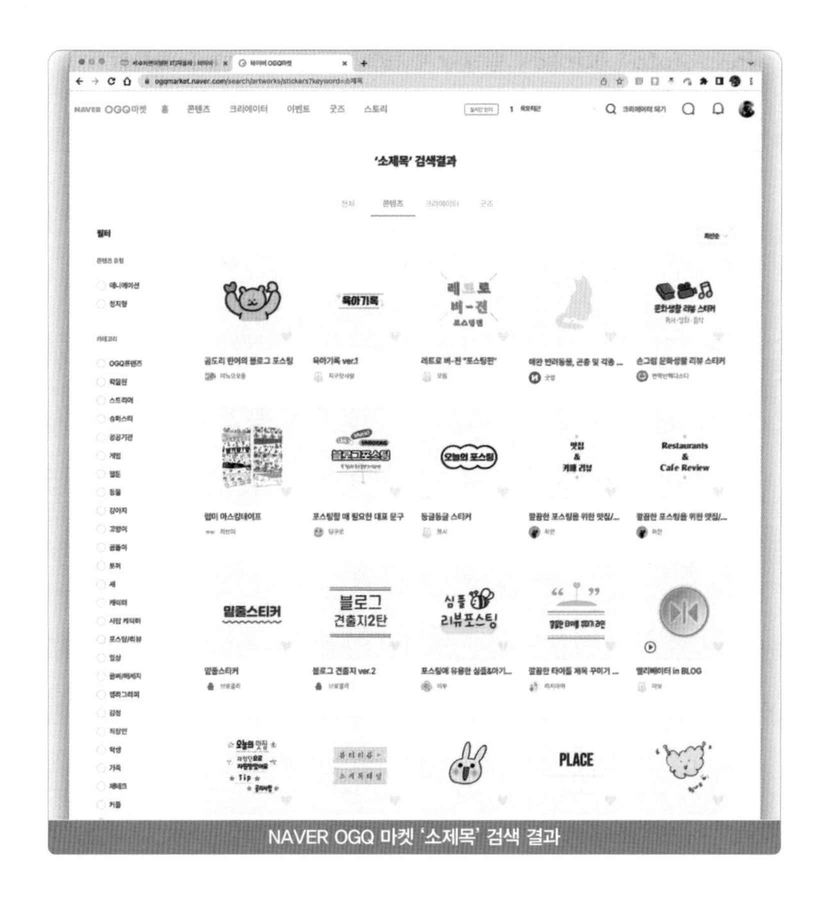

NAVER OGQ 마켓 '소제목' 검색 결과

각 문단을 구분해서 구조화시킬 수 있어 좋고, 글을 보는 독자 입장에서도 한결 깔끔한 인상을 줄 수 있어 글의 몰입감을 높일 수 있다.

스티커 기능을 활용하는 것도 아주 좋은 방법이다. 스티커 목록에서 가장 오른쪽으로 스크롤을 넘겨 보면 NAVER OGQ 마켓으로 바로 이동할 수 있고, 취향별로, 상황별로, 다양한 형태로 활용하기 좋은 수많은 스티커를 구입할 수 있다. 대부분 1,500원 정도에 구입 가능한데, 한 번 구입으로 평생 사용할 수 있기 때문에 크게 부담되는 수준은 아니다.

본문 내용에 알맞은 이미지가 없다면 글감 기능의 '사진' 탭을 들여다보자. 당장 블로그 포스팅에 삽입할 수 있는 수많은 이미지를 찾을 수 있다. 키워드 검색 기능을 제공하며, 가로·세로를 정해서 찾을 수도 있으며, '라이선스' 탭에서는 무료·유료 이미지를 구분해서 찾아볼 수도 있다. 원하는 사진을 찾고 클릭만 하면 된다. 그럼 본문 내에 커서가 위치한 자리에 해당 이미지가 바로 쏙 들어간다. 참고로 구입한 이미지는 '라이브러리 → 구매 목록'에서 확인할 수 있고, 언제든 재사용할 수 있다.

이제 막 시작한 입문자분들, 오랫동안 운영했지만 지금도 블로그 글쓰기가 어려운 분들, 글쓰기가 가장 쉽게 느껴지는 고수분 모두에게 추천하는 기능, '템플릿'이다. 라이브러리 바로 옆에 있는데, 보통은 네이버에서 제공하는 기본 템플릿만 몇 번 보다가 이내 잊게 되는 숨어 있는 꿀 기능이다.

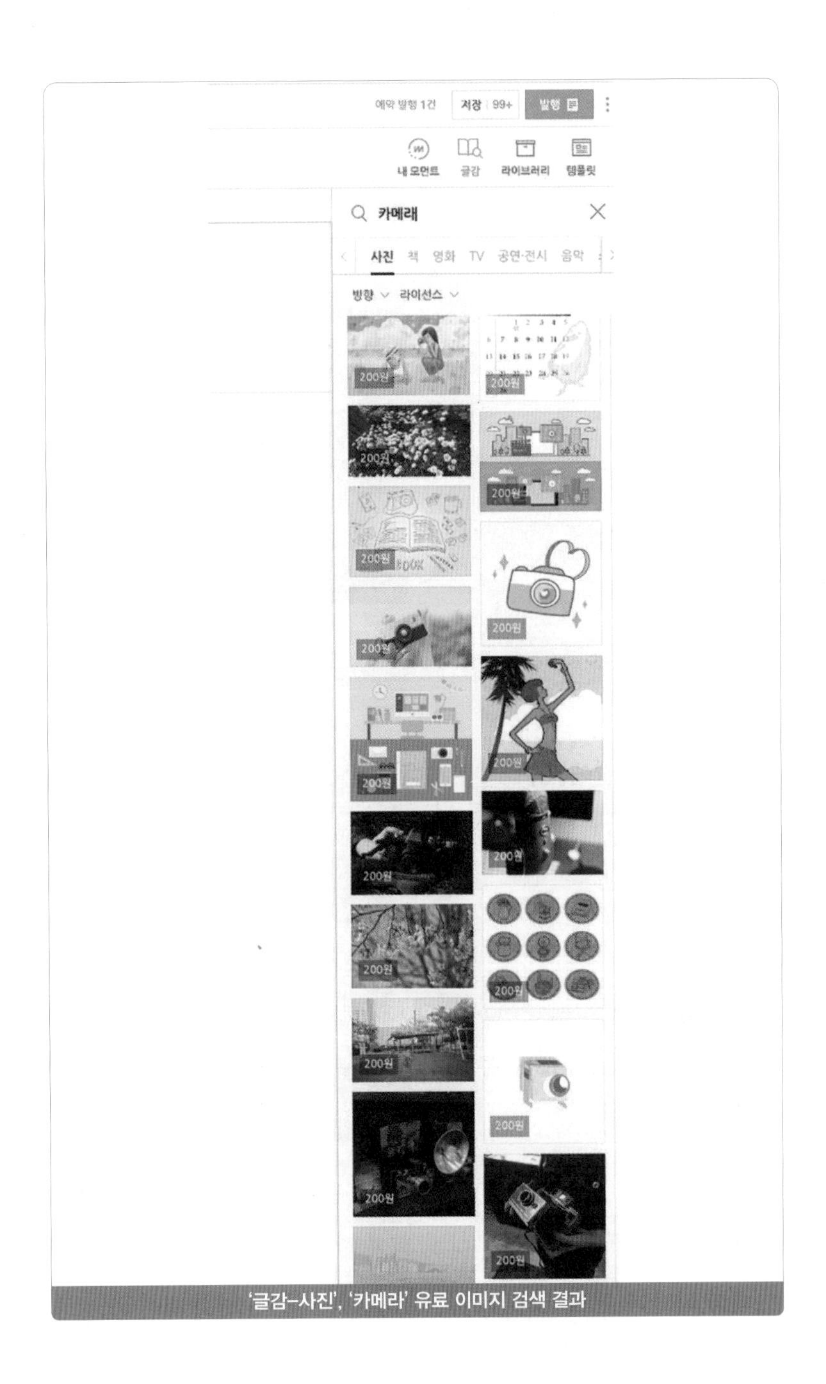

'글감-사진', '카메라' 유료 이미지 검색 결과

예약 발행 7건
저장 99+
발행
소스코드
표
수식
내돈내산
내 모먼트
글감
라이브러리
템플릿
맞춤법
템플릿
추천 템플릿
부분 템플릿
내 템플릿
총 19개
협찬·리뷰
2022년 다꾸 패키지
여행
제주도 여행 기록
여행
단 하루 제주에 산다면
리뷰
책 읽어주는 조명
리뷰
AI 스피커 클로바 프렌즈
지식·정보
인공지능에 대한 사고
지식·정보
기록이 쌓이면 내가 된다
일기
5월 17일 일상 기록
추천 템플릿

템플릿이란 어떤 특정한 모양을 만들기 위한 일정한 양식의 틀이다. 그 템플릿을 블로그 포스팅 본문에서 활용할 수 있다. 블로그 글쓰기가 익숙하지 않은 분들을 위해 '협찬·리뷰, 여행, 지식·정보, 일기' 등의 다양한 추천 템플릿을 사용할 수 있게 했다. 하지만 추천 템플릿은 어딘가 낯설게 느껴진다. 그래서인지 막상 템플릿에 맞춰서 내용을 작성해 보면 글이 쉽게 나오지 않을 때가 많다. 그래서 난 추천 템플릿이 아닌 '내 템플릿'을 만들어서 글쓰기에 적극 활용한다.

IT 리뷰 / 정보성 / 체험단 / 협찬 / 여행 등 상황에 맞는 내 템플릿을 만들어서 글쓰기를 시작할 때마다 불러온다. 그럼 기존에 만들어

내 템플릿 만들기

둔 내 템플릿이 바로 세팅된다. 소제목과 구분선, 스티커 사용 목록 등이 모두 1초 만에 세팅되기 때문에 글 쓰는 속도가 굉장히 빨라지고, 이미 절반은 다 완료된 것 같은 느낌에 자신감이 붙기도 한다. 이제 소제목 중간중간의 빈칸을 채워 가기만 하면 된다.

각 카테고리별로 1개의 템플릿만 만들기보다는 다양한 형식으로 2~3개씩 만들어 두면 더 좋다. 매번 같은 형식, 같은 컬러, 같은 구도로 글을 쓰기보다는 조금씩 색다른 변화를 줄 수 있기 때문에 포스팅 발행이 한결 더 다채로워 보일 수 있다. 내 템플릿 기능은 글쓰기를 어려워하는 분들께 가장 추천하고 싶은 내 최애 아이템이다.

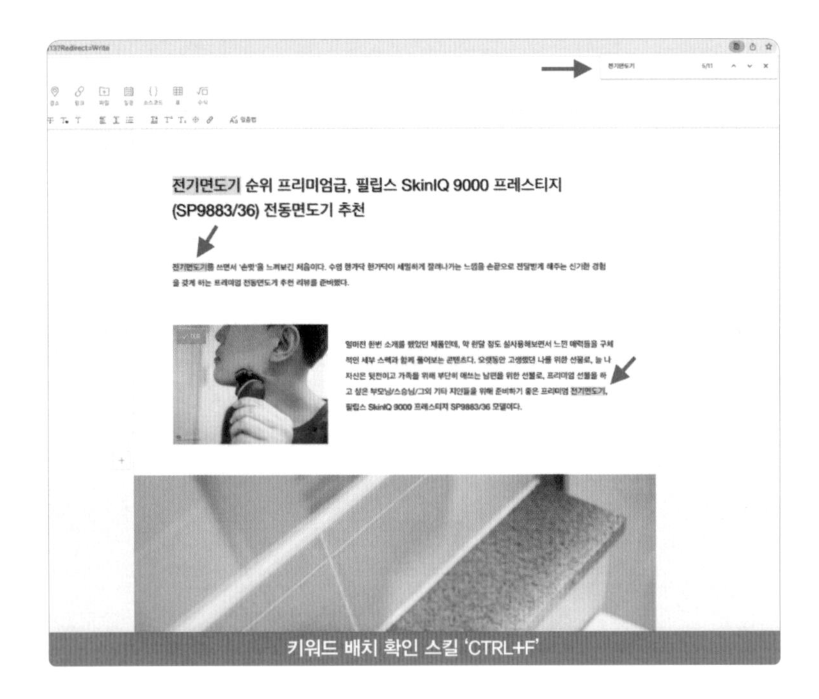

키워드 배치 확인 스킬 'CTRL+F'

일반 글쓰기와 블로그 글쓰기는 매우 큰 차이점 하나가 있다. 바로 키워드 때문이다. 키워드에 대한 상위 노출을 고려하며 글을 써야 하기 때문에, 키워드 반복이나 배치 등 여러 가지로 신경 써야 할 사항이 많다. 그래서 실제로 키워드 때문에 글쓰기를 어렵게 느끼는 사람이 많은데, 간단하지만 효과는 아주 좋은 방법 한 가지를 소개한다.

'CTRL+F'를 누르고 메인 키워드를 찾는다. 그럼 해당 키워드가 노란색 음영으로 표기되기 때문에 빼곡한 본문 속에서도 한눈에 확 들어온다. 이제 이 상태에서 글을 써 보자. 키워드가 눈에 들어오는 상황에서 글을 계속 작성해 나가면 어떤 맥락에서 키워드를 삽입했고, 몇 회 삽입했는지 눈에 바로바로 들어온다. 한 번에 하나의 키워드만 강조해서 볼 수 있다는 점은 아쉽지만, 누구나 바로 할 수 있는 아주 쉬운 방법이니 꼭 활용해 보기 바란다. 참고로 난 블로그 운영 초기부터 지금까지도 계속해서 이 방법을 쓰고 있다.

단군 이래 가장 쉬운 IT 큐레이션

바야흐로 '큐레이션' 시대이다. 여기저기 흩어져 있는 다양한 정보를 수집하고 선별해서 내 주관을 입혀 새로운 가치를 부여하는 과정을 말한다. 본래는 예술 작품을 수집하고 보존하는 목적에서 시작된 개념인데, 이제는 '정보의 큐레이션'이 필요한 시대가 되었다. 하루에도 엄청난 양의 정보가 쏟아진다. 가끔은 유용한 정보를 메모하고 따로 스크랩해 두는 일조차 버겁게 느껴질 정도로 무한 정보의 시대를 살아가고 있다.

'뉴스, 쇼핑, 지식, 정보' 모든 카테고리에서 폭발적인 큐레이션 콘텐츠가 범람하고 있다. 그만큼 정보화 시대를 살아가는 바쁜 현대인들에게는 올바른 정보를 모아 선별해서 제공하는 큐레이션 콘텐츠에 대한 수요가 크다는 반증이다. 나는 이러한 현상이 IT 블로그의 방향성과 정확히 일치한다고 생각한다.

애플, 삼성, LG, 샤오미, 네이버, 쿠팡, 라인, 카카오, 기타 등등. 모두 다 열거할 수도 없을 만큼의 엄청난 IT 기업들이 각종 전자제품과 관련 서비스, 앱 등을 연일 쏟아내고 있다. 그 안에서 사람들이 필요로 하는 정보의 양은 마치 복리 이자가 폭발적인 속도로 불어나듯, 1인 블로거가 결코 따라잡을 수 없는 빠른 속도로 거대해져만 간다. 이런 상황에서 IT 블로그 운영의 소재는 당연히 끝이 없다. 그리고 무엇보다 중요한 점은 모든 카테고리를 통틀어 IT 블로그가 단군 이래 가장 쉬운 큐레이션이 가능하다는 점이다.

IT 블로그는 필연적으로 각종 기기의 스펙과 사용법에 정보를 다룰 수밖에 없다. 그리고 그 스펙/사용법에 대한 정보들 하나하나는 모두 지극히 '정량적인 정보'이다. 주관적인 견해가 있을 수 없다는 뜻이다. 하드웨어 스펙에 맞춰 테스트해 보고, 직접 사용에 대해 느낀 점을 풀어내는 주관적인 견해는 스펙을 풀어낸 그 다음이다. 전 세계 어떤 블로거가 작성해도 똑같은 내용이 나올 수밖에 없는 '딱 정해진' 정보를 풀어내야 한다. 이런 특성이 가장 잘 통하는 방법이 바로 큐레이션이다. 앞에서 큐레이션에 대해 이렇게 정의했다. '여기저기 흩어져 있는 다양한 정보를 수집하고 선별해서….' 맞다. 다양한 공간에 퍼져 있는 정보를 모아서 선별하는 과정을 거쳐야 하는데, 그때 가장 쉽고 정확하게 정보를 수집할 수 있는 카테고리가 바로 IT이다.

물론 그 과정 자체가 쉬운 건 아니다. 정리를 잘하는 능력, 정보를 선별할 줄 아는 능력, 빠르게 서칭할 줄 아는 능력 등 여러 가지 능력치가 필요한데 당연하게도 오랜 노력과 경험을 필요로 한다. 반대로 말하면, 꾸준히 노력만 한다면 누구나 큐레이션 능력치를 쌓아 갈 수 있다는 뜻이기도 하다.

이쯤에서 지금 여러분의 머릿속을 스치는 생각 하나를 맞춰 보겠다. '챗GPT / BING AI 채팅 / 구글 바드 AI'가 아닐까 싶다. 챗GPT가 등장하면서 전 세계는 혼란에 빠졌다. 인공지능 AI에 대한 기대감과 두려움이 공존했는데, 미래에는 챗GPT가 블로그 포스팅 작성을 완전히 대신해 줄 수 있을 정도의 수준이 되지는 않을까 하는 걱정을 하는 사람도 많았다. 하지만 난 그런 걱정을 하기보다는 지금 당장 챗GPT를 통해 내 큐레이션 시간을 단축할 수 있음에 감사하다.

챗GPT 등장 이전까지는 정보의 큐레이션이 꽤 어려운 과정이었다. 각 브랜드의 홈페이지와 상세페이지를 모두 다 펼쳐 놓고 하나하나 비교해 가면서 정보를 수집했다. 당연히 포스팅을 작성하는 시간도 그만큼 길어질 수밖에 없었는데, 이제는 아니다. 큐레이션의 속도가 약 90% 이상 더 빨라졌다는 것을 매일 체감한다. 더 반가운 사실은 챗GPT의 등장으로 마이크로소프트사에서는 BING AI 채팅을, 구글에서는 바드를 출시했다는 점이다. 각 플랫폼마다 AI 채팅을 하는 방식과 정보를 서칭하는 알고리즘이 다른데, 나는 그 차이를 상황별로 달리 활용하고 있다.

가령, 비교적 오래된 정보를 수집하거나 전문적인 용어 선택이 중요한 문맥에서는 챗GPT를, 간단하지만 빠르게 정보를 수집하고 A와 B를 비교해야 하는 문맥에서는 BING AI 채팅을 쓴다. 구글 바드는 셋 중에 빈도가 가장 낮은 편인데, 챗GPT와 BING AI 채팅에서도 정확한 정보를 찾기 어려울 때 간간이 요긴하게 사용한다.

아무리 대한민국 톱티어 IT 블로거라 해도 모든 기기의 스펙과 사용법을 다 외우고 있을 수는 없다. 그나마 최근 2~3년의 최신 기종이면 모를까, 4~5년 이상 지난 구형 기기의 스펙이 문맥상 갑자기 필요한 순간이 계속 발생하는데, 그때마다 한 땀 한 땀 검색해서 확인해 보기에는 시간적인 여유가 턱없이 부족한 게 현실이다. 그래서 난 인공지능 AI 채팅 기술의 도입이 그 누구보다도 반갑다. 훗날 블로그 포스팅을 완전히 대체해 버릴지도 모른다는 불안감에 대해서는 아직은 '글쎄'다. 그때 가서 생각하면 되지 않을까? 지금은 더 쉽고 더 빠른 큐레이션을 위한 도구로 적극 활용하면 그뿐이다.

05

스마트블록으로 살펴보는 블로그 트렌드

 블로그 검색 동향 히스토리

2023년 현재 네이버 블로그의 검색 노출 동향은 '스마트블록'이라는 키워드로 정리된다. 당장은 스마트블록 시스템만 잘 이해해도 큰 문제는 없다. 하지만 과거의 검색 동향을 살펴보고 최소한으로 이해해 두는 건 전체적인 큰 그림을 그리는 데 꽤 큰 도움이 될 수 있다. 네이버 검색 시스템이 어떤 기준에 의해 흘러 왔는지, 그 역사를 이해하면 향후 검색 동향을 스스로 파악할 수 있는 밑거름으로 작용할 것이다.

네이버의 검색 동향 히스토리는 크게 '리브라 / C-RANK / D.I.A /

D.I.A+'로 구분된다.

리브라는 2012년 말에 도입했던 네이버 검색 알고리즘이다. 검색자들의 만족도가 높은 문서와 낮은 문서를 유형화한다. 이를 통해 신뢰성이 높은 블로그와 그렇지 않은 블로그를 명확하게 구분한다. '신뢰할 수 있는 출처에서 좋은 정보가 나온다.'라는 슬로건을 내세웠고, 좋은 블로그와 나쁜 블로그를 이분법적으로 구분했다.

당시 리브라 알고리즘은 사용자들의 검색 만족도 향상을 추구한다는 명분을 내세웠다. 하지만 좋은 블로그, 나쁜 블로그를 구분하는 기준이 모호했다. 맛집, 제품 및 서비스 리뷰 등 수많은 허위 포스팅, 낮은 퀄리티의 포스팅 상위 노출 현상이 오랫동안 이어졌다. 반대로 실제 방문 후기, 내돈내산 리뷰 등을 발행하는 선의의 블로그가 저품질로 낙인찍히는 피해 사례가 속출했다.

카테고리 상관없이 모든 검색어가 상위 노출되는 '최적화 블로그'의 개념도 리브라 알고리즘 시대의 산물이다. 단순히 각 블로그에서 '얼마나 꾸준하게 많은 포스팅이 발행되고 있는가'만을 기준으로 삼았기 때문에, 약 30일 정도만 포스팅 발행을 지속하면 누구나 쉽게 최적화 블로그를 만들어 낼 수 있기도 했다. 각 문서의 정확성, 신뢰성 등은 평가 기준이 아니었다. 그저 한 달에서 두 달 정도, 아무런 의미도 없는 일상 포스팅만 발행해도 비교적 쉽게 최적화 블로그가 될 수 있었다. 결과적으로 네이버의 검색 결과는 대부분 제대로 된 정보를 찾을 수 없게 됐고 점차 신뢰를 잃어 갔다. 그 무렵에 등장한 새로운 알고리즘이 바로 지금도 유효한 'C-RANK'이다.

C-RANK 알고리즘은 2015년 11월부터 등장했다. 당시를 기점으로 더 이상 '최적화 블로그'는 생성되지 않는다. C-RANK의 'C'는 Creator를 의미한다. 즉 '블로그'의 신뢰성을 '블로거'에게서 찾겠다는 뜻이다. 기존에는 얼마나 꾸준하게 포스팅을 발행했는지에 집중했다. 반면 C-RANK는 얼마나 '하나의 카테고리에 집중했는지'를 중요한 기준으로 본다. '꾸준히'라는 기준에 '1개 분야의 전문성'을 더했다.

2015년 11월부터 2016년 상반기까지는 블로그 숙청 시대였다. 과거 리브라 알고리즘에 맞춰 운영했던 수많은 블로그가 저품질로 낙인찍혔고, 새로운 C-RANK 알고리즘에 대응하기 위한 거침없는 과도기를 거쳤다. 결과적으로 네이버의 검색 결과는 점차 정화되기 시작했지만, 또 다른 문제가 등장했다. 바로 신규 블로그의 진입 장벽이 크게 높아지는 문제이다.

C-RANK는 1개 분야에서 오랫동안 꾸준히 운영해 온 블로그에 높은 점수를 부여했다. IT 카테고리에서의 전문성을 오랫동안 쌓은 블로그는 IT 관련 키워드에서 대부분 상위 노출되는 결과를 맛볼 수 있었다. 하지만 이제 막 IT 블로그 운영을 시작하는 입장에서는 그 벽이 너무나도 높았다. 그 문제를 해결하기 위한 방안으로 네이버는 D.I.A(Deep Intent Analysis) 알고리즘을 추가했다.

D.I.A 알고리즘은 '블로그' 자체의 신뢰도가 아닌 '개별 포스팅'의 퀄리티에 집중하는 방식이다. 해당 콘텐츠의 정보를 분석하고, 각 키

워드별로 사용자들이 선호하는 문서를 점수화해서 이를 랭킹에 반영한다. 쉽게 말해서 C-RANK는 출처를, D.I.A는 개별 포스팅을 평가하는 개념이다. 여기에 D.I.A+까지 더해져 네이버 검색 노출 시스템은 더욱 고도화됐다. D.I.A+는 D.I.A 알고리즘에서 한 단계 더 업그레이드된 버전이다. 검색 의도에 맞는 문서를 우선적으로 노출시키겠다는 의도를 담았다.

우리가 정보를 얻기 위해 키워드를 검색하는 상황을 '질의 의도'로 본다. 그 결과를 D.I.A+ 알고리즘이 딥 매칭 / 패턴 분석 / 동적 랭킹 등의 기준을 통해 각 문서들의 랭킹을 정한다. 그렇게 사용자들의 '검색 의도에 맞는 문서를 우선적으로' 보여 주는 시스템이다.

정리하면 다음과 같다.

하나의 카테고리에 집중하면서(C-RANK), 키워드를 다양하게 표현해야 하며(D.I.A), 각 키워드에 대한 구체적인 내용과 실제 경험 및 후기를 담아야(D.I.A) 한다.

네이버 검색 동향은 위와 같은 히스토리를 가졌다. 그리고 2019년 말부터 '인플루언서 검색'을 도입했고, 에어서치 기반의 스마트블록으로 점차 진화 중이다.

02 2023 스마트블록 이해하기

스마트블록에 대한 기본 개념은 '2023 키워드 유형 분류' 편에서 다루었다. 스마트블록이 어떤 개념인지, 실제 검색 결과에서 어떻게 다루어지는지에 대한 내용은 '키워드, 키워드, 키워드' 편을 참고하기 바란다.

스마트블록의 근간은 에어서치에서 찾을 수 있다. 에어서치는 'AI(인공지능) + Search(검색)' 2가지 기술을 접목한 개념으로, 2019년 후반부터 등장한 네이버의 새로운 검색 알고리즘이다. 과거에는 그랬다. A 키워드를 검색하면, 전국 모든 사람에게 천편일률적인 '똑같은 검색 결과'가 제공됐다. 파워링크 / 네이버 쇼핑 / 지식인 / VIEW 등 다양한 유형의 블록이 검색 결과에 노출됐지만, 각 블록 간의 순서도 내용도, 상위 노출 결과도 모두 다 똑같았다. 누구 하나 다르지 않은 똑같은 검색 결과에 지배당하는 시대였다.

하지만 이제는 아니다. '누가 검색했는지, 어디에서 검색했는지'에 따라서 서로 다른 결과를 보여 주겠다는 의도를 품었다. 그 의도의 시작이 바로 에어서치이고, 에어서치의 구체적인 방식으로 네이버는 스마트블록이라는 카드를 꺼내들었다. 실제로 어떻게 개인마다 다른 결과를 제시하는지, 그 기준과 근거를 다음 이미지에서 자세히 엿볼 수 있다.

'인스타그램 피드 오류' 키워드의 스마트블록 결과를 가져왔다. 이

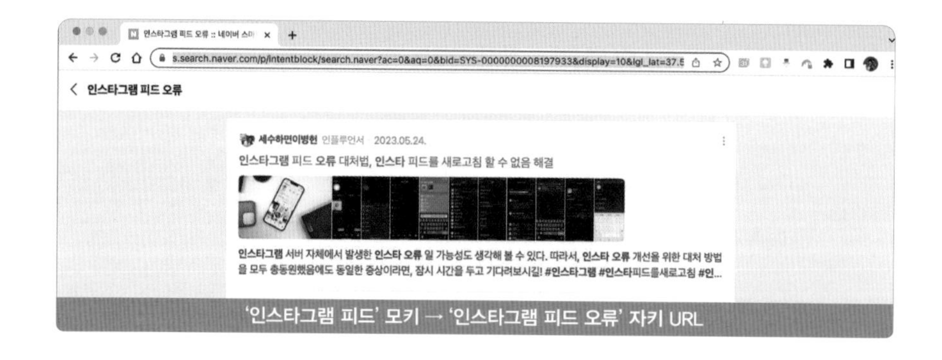

'인스타그램 피드' 모키 → '인스타그램 피드 오류' 자키 URL

때 상단 URL 창을 유심히 살펴보면 흥미로운 결과를 볼 수 있다. URL 주소를 그대로 복사해서 인코딩해 보면 다음과 같은 결과가 나온다.

- 어떤 '모 키워드로' 검색했는지(인스타그램 오류) → 자 키워드는 '인스타그램 피드 오류'이다.
- 검색한 국가를 알 수 있고(KR)
- 검색한 사람의 위치 정보까지 구체적으로 표기된다(위도, 경도). 실제로 검색해 보면 위 결과는 서울 송파구 잠실동에서 검색했으며, 상세 주소까지 알 수 있다.
- 그 밖에도 로그인 정보까지 반영된다. 성별, 연령, 최근 검색 기록, 취향 등이 반영된다.

이렇게까지 네이버는 철저히 개인마다 다른 결과를 제공하겠다는 뜻을 품었다. 그 방식을 스마트블록으로 표현하고 있으며, 대부분의 키워드를 스마트블록으로 변형시키고 있다. 게다가 점점 더 스마트

개인 맞춤형 URL

개인 맞춤형 URL

블록의 리프레시 현상이 심화되고 있다. 도입 초기에는 모 키워드를 검색했을 때 바로 보이는 자 키워드가 거의 변경되지 않았다. 그래서 특정 스마트블록 자 키워드에 노출이 되면 상당히 많은 유입을 만들어 낼 수 있었다.

하지만 이제는 아니다. 다양한 스마트블록 자 키워드의 노출 순위를 실시간으로 변경하고 있다. 한 번 해 봐도 좋다. 스마트블록이 등장하는 키워드를 검색하고, 새로고침을 눌러 보면 알 수 있다. 자 키워드의 배치가 계속 바뀌는 걸 볼 수 있다.

상황이 이렇다 보니, 알고리즘을 조금이라도 이해하고 있는 블로거들은 하나같이 모두 스마트블록에서 더 많은 자 키워드를 선점하기 위한 경쟁을 한다. 1개 포스팅이 최대한 많은 자 키워드 영역에 진입할 수 있도록 글을 쓴다. 방향은 맞다. 하지만 장기적인 관점에서 보면 올바른 방법이라고 말하긴 어렵다.

스마트블록의 도입은 크게 2가지로 해석된다. '키워드, 키워드, 키워드' 편에서 언급한 것처럼 이용자 관점에서는 검색의 편의성을 제공한다는 취지를 담고 있다. 하지만 블로그 입장에서는 최적화 블로그와 준최적화 블로그 간에 검색 노출 결과의 격차를 줄이려는 의도를 담고 있다. 특정 몇몇 블로그가 대부분의 검색 트래픽을 가져가는 '유입 편중 현상'을 줄이겠다는 의도이다. 그렇기 때문에 특정 블로그 포스팅이 대부분의 스마트블록 자 키워드를 점유하는 현상을 가만히 두고 보지 않을 것이다. 외적으로는 스마트블록이 AI 기반으로 동작한다고 표명했지만 내부적으로 얼마든지 컨트롤 가능한 영역이기 때문이다.

또 다른 이유는 끊임없는 콘텐츠 양산의 필요성이다. 네이버는 거대한 광고 회사이다. 가급적 많은 이용자가 지속적으로 네이버에 접속해야만 자사의 광고 매출을 끌어올릴 수 있는 구조이다. 그래서 무엇보다 블로거들의 콘텐츠 하나하나가 절실하다. 하나의 모 키워드에서 1개 포스팅이 아닌, 2개 혹은 3개 이상의 포스팅 발행으로 더 많은 자 키워드 영역에서의 노출이 발생할 수 있도록 구조화해야 하는 이유이다.

즉 IT 카테고리 내에서도 '나만의 전문 분야, 나만의 전문 리뷰'를 다루어야 한다. 너무 많은 키워드에 문어발식으로 발을 걸치기보다 특정 제품이나 특정 서비스에 대한 깊이 있는 포스팅을 지속적으로 발행해야 한다. 쉽게 말해서, '모 키워드'에 대한 시리즈 포스팅 발행이 점점 더 중요해지고 있다.

 스마트블록은 블루오션이다

블로그는 레드오션으로 보일 수 있다. 하지만 좀 더 들어가서 보면 다르다. 스마트블록은 블루오션이다. 누가 봐도 블루오션으로 보일 수밖에 없는 상황이다. 네이버가 판을 그렇게 깔고 있다.

리브라에서 C-RANK로, 인플루언서 검색에서 스마트블록으로 바뀌는 네이버의 검색 알고리즘 방향성을 보면 알 수 있다. 특정 몇몇 블로그가 대부분의 검색 트래픽을 가져가던 방식에서, 이제는 트래픽을 더 많은 일반 블로그에서 나눠 갖는 방식으로 바뀌고 있다. 그 방향성의 뚜렷한 증거가 바로 스마트블록이다. 검색 트래픽은 한 판의 피자와 같다. 물리적인 검색량 자체가 크게 변경되지는 않는다. 대한민국 인구 5,000만 명이 크게 달라지지 않는 한, 네이버 검색의 점유율이 크게 하락하거나 크게 상승하지 않는 한 검색 트래픽이라는 한 판의 피자가 더 커지거나 작아질 리는 없다.

최적화 블로그를 갖지 못해서, 인플루언서가 아니어서, 인플루언서에 선정됐지만 순위가 너무 낮아서, 기타 등등 지금 당장 아무리 열심히 노력해도 노력과는 상관없이 내가 어찌할 수 없는 이유들이 그동안 수많은 블로거에게 GG(Good Game의 줄임말로, 포기 선언을 의미한다.)를 외치게 했다. 실제로 스마트블록이 도입되기 전까지 나는 수많은 블포자(블로그 포기자)를 경험했다. 일개 블로거인 나도 아는 상황을 네이버가 모를 리 없다. 그래서 외적으로는 이용자들을 위한 검색의 편의성 제공을, 내적으로는 더 많은 블로거에게 공평한 기회를 제공하겠다는 뜻을 품었다. 그렇기 때문에 스마트블록은 완전한 블루오션이다. 더 재미있는 건 시간이 흘러도 블루오션이라는 상황은 크게 변하지 않을 것이라는 점이다. 나름 영리한 방법으로 더 많은 블로거에게 공평한 기회를 제공하는 방식을 찾은 셈이니 말이다.

최적화 블로그가 검색 노출 순위에서 더 높은 가산점을 받지 않는다. 비최적화 블로그가 최적화 블로그를 검색 노출 순위에서 이길 수 있다. 모 키워드를 검색한 사람의 의중을 예상하고 그에 맞는 좋은 내용을 담아낸다면, 이제 막 시작하는 여러분도 스마트블록 자 키워드에 내 포스팅이 노출되는 짜릿한 결과를 맛볼 수 있는 구조이다(핀셋 키워드가 점점 더 중요해지는 이유이다. '차별화 전략' 편을 보라.).

스마트블록은 블루오션이며, 할까 말까 망설이는 여러분을 위한 좋은 기회가 아닐 수 없다. 일례로, 이제 막 신규 생성한 블로그에서 단 20개의 포스팅만을 작성했다. 그 블로그는 월 검색량 1만이 넘는 모 키워드에서 2개의 자 키워드에 1위로 노출됐다. 실제로 내가 직접 테스트한 결과 중 일부에 불과하다. 스마트블록이 완전한 블루오션이며, '수많은 입문자/비최적화 블로그'를 위한 기회임을 매일 실감하고 있다.

블로그는 레드오션?

블로그로 많은 수익을 얻고 있는 사람이지만, 지금 이 글을 읽고 있는 여러분들 누구나 그렇게 돈을 벌 수 있다는 말씀은 드리지 못합니다. 하지만 확실히 말씀드릴 수 있는 건, "아직도 블로거가 직업이냐?", "돈을 벌 수 있긴 하냐?"라고 생각하는 분들에게 "남들에게 인정받는 직업이기도 하고, 돈도 많이 벌 수 있다."라고 자신 있게 말씀드릴 수 있습니다.

현재 저는 네이버 블로그 애드포스트만으로도 웬만한 10년 차 대기업 직장인보다 많은 돈을 벌고 있습니다. 블로그를 활용해서 정말 다양한 분야에서 많은 수익을 낼 수 있습니다. 저는 그 방법들을 알고 있고 여러분께 돈을 벌 수 있는 방향을 알려 드릴 수 있습니다.

네이버 검색 로직은 자꾸 변화하기 때문에 10년 넘게 블로그 공간에서 포스팅을 작성한 저도 매일매일 로직을 공부합니다. 로직은 세상의 니즈에 맞춰 변화하지만, 한 가지 변하지 않는 것은 좋은 콘텐츠를 꾸준히 작성하는 사람이 블로그 세상에서 성공한다는 겁니다. 핵심 키워드는 '좋은 콘텐츠'와 '꾸준함'입니다. 둘 중 하나만으로는 큰 성공을 바랄 수 없고, 이 2가지 모두 함께 가야 성공합니다.

처음 블로그를 시작했을 때에는 누구에게도 주목받지 않았지만, 꾸준히 기록하다 보니 이웃이 생겼습니다. 이웃이 생기다 보니 나만의 공간이 아닌 이웃과 함께 보는 공간이기에 좀 더 전문적인 지식과 반짝반짝한 아이디어를 담은 요리를 소개하고 싶다는 마음에 더 욕심을 내서 블로그를 성장시켰습니다. 결국 욕심과 꾸준함은 저를 전문가로 향하게 하는 나침반이 되어 주었습니다.

블로거에서 작가로

2013년 블로그를 처음 시작할 당시, 저는 경제적으로 정말 어려웠습니다. 공군 부사관을 전역하고 꿈을 위해 대학생으로 복학한 남편과 남편의 졸업 전에 태어난 딸, 아이의 임신과 육아로 단절되어 버린 경력, 어떤 식으로든 하고 있던 블로그를 수익화해야 하는, 돈이 절실한 상황이었습니다. 그럼에도 불구하고 쉽게 돈을 벌게 해 주겠다는 유혹에 넘어가지 않았고 돈을 쫓지 않았습니다.

당시에는 많은 사람이 저를 바보 취급했습니다. 쉽게 돈을 벌 수 있는 기회가 있는데 왜 하지 않느냐고, 남들 다 하는데 왜 안 하냐고 말이죠. 하지만 제 양심이 허락하지 않았습니다. 내가 가 보지 않은 맛집, 내가 찍지 않은 사진, 내가 사용해 보지 않은 제품들을 나의 블로그 공간에 올려 주는 대가로 받을 수 있는 돈이 적지 않았지만, 저를 믿고 지켜봐 준 이웃들을 볼 면목이 없었기 때문에 타협하지 않았습니다.

또 다른 중요한 이유는, 블로그를 시작하면서 제2의 꿈을 키우게 되었기 때문입니다. 매일매일 포스팅하며, 아이를 키우며, 도서관에 가서 모든 요리책을 읽고 공부하며 전문가가 되기 위해 노력했습니다. 요리 전문가가 되고 싶다는 꿈을 꾸게 되었기에 블로그 공간만큼은 아끼고 싶었습니다. 저의 포트폴리오이자 커리어가 되니까요.

저는 이렇게 생각합니다. 내가 블로그 공간을 직업으로 대하면 직업으로 돌아오고, 부업으로 대하면 부업으로 돌아오고, 개인적인 기록 공간으로 대하면 메모장이 됩니다. 자신이 대하는 대로 결과가 만들어지는 거죠.

제가 그렸던 큰 그림은 부업적인 수익이 아니라 한 분야의 전문가였습니다. 그러려면 나의 커리어와 수익의 밸런스를 적절하게 잘 잡으며 길게 보며 걸어가야 한다고 생각했습니다. 제법 오랜 기간 동안 묵묵히 한 길만 걸어가려면 정말 굳은 심지가 필요합니다. 꾸준함을 잃을 이유도, 나의 신념을 저버릴 유혹도 매우 많기 때문입니다.

하지만 무슨 용기였는지 모르겠지만 저도 모르게 나는 요리책 작가가 될 수 있고, 이 분야에서 전문가가 될 수 있다고 믿었습니다. 이상하리만큼 그런 확신이 들었고, 출판사에서 연락이 오기를 기다렸습니다. 당시 저는 그 어떤 것도 이룬 게 없었고, 주변에서 보는 시각도 전문가는 아니었지만 그렇게 믿었습니다. 불과 3년 전까지만 해도 블로그만으로 큰 수익을 내기는 힘들었기 때문에 블로그 공간을 포기하지 않고, 이 공간을 지켜 나가기 위해 나의 정체성을 찾아야만 했습니다. '어떻게 하면 내 정체성을 찾으면서, 전문가가 될 수 있을까?' 고민 끝에 내린 결론이 요리책 작가였던 것이죠. 블로거라는 어디에도 소속되지 않은, 당당하지 못한 어쭙잖은 직업 타이틀보다는 작가라는 번듯한 타이틀을 얻을 수 있으니까요.

블로그 권태기

2017년 드디어 꿈에 그리고 그리던 첫 번째 요리책을 제안받았을 때 길에서 펑펑 울었던 기억이 납니다. '꿈을 꾸면 이루어지는구나.' 블로그 시작 5년 만의 쾌거였습니다. '이제 나는 멋진 작가가 될 거고, 돈도 많이 벌겠구나.' 하며 핑크빛 미래를 상상했습니다.

그런데 정말 최선을 다해 요리책을 집필했지만 그 결과는 참담했습니다. 내가 원하던 핑크빛 미래는 없었고, 모든 것을 퍼붓고 난 후 번아웃 상태가 찾아왔고, 저에게도 블로그 권태기라고 하는 블태기가 찾아왔습니다. 만약 그때 블태기를 이겨 내지 못하고, 블로그를 떠났다면 지금의 'MJ의후다닥레시피'는 없었을 겁니다.

보통 블태기가 찾아오면 블로거들은 포스팅을 쉬는 경우가 많은데, 저는 이 시기를 이겨 내기 위해 색다른 요리들을 공부했습니다. 평소에 관심이 많았지만, 시간이 부족해서 하지 못했던 발효 위주의 요리들을 공부했습니다. 발효 요리로 막걸리와 김치 공부를 하고, 키스쿠킹클래스를 시작하면서 요리를 진짜 직업으로 삼게 되었습니다. 블태기를 또 한 번의 성장 기회로 삼은 덕분에 한 단계 더 성장할 수 있었고, 내 안의 심지가 단단해지고 한 단계 더 성장했다는 것을 느낄 수 있었습니다.

2020년에 네이버는 대대적인 변화를 예고했습니다. 블로거들을 대상으로 인플루언서 제도를 시작한다는 것이었고, 저에게도 인플루언서 제안이 왔습니다. 2017년에 요리책을 집필했고, 이달의 블로그에도 선정 되었고, 블로그 규모도 꽤 커져 있었기에 가능한 기회였습니다.

2020년 2월 애드포스트 월 수입은 269,518원이었는데 그다음 달에는 5,271,610원으로 약 20배 증가했습니다. 이는 대기업을 다니는 남편의 세후 수입과 맞먹는 수준이었고, 로또를 맞은 듯 매우 놀랐습니다. 돈이 좋긴 좋더라고요. 집에서 대접이 달라졌고, 주변의 시선이 달라졌습니다.

저는 블로그를 더 열심히 하게 되었습니다. 속된말로 돈독이 올랐다고 하죠? 광고 협찬 원고료보다 블로그를 집중하는 게 수입적으로 더 나았기 때문에 광고 협찬을 거절하게 되었고, 자동적으로 광고대행사에서 제시하는 원고료도 올라갔습니다. 일 방문자가 많을수록, 내 글이 상위에 노출이 잘될수록 '제발 같이 협업 한 번 하자.'고 요청이 쇄도했죠.

그러다가 2021년 두 번째 요리책 제안이 왔고, 첫 번째 책보다는 훨씬 더 저의 의견이 반영된 책을 쓸 수 있게 되었습니다. 첫 번째 책은 무명 작가이기에 작가의 의견보다는 출판사의 의견이 훨씬 크게 작용했습니다. 두 번째 책을 제안받았을 때는 이미 네이버 인플루언서 제도로 상당한 돈을 벌고 있었기 때문에 책에 투자하는 시간이 돈을 벌기에는 합리적인 선택이 아니었습니다. 그럼에도 불구하고 두 번째 책을 집필한 건 제 생각이 반영된 책에 대한 갈망과 꿈이 있었기 때문입니다. 그 결과 두 번째 책은 제법 만족스러운 결과를 얻었습니다.

MJ는 아직도 성장 중

2023년 올해 초에는 인플루언서들을 대상으로 네이버에서 주최하는 수익 성장 프로그램에서 푸드 분야 멘토링 강의를 진행했고, 네이버 비즈니스 스쿨 영상 강의도 진행했습니다. 그리고 최근에는 식약처에서 주관하는 요리경연대회 심사위원으로 참석하는 기회도 있었습니다. 그리고 이렇게 세 번째 책을 쓰고 있고요.

돌아보면 멈추고 싶었던 순간이 수도 없이 많았습니다. 사실 매일매일이라고 할 수 있겠네요. 지금도 하루에 몇 번이나 나와의 싸움을 하고 있거든요. '꾸준함'을 포기하고 싶은 순간에는 이런 생각을 합니다. 매일 10만이 넘는 사람이 제 레시피로 식사를 차리고 그 자리에 항상 제가 함께 하고 있다고요. 내가 하는 일은 정말 대단한 것이니 힘을 내야 한다며 제 자신을 매일 다독입니다.

블로그로 수익을 낼 수 있습니다. 커리어를 쌓을 수도 있고, 전문가가 될 수도 있습니다. 매일매일 나와의 싸움에서 지지 않을 각오를 하면 정말 많은 수익을 낼 수 있어요. 그것이 대단해 보이나요? 직장인들도 다르지 않지 않나요? 사실 따지고 보면, 우리 주변 모든 사람이 하루하루 나와의 싸움을 하며, 무언가를 이루어 내지 않나요? 그 영향력이 1명에게 가든 100명에게 가든 수천 명에게 가든, 우리 개개인은 저마다 자신의 자리에서 매일매일 최선을 다하고 있습니다.

저는 지금 블로그를 시작하는 첫 마음가짐에 대해 이야기하고 있습니다. 직업이자 나의 직장이자, 나의 커리어와 포트폴리오이고, 나를 더 높은 곳으로 이끌어 줄 플랫폼임을 인지하고 자신의 블로그 공간을 그렇게 대하라는 것입니다. 그런 분들에게 다양한 방법과 스킬과 더 확장할 수 있는 길을 알려 드리는 것이 'MJ의후다닥레시피'의 다음 목표이며, 제가 이 책을 쓰는 이유이기도 합니다. 푸드 블로그로서 시작하고 싶고, 성공하고 싶다면 지금 시작하세요. 나이가 많은데 될까라고 생각하는 분들도 계시죠? 부캐의 매력이 뭔 줄 아세요? 내 나이는 60이어도 내 콘텐츠 감각은 20대일 수도 있다는 거예요. 게다가 감각만 유지한다면 이 공간에서는 늙지 않을 수 있어요. 멋지지 않나요? 자, 이제부터 저 MJ와 함께 시작하시자고요!

MJ의후다닥레시피

함께, 더 멀리

제 20대부터 30대 초반까지는 경력이라고 내세울 만한 게 없었습니다. 20대를 바친 직장도 전문직은 아니었으며, 퇴사 후 확인된 임신과 함께 저는 자연스럽게 경력단절여성이 됐습니다. 이력서에 한 줄도 넣을 수 없는 경단녀 육아맘이 된 이후로 누군가의 엄마라는 이름으로 불리는 게 일상이었습니다. 이제는 글쓰면서 성장하는 엄마, 마더꽉이라는 페르소나를 통해서 육아를 하는 동시에 수익을 내면서 아이를 위해 시간을 선택적으로 이용할 수 있는 여유가 생겼습니다. 앞으로도 블로그 글쓰기를 통해서 한계 없는 성장을 하는 과정에서 또 무엇을 더 할 수 있을 스스로가 기대됩니다.

과거의 저처럼 아이를 키우면서 본인의 성장은 뒤로할 수밖에 없었던 엄마들도 꾸준한 글쓰기를 통해서 꾸준히 나아갈 수 있습니다. 개인의 성장은 물론, 엄마들이 아이를 키우면서 할 수 있는 글쓰기, 수익화를 돕는 커뮤니티 네이버 카페 '엄빌리버블'을 통해서 행동하며 실천하는 습관을 만들어 가는 엄마들과 성장하기를 꿈꿉니다. 멈춰 있는 자리에서 파이 하나를 뚫어져라 쳐다보면서 다투는 것보다는 조금 더 다르게, 시선을 바꿔서 각자의 방식으로 함께 나아갈 수 있기를 바랍니다. 혼자서 오롯이 나아갈 수도 있지만, 함께 모이면 다양한 사례와 또 다른 수익화와 성장 방법을 나누면서 새로운 길이 열리기도 합니다.

전문적인 경력이 없는 전업주부로 아이만 키웠다면 있을 수 없는 일들입니다. 아이를 키우면서도 (심지어 가정보육을 하는 날들 중에도) 수익을 내고, 그 수익의 여유로 인해서 시간까지 벌었습니다. 단순히 수익화하는 것을 넘어서 기록하는 데 의미가 있고, 미래를 바라볼 수 있게 되는 힘은 글쓰기로부터 나왔습니다. 여러분도 사진과 영상, 글쓰기 모두를 담아낼 수 있는 블로그 글쓰기를 통해 수익화를 시작해 자신감을 얻고, 나의 가치를 새롭게 기록하며, 더 나아가는 계기가 되기를 바랍니다.

마더꽉

결국은 글쓰기, IT는 거들 뿐

내가 블로그를 처음 시작했던 2015년은 리브라 알고리즘 시대였습다. 이후 C-RANK를 거쳤고, D.I.A 알고리즘까지 매일매일 몸으로 체감했습니다. 그 과정에서 난 두 번의 지독한 저품질도 겪었습니다. 2016년에 한 번, 2019년에 또 한 번. 하지만 그 혹독한 시련에 난 정면으로 도전했고 2017년에 한 번, 2019년에 한 번 그렇게 두 번의 저품질을 모두 자력으로 풀어내는 쾌거를 경험하기도 했습니다.

다양한 검색 알고리즘을 직접 경험하면서 두 번의 저품질을 스스로 풀어내면서, 난 그간의 과정들을 모두 내 머릿속에, 그리고 내 노트에 기록했습니다. 그런 디테일한 경험들을 축적한 후에 돌아보니, 내 가장 큰 자산이 '필력'이라는 걸 깨달았습니다. 지난 9년 동안 나는 하루도 빠짐없이 글을 썼습니다. 그리고 하루도 빠짐없이 내 글에 대한 의구심을 품기도 했습니다. 어떻게 하면 좀 더 독자가 내 글을 읽으며 빠져들게 만들 수 있을지, 어떻게 하면 더 집중하면서 글을 보게 만들 수 있을지를 연구했습니다. 그렇게 아주 작은 디테일을 하나하나 잡아 가면서 지금의 필력을 갖게 됐습니다.

가끔은 다양한 알고리즘의 변화가 나를 힘들게 했습니다. 너무나도 빠르게 변화하는 검색 시스템에 적응할 시간도 없이 글을 쓰고 또 썼는데, 참 재미있는 건 그 수많은 변화 속에서도 나는 내 필력 하나만으로 순식간에 적응할 수 있는 힘을 발휘했습니다. 그래서 난 늘 글쓰기를 잘해야 한다고 강조하고 또 강조합니다.

블로그를 '진짜로' 잘하는 사람은 지금 당장 상위 노출된 몇 개의 키워드, 혹은 반짝 며칠 동안 폭등하는 방문자 수에 연연하지 않습니다. 그보다는 더 오래오래 많은 사람의 마음속에 각인될 수 있는 좋은 글을 씁니다. 상위 노출과 방문자 수는 '현재'입니다. 하지만 좋은 글은 '현재이면서 내 과거까지도' 만들어 냅니다.

물론 나도 상위 노출에 실패하는 포스팅이 많습니다. 방문자 수가 낮을 때도 있습니다. 하지만 중요한 건 그게 아닙니다. 상위 노출에 실패한 포스팅을 '나중에' 확인하고, 그 포스팅으로 인해 내게 연락을 하는 광고주가 정말 많습니다. 이 포스팅이 과거에 상위 노출에 성공했는지는 아무도 알 수 없습니다. 중요한 건 내가 쌓아 온 '과거의' 좋은 포스팅들이 '현재의 나'를 만들어 낸다는 점입니다. 시간이 흐르면 상위 노출은 과거에 불과합니다. 하지만 좋은 글쓰기로 만들어진 포스팅들은 오래오래 내 블로그에 남아 '현재의 나를' 만들어 냅니다. 그래서 나는 항상 알고리즘보다는 '좋은 글쓰기'를 더욱 더 강조합니다.

알고리즘이 어떻게 변화하든 글을 잘 쓰는 능력을 가진 사람은 신속하게 변화하는 알고리즘에 대응할 수 있습니다. 글을 잘 쓰는 사람과 그렇지 않은 사람의 차이는 바로 이 대목에서 크게 갈립니다. 알고리즘 변화에만 초점을 맞추는 글은 당장 상위 노출은 될 수 있어도 오래 갈 수 없습니다. 반면 알고리즘에 대응하면서 동시에 좋은 글을 쓴다면 상위 노출에 성공해도, 그렇지 못해도 모두 '현재의 나'를 만들어 내는 귀중한 자산이 됩니다.

좋은 글의 중심은 내가 아닙니다. 글을 읽는 상대방을 중심으로 생각하고, 상대방의 관점에서 쓰는 글이 좋은 글입니다. 그리고 그 기준은 최대한 '객관적'이어야 합니다. 좋은 글을 쓰기 위해 독자들의 의중을 파악하고, 독자들의 궁금한 점을 직접 찾아보는 노력을 기울입니다. 그런 과정을 거친 후에 작성하는 포스팅은 행여 당장 상위 노출에 실패하더라도 어떤 유형으로든 트래픽이 발생할 수밖에 없습니다.

글을 잘 쓰려는 노력이 가장 중요합니다. 참고로 난 필력 향상을 위해서 약 8개월 동안, 하루도 빠짐없이 내가 선정한 좋은 글을 그대로 따라서 '손으로 쓰는' 필사를 하기도 했습니다.

당장 필사부터 시작해도 좋고, 여의치 않다면 좋은 글을 쓰는 블로거, 기자, 칼럼니스트 등을 선정해서 그들이 쓰는 글의 구조를 분석하고 파헤쳐 보길 바랍니다. 처음에는 그대로 따라 써 보는 방법으로 시작하되 점점 더 다양한 스킬을 내 것으로 흡수해 보세요. 실제로 내 블로그 포스팅을 필사해서, 포스팅의 구조를 따라 하면서 자신의 스킬을 끌어올려 엄청난 성공을 거둔 수강생, 구독자가 굉장히 많습니다.

마지막으로, 꼭 매일매일 직접 글을 써 보고 부딪치면서 스스로의 필력 향상에 꾸준한 노력을 기울여 보길 바랍니다. 단언컨대, 개인적인 노력 여하에 따라 여러분의 인생이 180도 바뀌는 신기한 경험을 하게 될 것입니다.

나는 이제 어떤 카테고리의 글도 거침없이 작성할 수 있게 됐습니다. 그 스킬은 절대 사라지지 않는 나만의 가장 강력한 무기가 됐습니다. 누군가를 내 논리로 설득하는 데 가장 중요한 자산은 글쓰기입니다. 그 과정에서 내 카테고리인 IT는 그저 하나의 소재에 불과합니다.

세수하면이병현